戦略本社の
マネジメント

多角化戦略と組織構造の再検討

上野 恭裕【著】
UENO Yasuhiro

Strategic Management of Headquarters

東京 白桃書房 神田

はしがき

　戦後，厳しい経営環境にさらされながら，多くの企業が懸命に努力を重ね，日本は奇跡といわれる成長を達成した。日本企業は世界の中で重要な地位を占めるようになった。しかしながらバブル経済が崩壊し，失われた10年といわれる期間を経験した日本企業は，すっかり自信を失ってしまった。その結果，日本の企業システムは大きく変わった。リストラクチャリングや，選択と集中が進み，小さな本社が志向された。成果主義が導入され，終身雇用制が崩壊し，非正規雇用が増加した。それらの多くは，アメリカ型の企業システムの模倣であった。アメリカ型のガバナンスシステムの導入も盛んに行われ，株主重視の経営が声高に叫ばれた。たしかに株主は重要な存在であるが，株主だけが重要な存在ではない。日本企業は多くの利害関係者と微妙なバランスを保ちながら経営を行い，成果を上げてきた。先に述べたアメリカ型の経営システムの導入による組織革新が，期待されたような成果を上げているかは疑問である。

　技術の進歩により，経営環境は大きく変化している。そのような変化に対して，企業は柔軟に対応していかなければならない。しかしながら，やみくもな変化は危険である。経営危機を迎えた企業が，大胆な組織改革を実行し，よみがえることがあるが，成功した企業改革をみていると，大きく変化しながらも，経営理念などはしっかりと維持し，大事なところは変わっていなことが多い。一方で，切羽詰まった企業が，新しいコンセプトや流行の手法を，その本質を理解せず安易に導入することにより，失敗しているケースも多い。新しい概念や手法の導入に際しては注意が必要である。企業行動とその成果の正確な把握と緻密な分析が必要である。このようなことが十分に行われずに，流行に流された改革が行われることが多いのが現状である。日本企業は，一体どこへ進もうとしているのか。現在の流れが，日本企業にとって果たして良い方向なのかどうか。これが本書の根底に流れる基本的な問題意識である。

日本企業は厳しい経営環境にさらされ，確かに組織改革が必要な場合もある。そのときには明確な指針が必要となる。それについては，経営学の先達たちが努力を積み重ねてきた。本書もそのような経営学の研究のひとつであり，企業経営に対する明確な指針の提供を目指している。しかしながらささやかな本書ができることは限られている。本書は企業経営についての指針を示すことを最終的な目標としているが，まず小さな一歩として，現実の企業行動の正確な把握を試みている。これまでの日本企業の多角化行動と組織改革，ならびにその成果を正確に把握することにより，明確な指針の提示が可能になると考えている。そのような現状の正確な認識と検証なしに行われる流行に流された経営改革の成功確率は低い。現実の正確な把握を行ったうえで，日本企業が本来持っている強みを再確認し，流行に流されない，本質を理解した組織改革を行うことが必要である。

　筆者は大学院時代より，日本の大企業の経営戦略，特に多角化戦略に焦点を当てて研究を続けてきた。大学院を卒業して大阪府立大学に職を得てからも，指導教官である加護野忠男先生に共同研究の機会を与えていただき，企業の本社組織に関する調査に参加させていただいた。また在外研究の機会にも恵まれた。イギリス Cranfield School of Management での1年間の在外研究の間に，Andrew Kakabadse 教授のサポートを得て，イギリス企業に対する調査を行うこともできた。本書はそれらの研究の成果であるが，まとめるのに予想外の時間がかかってしまった。これらの研究機会を与えていただいた諸先生方に感謝するとともに，成果の報告が遅くなったことをお詫びしたい。自分の怠惰と無能を恥じ入るばかりである。
　ただ予想以上の時間がかかってしまった結果，それがプラスに働いている部分もある。それぞれの研究を実施した時から時間が経過し，データが多少古くなってしまったが，結果的に調査時点以降の成果データを利用することができた。それにより，日本企業の経営行動とその成果の関係を，長期的な視点から考察することが可能となった。このような長期的な視点から日本企業の行動をきっちりと検証しておく必要がある。企業行動の検証は，短期的な分析だけでなく，長期的な視点からなされなければならない。

研究と同様，企業経営も長期的な視点からなされなければならない。企業はゴーイングコンサーンであり，継続事業体である。100年，200年と続く企業が老舗として尊敬を集めるのは，単にその製品が素晴らしいだけでなく，短期の変動に流されることなく，長期的な視点から企業の存在をとらえ，経営を行い，本質を見失わず大事なものを維持し，時には変革を起こしながらも存続を果たしているからである。企業経営には長期的な思考が必要である。さらに，日本企業の経営を考える際には，国際比較の視点も重要である。経営のグローバル化が進んだ今日，諸外国の企業と競争を展開し生き残っていくためには，日本企業だけを見ていたのでは駄目である。国際比較によって，相対的な自社の位置を明確に把握しておく必要がある。比較によって初めて自分を知ることができるのである。本書はそのような国際比較の視点からの分析を行い，国際比較の視点を企業に提供することを試みている。

　国際比較には多くの困難を伴う。その代表が言葉の壁である。それは単に筆者の語学力不足に伴う問題だけではない。どれほど慎重に翻訳を行ったところで，伝わらない意味や解釈，ニュアンスの微妙な違いが存在する。本書は英語を母国語とする研究者の協力を得て調査・分析を行ってはいるが，それでも正確な国際比較ができているかどうかは自信がない。そもそも比較できないものを比較している場合もある。このような国際比較の試みがどの程度達成されているかは，読者のご批判を仰ぎたい。

　このような小さな試みのひとつである本書を，曲がりなりにも公刊することができたのは，多くの方々のご指導，ご教示，ご助力のおかげである。まず誰よりも，大学院時代から温かくご指導いただいている加護野忠男先生にこの場を借りてお礼を申し上げたい。加護野先生は2011年1月に，長年勤められた神戸大学での最終講義を終えられた。大学院でご指導をいただいて以来，長い年月が経ってしまったが，やっと単行本として研究成果を報告することができた。まだまだ自信を持って研究成果をお見せすることはできないが，本書が先生から賜った学恩に少しでも報いることができているならば望外の喜びである。

学部時代よりご指導をいただいている二木雄策先生にもお礼を申し上げる。ゼミを移った私を見捨てることなく，修士論文の審査でご指導をいただき，学問の厳しさ，厳密さを教えていただいた。大阪府立大学名誉教授の永田誠先生には，筆者が助手として奉職して以来，全く自由な研究環境を与えていただいた。先生が主宰される研究会にも参加させていただき，多くの刺激を受けた。

　在外研究先の Cranfield School of Management の諸先生方にも多くの刺激とご支援をいただいた。Andrew Kakabadse 教授には，研究上のアドバイスとともに，資金的な援助もいただいた。また同大学の岡崎 Word 伊佐子先生には，イギリス企業に対する質問票調査の実施に際して，多大な協力をいただいた。研究の面だけでなく，イギリス滞在中は生活全般について，家族全員がお世話になった。今でもイギリスを訪れたときに，ご夫婦で温かく迎えていただくことに感謝している。イギリスの調査では，本社組織の調査に関して，Ashridge Strategic Management Centre の Michael Goold 氏，David Young 氏にもお世話になった。イギリス企業の本社組織の調査結果とともに，イギリスでの調査実施に関するアドバイスもいただいている。それだけでなく，その後のイギリス企業に対するインタビュー調査の実施にもご協力をいただいた。

　論文の審査をしていただいた神戸大学の三品和広先生，坂下昭宣先生（現流通科学大学教授）には，本書作成に際して非常に有益な助言をいただいた。神戸大学の上林憲雄先生にも論文に目を通していただき，有益なコメントをいただいている。上林先生には在外研究のときにもご助言をいただき，それによって国際比較研究を実現することができた。和歌山大学の吉村典久先生には共同研究を通して多くの有益な助言や刺激をいただいている。吉村先生とは加護野先生が行われた共同研究にともに参加し，議論を通して様々なアイデアをいただいた。その成果が本書にも活かされている。調査データや成果を利用させていただくことを快く了解していただいたことに感謝申し上げる。

　上智大学の山田幸三先生には，大学院時代より研究上のアドバイスをいただくとともに，学会で諸先生方や出版社の方を紹介していただいたりとお世

話になった。滋賀大学の伊藤博之先生には，本書の出版の進め方について多くのアドバイスをいただいた。私が勤務する大阪府立大学経済学部の山本浩二学部長をはじめとする諸先生方からは，研究に最適な環境を与えていただくとともに，研究上の多くの刺激を得ている。特に経営学講座の北居明先生には共同研究や大学院生の指導を通して，刺激と励ましをいただいている。また当時客員研究員で現在は長崎国際大学の谷口佳菜子先生には，データの整理や図表の作成で大変お世話になった。あらためてお礼を申し上げる。

　本書は多くの調査結果を基にしているが，貴重な時間を割いて質問票調査に対応していただいた企業の方々にも，厚くお礼を申し上げる。企業の方々が期待していたような成果が出ているか自信がないが，少しでも参考にしていただければ幸いである。

　また，本研究の実施に際して，平成11・12年度科学研究費補助金奨励研究（A）（研究課題「純粋持株会社の経済効果の国際比較研究」），平成19・20年度科学研究費補助金基盤研究（C）（研究課題「多角化企業における本社組織の国際比較研究」）の資金援助を得ている。記して，感謝の意を表したい。

　最後になったが，出版事情が厳しい中，本書の出版を引き受けていただいた株式会社白桃書房編集部の平千枝子氏，なかなか進まない原稿に叱責することなく正確な編集・校正作業をしていただいた藤縄歡子氏に心よりお礼を申し上げる。

　私事で恐縮だが，研究者の道に進むことを許し，優しく見守ってくれている両親と兄姉，いつも支えになってくれている妻と娘たちに感謝し，本書を捧げたい。

　　2011年1月

　　　　　　　　　　　　　　　　　　　　　　　　　　　　上野恭裕

目　　次

はしがき ────────────────────────────── i

序章　本書の目的と構成 ─────────────────── 1
　第1節　はじめに ……………………………………………… 1
　第2節　バブル崩壊と日本企業 ……………………………… 3
　第3節　日本企業の対応と経営学の役割 …………………… 6
　　1．選択と集中に対する疑問　7
　　2．小さな本社に対する疑問　9
　　3．短期利益志向に対する疑問　10
　　4．アメリカ的経営の再検討　12
　　5．経営学の対応　13
　第4節　本書の目的 …………………………………………… 15
　第5節　研究の特色 …………………………………………… 18
　第6節　本書の構成 …………………………………………… 20

第Ⅰ部　既存研究と研究方法

第1章　多角化戦略に関する既存研究 ─────────── 27
　第1節　はじめに ……………………………………………… 27
　第2節　経済学における多角化研究 ………………………… 28
　　1．Penrose（1959）の研究　28
　　2．範囲の経済　29
　　3．産業組織論における多角化研究　32
　　4．経済学における多角化戦略の理論的考察　33
　第3節　経営戦略論における多角化研究 …………………… 35
　　1．Ansoff（1965）の研究　35
　　2．Chandler（1962）の研究　37

3．Rumelt（1974）の研究　37

　　4．Rumelt（1974）以降の実証研究　38

　第4節　小括 …………………………………………………………41

第2章　組織構造に関する既存研究─────────────45

　第1節　はじめに ……………………………………………………45

　第2節　多角化企業の組織構造の多様性 …………………………46

　第3節　Williamson（1975）のM型仮説 ………………………52

　第4節　Hill（1988），Markides（1995）の研究 ………………53

　第5節　小括 …………………………………………………………54

第3章　研究方法─────────────────────57

　第1節　はじめに ……………………………………………………57

　第2節　統計資料を利用した分析 …………………………………57

　第3節　有価証券報告書を利用した研究 …………………………58

　第4節　企業の組織革新に関する質問票調査研究 ………………62

　　1．調査方法について　62

　　2．組織革新実態調査　65

　　3．調査企業の業種と規模　67

　　4．質問項目の策定　71

　　5．組織構造の分類指標　72

　第5節　本社組織に関する調査 ……………………………………75

　　1．イギリス企業の本社組織の調査　75

　　2．日本企業の本社組織の調査　76

　第6節　小括 …………………………………………………………76

第Ⅱ部　多角化戦略と組織構造

第4章　多角化戦略と事業集中の実態──────────81

　第1節　はじめに ……………………………………………………81

　第2節　「選択と集中」のとらえ方 …………………………………82

　第3節　「企業活動基本調査」を利用した研究 ……………………84

　第4節　有価証券報告書等を利用した研究 ………………………86

第5節　質問票調査による研究 …………………………………91
第6節　『企業活動基本調査報告書』記載データを利用した分析 …94
　1．本業比率の推移　94
　2．産業別の多角化程度の分析　96
第7節　事業集中と経営成果 ………………………………………102
　1．アメリカ企業の事業集中　102
　2．事業集中と経営成果　103
　3．成熟産業でのイノベーション　104
第8節　小括 …………………………………………………………107

第5章　日本企業の戦略動向と組織改革───111
第1節　はじめに ……………………………………………………111
第2節　日本企業の全社戦略の動向 ………………………………113
第3節　日本企業の多角化戦略の動向 ……………………………121
第4節　日本企業の競争戦略の動向 ………………………………126
第5節　日本企業の最近の組織構造 ………………………………133
第6節　経営環境と戦略と組織構造 ………………………………136
第7節　小括 …………………………………………………………141

第6章　経営戦略と組織構造の日英比較───143
第1節　はじめに ……………………………………………………143
第2節　組織構造の比較 ……………………………………………144
　1．事業部制組織の採用状況　144
　2．事業部門分割基準　145
　3．事業部門の自律性　145
　4．本社による部門管理　146
第3節　多角化戦略 …………………………………………………148
第4節　競争戦略 ……………………………………………………150
第5節　小括 …………………………………………………………151

第7章　多角化戦略と経営成果───153
第1節　はじめに ……………………………………………………153
第2節　多角化戦略と経営成果 ……………………………………154
第3節　多角化戦略とコア事業への集中の交互作用 ……………157

第4節　小括 …………………………………………………… 168

第Ⅲ部　本社の役割

第8章　多角化企業の本社の役割 ―――――――――――― 173
第1節　はじめに ……………………………………………… 173
第2節　本社の定義 …………………………………………… 176
第3節　日本企業の本社の特徴 ……………………………… 179
第4節　日本企業の本社のタイプ …………………………… 180
第5節　小括 …………………………………………………… 181

第9章　本社の規模とその決定要因 ―――――――――――― 183
第1節　はじめに ……………………………………………… 183
第2節　日本企業の本社規模 ………………………………… 183
　1．本社機能の観点から　183
　2．日本企業の本社機能はなぜ多いのか　189
第3節　本社スタッフ数の比較 ……………………………… 195
第4節　本社規模の決定要因の枠組み ……………………… 201
第5節　本社規模の決定要因 ………………………………… 203
第6節　小括 …………………………………………………… 210

第10章　本社の規模と経営成果 ―――――――――――― 213
第1節　本社の規模と経営成果の関係 ……………………… 213
第2節　本社の変化と経営成果 ……………………………… 219
第3節　本社の規模とその後の経営成果 …………………… 226
第4節　分権化と外部化 ……………………………………… 228
　1．外部化と制度的独立性　228
　2．制度的独立性を高めることのメリット・デメリット　230
　3．制度的独立性を低くする動きの背景とその問題点　232
第5節　小括 …………………………………………………… 233

終章　結論と今後の課題 ―――――――――――――――― 235
第1節　本書のまとめ ………………………………………… 235

第2節　多角化企業のマネジメント……………………………241
　　第3節　今後の研究課題……………………………………………246

参考文献──────────────────────────249
付録A　各変数の定義──────────────────261
付録B　調査協力企業一覧─────────────────262
付録C　質問票────────────────────────264
索引────────────────────────────301

序　章
本書の目的と構成

第1節　はじめに

　1950年代から1970年代にかけて，日本は高度経済成長を実現した。この高度経済成長を支えたのは耐久消費財を中心とする工業製品への個人消費支出の増加と民間設備投資の増加である。この時期，個人消費支出中の食糧費の構成比は縮小し，それに代わって「三種の神器」(白黒テレビ，電気冷蔵庫，電気洗濯機) や「3C」(カラーテレビ，クーラー，カー) と呼ばれる，家電製品や自動車をはじめとする耐久消費財が，支出に占める割合を増加させた (宮本他, 2007)[1]。これら製品の生産を担ったのが，外国製品との競争を勝ち抜いた日本企業，特に日本の多角化企業である。

　たとえば自動車産業では自動織機から自動車事業へ多角化したトヨタ自動車であり，オートバイの生産から同じく自動車事業へ多角化した本田技研工業である。また家電製品ではアタッチメントプラグや二股ソケットなどの配線器具の製造・販売から出発し，様々な家電製品に多角化した松下電器産業 (現・パナソニック) であり，電気通信機および測定器の研究・製作を目的に1946年 (昭和21年) に創業され，その後，AV機器に事業を拡大し，世界的ブランドを築いたソニーである[2]。

　トヨタ自動車発祥の会社は，豊田佐吉が1918年 (大正7年) に創立した豊田紡織である。その後，1926年 (大正15年) に本格的な自動織機の生産のため，豊田利三郎を社長として豊田自動織機製作所 (現・豊田自動織機) が設立され，豊田喜一郎が常務となる。1933年 (昭和8年) には喜一郎が自動車

I

部を設置し，本格的に自動車生産に乗り出している。このように現在のトヨタ自動車は豊田佐吉の長男である豊田喜一郎が，豊田自動織機製作所の新規事業として自動車の開発を行ったことが始まりである。

　トヨタの新規事業開発には，豊田佐吉の経営理念が大きく影響している。豊田佐吉は「一人一業」を説き，豊田喜一郎に自動車事業への進出を強く勧めていたとされている（トヨタ自動車株式会社編，1987）[3]。また豊田佐吉の精神を受け継ぐため，豊田利三郎，喜一郎が中心となり，豊田佐吉の6回忌にあたる1935年（昭和10年）には，経営の基本理念である「豊田綱領」を発表している。その中には「一，研究と創造に心を致し，常に時流に先んずべし」という項目があるが，このような経営理念が，自動車製造へと豊田喜一郎を動かし，事業発展の原動力となったと考えられる（トヨタグループ史編纂委員会編，2005）[4]。さらに，豊田喜一郎は自動車産業進出に際しては，「①フォード，シボレーとの競合を回避することなく，むしろ両車の長所をとって，我が国の国情に合った新しい大衆車を量産して，価格と性能両面で外車と対抗できるようにする。②生産の方法は，米国式の大量生産方式に学ぶが，そのまま真似するのでなく，『研究と創造』の精神を生かし，国情に合った生産方式を考案する。（以下略）」（四宮，1998）[5]との考えを持っていた。アメリカの生産方式の単なる模倣ではない日本独自の生産システムの考案が，今日のトヨタの発展の基礎を築いているのである。

　このような多角化による日本企業の発展は，もちろんトヨタ自動車以外にもみられた。先にあげた本田技研工業は，戦後，本田宗一郎が自転車に軍払い下げのエンジンを取り付け，湯たんぽを燃料タンクにしたエンジン付き自転車を開発・製造したことに始まる。それから本格的なオートバイの生産に進出し，二輪車メーカーとして着実に成長を続け，やがて1962年（昭和37年）には軽トラックT360を発表し，翌年の1963年（昭和38年）にはT360とともに，乗用車ホンダスポーツS500を発売し，本格的に四輪車へ進出している。

　この本田技研工業による四輪車への進出は，順調に行われたわけではない。むしろ非常に厳しい状況での進出であった。この時期，「特定産業振興法案」が国会へ提出され，既存企業の再編が行われようとしていた（本田技

研工業株式会社総務部HCG編，1975)[6]。四輪車への進出のための時間は限られたものであったが，本田宗一郎の企業家精神と研究者達の努力により，困難な四輪車への進出が実現した。この四輪車への進出が，その後の本田技研工業の発展の基礎となっているといえる（淺羽，2004)[7]。

日本の高度経済成長を支えたのは，このような企業の新規事業開発であり，その結果としての多角化企業であった。さらに歴史をさかのぼれば，第二次世界大戦前に日本の経済発展の基礎を築いたのも多角化企業であった。三井，三菱をはじめとする総合財閥は第一次世界大戦後に多角化を進め，大きく成長した（宮本他，2007)[8]。また，明治後期から大正期を通じて人口の都市への集中が起こり，都市型産業が誕生し，日本の都市化が進むが，その都市化を支えた企業のひとつが小林一三の主宰する阪神急行電鉄（現・阪急電鉄）である。小林一三は沿線に住宅事業を展開し，梅田のターミナルビルに食堂，雑貨マーケットを直営し，これをもとに1929年（昭和4年）には日本初のターミナル・デパートである阪急百貨店を開業するという多角化戦略を展開し，電鉄会社の多角化経営の原型を形成した（宮本他，2007)[9]。

このように戦前に日本経済の基礎を築いたのも，また戦後に日本の復興を支えたのも，企業の新規事業開発の努力，ならびにそれに伴う多角化である。日本の大企業の多くは，複数の事業を同時に営む多角化企業であり，日本経済は多角化企業の発展により支えられてきたといえる。

第2節　バブル崩壊と日本企業

1990年代初頭，バブル経済が崩壊した。日経平均株価は1989年12月29日に3万8915円87銭の最高値を記録したのをピークに下落し，日本経済はバブル崩壊へと向かった。その後も長期にわたり経済停滞が続き，1990年代は失われた10年といわれる時代となった。2000年にはITバブルとその崩壊，2008年にはリーマンショックを引き金としたアメリカ発の金融危機を契機とした世界同時不況により，日本企業は依然として厳しい状況にさらされている。これらの厳しい経済状況により，日本企業は業績を悪化させている。これまで日本経済の発展を支えてきた製造業企業が自信を喪失し，進むべき方向性

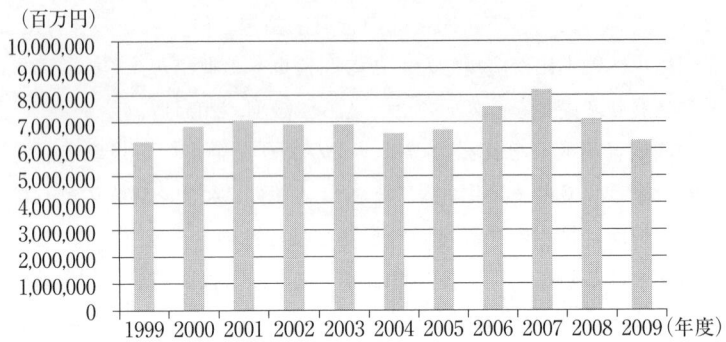

図序-1　ソニーの売上高の推移

注：金融ビジネス収入と営業収入を除く，純売上高。
出所：有価証券報告書より作成。

を見失い，これまで培ってきた強みを失っているようにもみえる。

　バブル崩壊後の失われた10年といわれる時期は，その実質的な経済停滞よりも，むしろ日本企業の自信の喪失が問題である。日本企業が日本的経営の良さを見失ってしまったことが問題なのである。バブル崩壊後日本企業は不振に陥っているが，その問題の根幹は「80年代まで日本的経営の中心的な担い手であった経営者企業が，すっかり自信を失い，『株主重視の経営』を前面に押し出すようになったこと」(宮本他，2007)[10]にある。その結果，企業は株価の上昇を経営の最重要課題とするようになった。株主重視それ自体は株式会社である以上，間違いではないが，「株主重視と短期的利益の追求とを同一視し，経営者企業である大企業の多くが，日本的経営のメリットである長期的視野を持つことを忘れてしまったこと」(宮本他，2007)[11]が問題なのである。

　このような傾向は，失われた10年以降も引き続き後遺症として残っている。2003年のソニーショックなどが，その代表であろう。戦後順調に成長・拡大し，日本生まれのグローバル企業の代表とされたソニーは，委員会等設置会社や社外取締役の導入など，アメリカ型のガバナンスを取り入れてきた企業であり，そのユニークな製品で世界的なブランドを確立してきた。その日本を代表する企業であるソニーの株価が急落した。

　2003年4月24日に2004年3月期の大幅減益見通しを発表し，ソニーの株価

図序-2　電機大手5社の売上高営業利益率の推移

(凡例：日立、パナソニック、ソニー、東芝、富士通)

出所：各社有価証券報告書より作成。

が翌日の4月25日に急落した。一般にソニーショックと呼ばれる騒ぎである[12]。ソニーは2006年度に10%の連結営業利益率を達成することを公約に合理化を進めてきたが、2005年には達成見通しがたたず、2005年度の営業利益率は2.9%であった。出井伸之会長兼グループCEOは退任を余儀なくされ、ハワード・ストリンガー氏が会長兼グループCEOに就任するが、アメリカ発の金融危機により、2008年度の営業利益率は－3.2%となっている。2009年度でも0.5%にとどまっており、現在までのところ、合理化の成果は十分には出ていない。

同じく日本を代表する企業であるパナソニックはソニーと対照的な企業であり、日本的経営の象徴的存在であるが、パナソニックもソニー同様、業績を悪化させている。2001年度に上場以来初の営業赤字となり、2000年に社長に就任した中村邦夫社長（当時）は「破壊と創造」をスローガンに、「経営理念以外に一切の聖域はない」といって改革を断行した[13]。

この改革では大規模な事業構造改革が行われ、これまで事業部間で重複していた事業の再編を行っている。また2002年には上場子会社5社[14]を全て完全子会社化し、松下電器産業（当時）本体の事業部制を解体し、2003年には

序章　本書の目的と構成　5

図序-3　パナソニックの売上高推移

(百万円)

出所：有価証券報告書より作成。

ドメイン制を導入している。さらに2004年には松下電工（当時）の完全子会社化も完了している。

　さらに重要な改革は雇用構造の改革である。2001年8月には，聖域と呼ばれた雇用に手をつけ，早期退職優遇制度を導入し[15]，日本企業の終身雇用制は崩壊したといわれるようになった。この早期退職優遇制度にはグループ企業主要5社で1万名，国内連結対象会社の総計で1万3000名が応募したといわれている[16]。

　これらの改革を受け，2004年度から利益率は順調に回復し売上高も順調に伸びてきたが，売上高の方は2007年度以降再び低下している（図序-3参照）。

　戦後の発展を支えた家電企業をはじめとした日本企業，さらには日本的経営に大きな変化が生じている。日本的経営が変化するのは，経済のグローバル化を考えると，ある程度避けられないことではあるが，これらの変化が日本企業の主体的な環境対応かどうかは疑問が残るところである。日本企業が経済環境の変化にどのように対応してきたのか，日本企業全体のマクロな姿をみてみよう。

第3節　日本企業の対応と経営学の役割

　ソニーやパナソニックに代表されるような大企業だけでなく，日本企業全

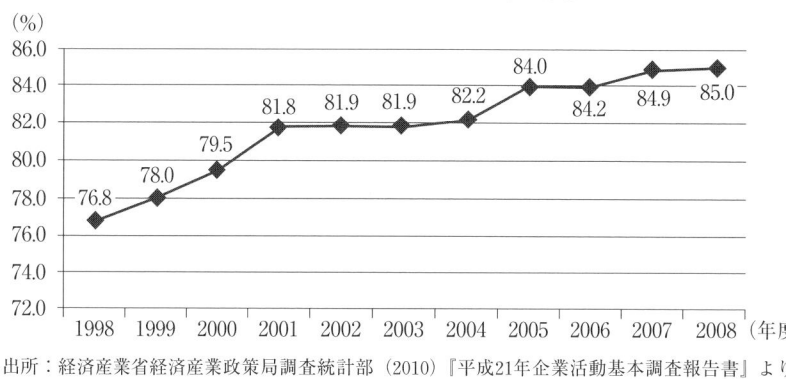

図 序-4　製造業の本業比率の推移

出所：経済産業省経済産業政策局調査統計部（2010）『平成21年企業活動基本調査報告書』より作成。

体として見た場合，バブル崩壊後の経済停滞に対して，日本企業はこれまでどのように対応してきたのであろうか。

1．選択と集中に対する疑問

　1980年代中ごろから盛んにいわれだしたのが，リストラクチャリング（事業の再構築）である[17]。リストラクチャリングとは，もともと事業の再構築という意味であったが，現在では当初の意味はすっかり薄れ，もっぱら解雇という意味に用いられている。しかしながら，もともとは事業の再構築であり，戦略的意思決定のひとつである。1990年初頭にバブル経済が崩壊すると，このような戦略的意思決定をさらに進めるために，競争力のある事業に経営資源を集中し，競争力のない事業から撤退するという「選択と集中」が，日本企業の合言葉になった。経済状況が悪化すると，リストラ，スリム化を志向し，企業が縮小戦略をとるようになるのは避けられない。選択と集中が必要な場合ももちろんあるが，問題は自社の資源や強みを考えることなく，流行に流され，アメリカ企業の模倣に走る選択と集中である。

　選択と集中に対立する戦略である新規事業開発は，リスクの高い戦略であるが，そのリスクを避け，拙速な選択と集中を進めると，企業全体の成長力を弱めてしまい，より大きなリスクを負うことになる。

　しかしながら，現在，日本企業は選択と集中を進め，本業回帰をはかって

いる。そのことは統計データでも示されている。図序-4は「経済産業省企業活動基本調査」による本業比率の推移である。

　マクロレベルで日本企業の行動を観察してみると，日本企業のこの10年間の本業比率は着実に増加し，選択と集中がかなり進んできたことを示している。このような日本企業の行動は，はたして適切なものであろうか。このような選択と集中が，日本企業の正しい方向かどうかは慎重に検証する必要があるが，さしあたり，同時期の同サンプルの売上高営業利益率をみてみよう。上記の本業比率の推移と同様に，『企業活動基本調査報告書』により，調査対象企業の売上高経常利益率と売上高営業利益率をみたのが図序-5である。

　これによると2000年度から2001年度にかけて，利益率は一旦低下したが，2001年度以降，2006年度まで3％台から6％へと上昇を続けた。これをみる限り，選択と集中は成果を上げているようである。しかしながら，2007年度に下降を始め，リーマンショック後の経済危機では，急激な下降をみせている。このような業績悪化の原因を経済環境の悪化と片付けてしまってよいものだろうか。

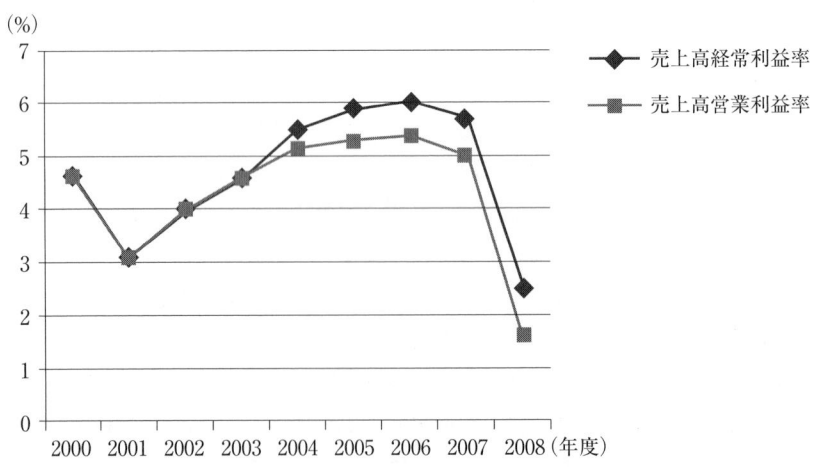

図序-5　製造業の利益率の推移

出所：経済産業省経済産業政策局調査統計部（2010）『平成21年企業活動基本調査報告書』より作成。

環境変化の影響は確かに大きい。しかしながら、日本企業が、環境変化に弱い体質を露呈しているともいえる。利益の出ない事業から撤退し、競争力のある事業へその資源を集中することによって、利益を追求する。その結果、環境の変化に対する適応力を失ってしまったのである。

2．小さな本社に対する疑問

我々が問題とする2つ目の企業の対応が、「小さな本社」志向であり、行き過ぎた効率の追求である。スイスのブラウン・ボベリ社とスウェーデンのアセア社の合併により誕生した世界最大級の重電エンジニアリング企業であるアセア・ブラウン・ボベリ（ABB）社は、小さな本社でもてはやされたが、近年は業績悪化に苦しんでいる。日本の重電企業で小さな本社の代表である東芝も、家電業界では飛びぬけて好業績というわけではない。むしろ家電業界では厳しい状況にあり、次世代DVDでパナソニック、ソニー陣営に敗れるなど苦しい競争を強いられている。東芝はもともと重電の会社であり、DVDのような家電事業やAV機器事業を事業ポートフォリオに加えるかどうかの意思決定が必要となる。さらに、重電と家電というような既存事業間に、どのようにシナジーを実現させていくか、シナジーをどのようにマネジメントしていくかが問われている。これは全社戦略の実行の問題であり、組織のマネジメントの問題である。

このようなシナジーの達成がどの程度の規模の本社で可能かについて、明確な指針はない。企業の大規模化により、所有と経営が分離し、創業経営者による経営から大規模企業のマネジメントへと企業経営の課題が移ってきた。企業の大規模化により、部門別組織が取り入れられ、それを管理する本社機能が必要となってきた（Chandler, 1962）。企業規模の拡大に伴い、本社は大規模化する傾向がある。これに批判が集中し、コスト削減という目標もあり、間接費の削減を目指して小さな本社が志向された。

バブルの崩壊に伴う経済の停滞により、日本企業の多くは構造改革に着手せざるをえない状況に追い込まれているのも事実である。しかしながら、大規模化した多角化企業のマネジメントは、小さな本社で簡単にできるものではない。小さな本社の成功事例もそれぞれの企業の歴史、経緯と密接につな

がっている。小さな本社の議論は一種の流行であるが、流行を追ってはいけない。流行はあくまで流行であり、根拠がない。

3．短期利益志向に対する疑問

　日本企業はバブル崩壊以降、短期利益志向に陥り、事業を縮小し、コスト削減のため人員を削減し、本社機能を縮小してきた。それらの改革は有効に機能しているのであろうか。残念ながら現実には、利益が得られていない。最近の企業経営の課題である利益志向と結果的には矛盾する状態になっている。企業は利益を志向しながら利益を得られていないのである。バブル崩壊以降、日本企業の改革が行われ、企業の経営者は利益を追求せざるをえなくなったが、その結果、かえって利益は得られなくなっている。短期利益に目を奪われてしまい、長期の成果に結びつく投資が忘れられてしまう現象が起こっているのである（加護野、2009）。利益はあくまで結果であり、目的ではないのである。

　ソニーが業績回復に手間取っているのも、実は短期利益にこだわったからである。ソニーは2003年のソニーショックの後、10％の営業利益率にこだわったために、事業構造が狂い始めた。エレクトロニクス事業が成長しなくても利益率10％を目指そうとする出井会長兼グループCEO（当時）のもと、金融事業を除く連結従業員が全世界で約2万人（国内7000人）削減された。これは成長を犠牲にして営業利益を確保しようとする状態であり、2003年の決算では連結営業利益率の過半を金融事業で補うことになった[18]。このような極端な利益志向は問題である。その結果が、近年の業績の悪化である。

　確かに、利益は重要であるが、利益は最終的な目的ではなく、事業を継続するための手段である。過度の利益追求により、長期の成長が阻害されてはならない。短期的な業績に敏感に反応する株主を重視するあまり、長期的な成長にとって必要な投資が回避され、必要な事業からの撤退が行われる。株主価値を追求しているゼネラル・エレクトリック（GE）社は、優良企業として取り上げられることが多いが、その実態は実は金融コングロマリットであり、実質的な経済発展に大きな貢献はしていないという見方もある（Kennedy, 2000）。

さらに利益率は企業の競争優位の獲得にとっては，二次的な意味しかない。利益率はどれだけコストを削減し効率的にものを生産・販売したかという効率性の問題である。一方売上高は，その企業の製品がどれだけ顧客に支持されたかという有効性の問題である。有効性は効率性に優先される問題である。有効性を満たさない企業行動は経済価値を生まず，Barney（2002）のいう競争劣位（competitive disadvantage）の状態となる。有効性の条件を満たすが，競争相手との比較において抜きん出た効率性を達成していない場合は競争均衡（competitive parity）の状態であり，競争優位の状態ほど望ましいものではないが，許容される。さらに有効性を満たし，競争相手との比較において効率性も優れている場合には，競争優位（competitive advantage）が達成される（Barney, 2002）[19]。ゆえに，効率性よりも有効性が優先される。

　日本企業はこのような短期的な利益追求にとらわれることなく，長期的成長のための戦略を考える必要がある。効率性よりも，有効性の問題にもっと目を向けなければならない。日本を支えた電機産業の製品が売れなくなっているのは，そのことに対する警鐘であろう。かつてキヤノンがシンクロリーダーの開発をきっかけとして，カメラメーカーから事務機器メーカーへ変身し発展したように，産業の成熟，衰退とともに衰退するのではなく，長期的な発展を目指さなければならない。そのためには，長期的視点に立った投資を許容するような，マネジメント・システムを導入する必要がある。多くの普通の日本企業は，実はこのことを理解している。

　2005年に行われた神戸大学大学院と財団法人関西生産性本部の調査では，過去5年間に重要であった経営課題は収益性であったが，今後は成長性へ移るとしている（神戸大学大学院経営学研究科・財団法人関西生産性本部，2006）。その中で，特に，新規事業開発は重要な経営課題と認識されている。成長は日本企業にとって非常に重要な経営課題である。この長期的な成長のためには多角化戦略が不可欠である。産業のライフサイクルを前提とすると，このことは自明であり，問題はいかに多角化するかである。

　現在このような状況を反映し，いくつかの制度改革が行われている。しかしながら，それらは主にアメリカ型企業経営の模倣である。純粋持株会社が

解禁され，完全子会社化が進み，企業の境界に変化が起きている。委員会設置会社が導入され，アメリカ型企業経営の仕組みがもてはやされ，社外取締役の導入が進んでいる。社外取締役や委員会設置会社など，株主重視の経営を取り入れようとしている企業は多い。これらの対応が効果を発揮しているかどうかは疑問である。これらがはたして有効かどうかは慎重な検討が必要であろう（上野・吉村，2004)[20]。

4．アメリカ的経営の再検討

　バブル崩壊後，日本企業の経営システムは大きく変わったが，そのほとんどがアメリカのシステムの模倣である。確かに経営学はアメリカを中心に発展をしてきたし，アメリカの企業経営で見習うところは多い。これまで，経済成長を達成するために，多くの日本企業はアメリカ企業へのキャッチアップを目標にしてきた。キャッチアップならばそれでも良かった。しかしながら現在はキャッチアップの対象がなくなり，自ら道を切り開いていかなければならない時代である。日本的マネジメントの創造の時代へと移っている。もはやアメリカの模倣をしている時ではない。キャッチアップの時代は終わったのである。にもかかわらず現在のような危機的な状況でもやはり，アメリカ企業の模倣が行われている。これまで述べてきた選択と集中や小さな本社，さらには社外取締役の導入，委員会設置会社，純粋持株会社の導入に代表される構造改革である。

　確かにアメリカ企業は，そのような制度によって，これまでにも多くの危機を脱してきた。ただ，それはアメリカ企業の成長の歴史からくる固有の問題の解決にとって有効な方法であり，それがそのまま日本企業の問題解決に有効である保証はない。アメリカ企業の抱える問題と日本企業の抱える問題，その解決方法はその背景の違いにより，当然違ったものとなる。日本企業とアメリカ企業はそもそも違うものであるという認識を持ったうえで，その違いを正確に把握することが必要である（伊藤，2009)[21]。

　実は経営学で取り上げられるアメリカ企業の成功事例も，ごく一部の企業のものであり，それが繰り返し取り上げられることにより，神話となっているという指摘もある。そのようなごく一部の成功事例が日本企業の模倣のも

とになる。それらの成功事例はごく一部であるとともに，その成功は先にもふれたようにアメリカという国の文化や風土，制度や慣行と密接に結びついたものであり，日本企業が簡単にまねできるものでもなければ，まねをできたからといってうまくいく保証があるものでもない。日本企業は日本の文化，風土，制度，慣習を理解し，日本に合った経営を見つけていく必要がある。

　アメリカの経営システムや制度を無条件に導入することは危険である。日本的経営には日本的経営にしかない良さがあるのであり，それは日本という国に適合した制度であったからこそ，これまでの日本企業の発展があったのである。もちろんそれがいつまでも続くわけではないが，一時の経済危機により，自らを見失うことは避けなければならない。

5．経営学の対応

　では，このようなマネジメント上の課題に対して，経営学は明確な答えを示してきたのであろうか。残念ながら明確な答えを示してこなかったといわざるを得ない。あるいは経営学が示しているものが，十分に理解されていないともいえる。

　Chandler（1962）が「戦略（strategy）」という言葉を経営学の文献で使い，経営戦略が経営学で議論されるようになって，およそ50年がたとうとしている。しかしながら，日本の企業が戦略という概念を分析的に使用し，環境変化に対応しているとはいい難い。この問題を主に多角化戦略の研究に焦点を当てて簡単にみておこう。

　多角化戦略や新規事業，それを可能とする組織構造については，これまで多くの研究が行われている。しかしながらそれらの研究の成果は不十分であり，一貫した答えが出ていない。それはなぜか。それは問いの立て方，問題のとらえ方が間違っているからである。それは経済学的な多角化研究の限界である。マネジメントに関する議論が少なかったことが問題なのである。そのことを次にみてみよう。

　これまでにも多角化戦略に関する優れた研究は数多くあった。多角化戦略の理論的な研究の嚆矢とされるPenrose（1959）の研究に始まり，Ansoff

（1965）やChandler（1962）などが，多角化戦略の理論的な側面を明らかにしてきた。またRumelt（1974）が多角化の分類体系を開発し，実証研究を行ってから，多角化に関する実証研究が盛んに行われるようになってきた。たとえばMontgomery（1979）やMarkides（1995）などがアメリカ企業を対象とした実証分析を行い，アメリカ企業の多角化の実態が明らかになってきた。またChannon（1973）やHill（1988）などが，イギリス企業を対象とした研究を行い，イギリス企業の多角化戦略もある程度明らかになってきている。

　日本においても吉原他（1981）の『日本企業の多角化戦略：経営資源アプローチ』という代表的な多角化研究があり，それは学会の貴重な財産となっている。吉原他（1981）の研究のほかにも，日本企業の多角化戦略については，ある程度の蓄積がある（箱田，1988；上野，1997；萩原，2007など）。しかしながらまだまだ十分とはいえない。2004年に経営学領域の代表的な雑誌である『組織科学』で多角化戦略に関する特集が組まれたが，そのことも多角化に関する研究の必要性を示しているといえる[22]。

　これまで多角化の議論では関連型多角化の業績がよいといわれてきた。それは資源を有効活用し，範囲の経済を達成することによりコストを削減し，それによって競争優位の獲得が可能となるからである。しかしながら多角化と経営成果の関係について，完全な合意はまだ得られていない。それを反映して，企業の多角化の実態も多様である。上野（2004）が指摘しているように，企業の多角化とその組織構造はひとつに収斂することはせず，多様性を持っている。関連型多角化を進めた企業が，選択と集中を盛んに進めていることを考えると，これまでの多角化研究には大きな問題があったといえる。

　どのような問題があったかというと，それは経済学の限界であり，基本的にはPenrose（1959）の研究をもとにした，経営資源論をベースとした多角化研究の限界である。これまでの多角化戦略についてはコスト削減を重視した議論が展開されてきた。コストの問題は効率性の問題であり，もちろん非常に重要な問題であるが，それだけでは企業の競争優位にとって不十分である。最も効率的な生産システムを構築したフォード社のT型車がその有効性を失い，ゼネラル・モーターズ（GM）社にシェアを奪われた事例をみれ

ば，いくら低コストで生産しても，それが売れなければだめなことは明らかである。

効率性だけでなく，有効性を考えなければならない。有効性の問題は環境との適合の問題であり，マネジメントの問題である。環境が変化し，顧客のニーズが変化する世界を前提とすると，環境の変化が激しい現代においては，その環境変化に適応できる柔軟性が必要となる。環境の変化に柔軟に対応することができ，有効性を実現できるマネジメントとはどのようなものなのか，それはどのような戦略と組織により実現可能なのであろうか。このような問題を本書では考えていきたい。

第4節　本書の目的

本書はこのような研究の背景と経営学の課題を踏まえ，上記の問題意識のもと，多角化戦略と組織構造に関する実証分析を行い，次のようなことを明らかにすることを目的とする。

日本企業は，これまで，どのような多角化戦略を展開し，どのような組織構造を採用してきたのであろうか。それは外国企業と異なる日本独特のものなのであろうか。そのような企業行動はどのような成果に結びついているのであろうか。また今後，日本企業はどのように多角化すればよいのだろうか。また多角化した事業をどのようにマネジメントしていかなければならないのであろうか。そのために，どのような組織を作ればよいのであろうか。本書ではこのような問題を明らかにする。それらの課題を詳しくみていこう。

第1に，現実の多角化戦略の正確な把握である。いま企業に求められていることは現実の正確な理解であり，本書はまずそれを目指している。日本企業の現状を認識したうえで，戦略と組織の関係を明らかにし，多角化戦略のあり方，多角化戦略に対応した組織のあり方を検討することは，いまだに重要な研究課題である。適切な多角化戦略を展開することが可能となるような指針が求められている。必要なことは，現実の正確な理解とそれに対する適切な処方箋，その実施である。正確な理解に必要なことは，正確なデータと

論理である。日本企業はこれまでどのような多角化を進めてきたのであろうか。多角化企業にしても，その成り立ちが日米欧ではまったく異なる。日本企業は内部開発，欧米企業はM&Aによる外部資源獲得戦略が中心である。そのような違いを認識したうえで，多角化企業のマネジメントを考える必要がある。

　次に，今後どのような多角化をいかに進めていけばよいかという問題である。このことを検討するために，多角化の程度だけでなく，多角化の中身を考える。つまり結果だけではなく，戦略的意図を考えるということであり，戦略としての多角化を考えるということである。ここではそれを質問票調査により明らかにする。

　さらにその際，単にどのような多角化を行った企業が好業績かという問題だけでなく，どのようなマネジメントが必要かということを考える。このような多角化企業のマネジメントを問題にするのは，このような問題が，より一層重要になってきているからである。ここでいうマネジメントというのは単なるポートフォリオの組み替えではない，事業間マネジメントである。企業を単なる事業の寄せ集めとしてとらえ，事業の組み替えを考えるアメリカ型の多角化戦略ではなく，事業間の連携，融合をマネジメントする，日本型の多角化のマネジメントについての議論である。

　このような議論が重要となってきている背景のひとつに業界の垣根の変化がある。業界の垣根がなくなることにより，事業間の融合が必要になってきている。たとえば，フィルムメーカー，カメラメーカー，電機メーカーがそれぞれデジタルカメラを作っている。一方，携帯電話がカメラになり，パソコンで通信ができる。製品，あるいは事業の融合が進んでいる（内田，2009）。このような状況では，単なる事業の組み合わせではなく，それぞれの事業間のシナジーを考慮に入れた多角化事業のマネジメントが要請される。フィルムメーカーがカメラ事業に進出するべきか，カメラメーカーが携帯電話を作るべきかという新規事業開発という意味での多角化のマネジメントとともに，フィルム事業とカメラ事業の間にどのような協力関係を構築していくべきかというマネジメントの問題である。事業間のマネジメントの問題がますます重要となってきている。

そのような問題は組織の問題と深くかかわっている。ソニーはソフト事業とハード事業のシナジーの追求を図っているが，これまでのところうまくいっていない。ソフト事業とハード事業の間には大きな距離がある。そのためソニーは，組織改革を繰り返している。分権化が進んだカンパニー制と集権化を志向した事業部制への揺り戻しを繰り返している。カンパニー制はアメリカのコングロマリット型の多角化企業に近い組織形態であり，分権化の程度が高い組織である。

多くの電気機器企業が分権化を進めているが（林・高橋編著，2004）[23]，それは適切な行動であろうか。企業はどの程度，またどのような分権化を進めるべきなのであろうか。本書では質問票により，分権化の中身を明らかにする。具体的にどのような分権化，あるいは集権化が必要なのであろうか。何を権限委譲して，何についてのコントロールを強めればよいのであろうか。このような観点から組織の問題を考えていく。

最後が本社のマネジメントの問題である。多くの企業が小さな本社を追求しているが，そのような企業が好業績を達成しているという証拠は残念ながらない。小さな本社は当然，分権化が必要であるが，この分権化が行き過ぎると，事業間のシナジーを考えることができなくなる。事業間のシナジーを考えることができるのは本社だけである。長期的な成長を目指すためには全社戦略の策定を担う本社組織の役割の再検討が必要である。

本書では，持続的な成長を可能とするような組織はどうあるべきかを明らかにするために，どのような本社組織が必要であるのか，という本社機能の問題，本社組織の在り方について考える。このような本社組織の役割の再検討がいま求められているのは，企業とはそもそも何か，という企業の本質についての理解がこれまで不十分だったからである。

Penrose（1959）によると企業とは経営資源の束である。あるいは経済学では契約の束となる。このような単純化により，鋭い分析が可能となり，得るものも多いが，失われるものも多い。なぜなら，企業は単なる資源の集合体ではなく，人々の思いの集合体でもあるからである。企業は投資ファンドが行うマネーゲームではない。企業は多くの人がそれぞれの思いを持ち，集まり，製品を作り，サービスを提供するという，人々の思いの集まりであ

る。

　経営学の歴史は企業で働く人々の動機づけの歴史でもあった。人々のモティベーションの違いにより，経営成果に大きな違いが出てくる。ただ，この研究の分析単位はあくまで組織であり，経営戦略的視点から考察を行う。行動科学的な分析は行わない。

　企業をこのようにとらえて戦略と組織のあり方を考察することにより，日本企業の今後の進むべき方向を示すことができるのではないかと考えている。日本企業は今後，どのような組織を必要とするのか，人々の思いの集合体をマネジメントすることができるような本社機能の構築はどうすれば可能になるのか。本書ではそのような問いに答えを出すための，新しいひとつの視点を提示したい。

第5節　研究の特色

　以上のような目的を達成するために，本書は研究方法としては次のような特徴を持っている。第1に，複数の研究方法を併用するということである。複数のアプローチを用いることにより，様々な方面から企業の多角化戦略と組織構造の実像に迫り，有意な発見を行うことができると考える。具体的にどのような方法で行われたかは，第3章で詳しく述べるが，ここではそれを概観しておこう。

　まず，統計資料の利用である。企業の多角化に関して，現在，十分な統計資料が整備されているというわけではない。それは，企業の多角化というものの測定の困難さに原因がある。多角化とは「企業が事業活動を行って外部に販売する製品分野の全体の多様性が増すこと」（吉原他，1981）[24]と定義されるが，多様性が増しているかどうかをみるためには，多様性あるいは逆に同一性が明確に定義されなければならない。しかしながら，多角化という企業行動の性格上，その多様性，あるいは同一性は製品領域の特殊性に依存し，その判断は企業経営者，研究者により異なる。そのために，多角化に関する統計データを収集するのは非常に困難となる。

　そこで，統計資料に加えて，有価証券報告書や年次報告書などの企業開示

資料を利用することが考えられる。これらは主に，企業が投資家に向けて企業情報を開示するためのものであり，豊富な情報が掲載されているが，投資家向けであるために，研究者の研究課題にとって，有益な情報が載っているとは限らない。また，多様性，同一性を判断しなければならないという問題も依然として存在する。

　そこで，研究の目的に応じた有益なデータを集めることを目的とした質問票調査を併用することが考えられる。質問票調査では，研究者が各自の研究課題に応じて質問票を作成することができるので，目的に応じたデータを集められる可能性があるが，回収率の問題や，標本誤差の問題など，解決しなければならない問題，あるいは方法上，解決困難な問題を多く含んでいる。

　これらの方法は，どれも完全な方法ではあり得ない。それぞれ何らかの長所，短所を持っている。そこで，本書では，日本企業の多角化戦略の実態を明らかにするという目的に照らし有効と思われる方法をなるべく広く活用し，それぞれの方法の短所を補うように試みた。このような試みがうまくいくかどうかは，それぞれの方法の長所，短所を理解し，それぞれの方法をうまく使い分けられるかどうかにかかっているが，研究者の能力や資源の問題により，総花的な研究になり，どれも不十分になってしまうという危険性もある。本書のこのような試みがうまくいっているかどうかは，読者の判断を仰がなければならないが，一定時点において，多角化戦略というひとつの問題領域に複数のアプローチを用いることは，それなりに意義があると考えている。

　第2の研究方法の特徴は，できうる限り国際比較を行うということである。多角化戦略の研究の多くはアメリカ企業を対象としたものである。それらアメリカ企業の既存研究との比較を行うとともに，オリジナル・データを利用した比較研究を行う。筆者はイギリスに在外研究の機会を得，そこで，イギリス企業の調査を行う機会に恵まれた。また神戸大学が参加した本社機能の国際比較研究プロジェクトにも参加することができた。それによって得られたデータを利用して，主にイギリス企業との比較を行うことにより，客観的に日本企業の現状を把握することができると考えている。

　そして第3の特徴は，多角化戦略を本社の機能の観点から考察するという

ことである。多角化戦略の研究領域では戦略タイプや多角化の程度と経営成果との関係の研究，戦略タイプと組織構造の関係の研究が中心であり，多角化企業を具体的にどのようにマネジメントするかという視点での研究は多くない。基本的には多角化事業の組み合わせの問題を扱っている。本社と各事業部の関係にまで踏み込んだ研究は，それほど多くないのが現状である。しかしながら，多角化企業のマネジメントを行うのは本社組織であり，本社の機能，本社の役割についての議論が必要である。

　本社によるマネジメントは全社戦略に関する議論の中で，プロダクト・ポートフォリオ・マネジメント（PPM）などと関連して議論されることが多い（Abel and Hammond, 1979）。そこでは本社がどのように事業の価値を判断し，事業構成を組み替えるかということが中心的な話題となる。PPMの問題点は，事業間の関連についての考察や，シナジーの実現のための本社の役割についての議論が足りないことである。本社がそれらの問題にどのように関与するかという点は触れられていない。そこで本書では，本社が事業部に対してどのような機能を発揮しなければならないかを多角化戦略との関連で議論する。

第6節　本書の構成

　上記のようなアプローチをとるために，本書は次のような構成をとる。
　第Ⅰ部で多角化戦略と組織構造の既存研究を整理し，本書の問題意識を明確にし，研究方法を提示する。
　第1章では多角化戦略に関する文献レビューを行い，これまでの多角化研究を概観し，多角化研究の限界を指摘し，残された課題を明らかにする。
　第2章では多角化戦略と関連した組織構造に関する文献レビューを行う。Chandler（1962）の有名な命題を出すまでもなく，経営戦略と組織構造は，密接に関連している。そこでこの章では，多角化戦略に関連した範囲で，組織構造の議論を概観し，本書で用いられる組織構造の分類指標を明らかにしておく。
　第3章では本書で用いられる様々な研究方法を整理して提示する。ここで

は『企業活動基本調査報告書』を用いた研究，有価証券報告書を用いた研究，質問票調査による研究の長所短所を説明し，本書で用いられる日本企業の組織革新に関する質問票調査，ならびに本社組織の役割に関する質問票調査の概要を述べる。

　第Ⅱ部においては従来の伝統的な経営戦略論の枠組みから，日本企業の行動をとらえ，多角化戦略と組織構造との関係，成果との関係を議論する。

　まず第4章では，多角化企業の現状を分析し，現代大企業の成長パターンを明らかにする。主に産業組織論の分析手法を用い，産業構造全体の動きを把握する。ここでは主に多角化企業の統計資料である『企業活動基本調査報告書』が利用される。

　第5章では個別企業の多角化動向を把握するため，有価証券報告書と質問票調査のデータを用い，企業レベルの多角化動向を明らかにする。同時に多角化戦略と組織構造の関係を議論し，日本企業の組織構造の現状を把握する。

　第6章では戦略と組織の日英比較を行い，日本企業の独自性を検証する。ここでは日本とイギリスで行った「企業の組織革新実態調査」を利用して比較研究を行う。

　続く第7章では企業レベルの多角化動向と経営成果の関係について議論する。そこからコア事業の重要性が導出され，コア事業をマネジメントする本社の戦略調整機能の重要性へと議論を展開する。

　第Ⅲ部では，前章までの議論を受け，これまで十分に議論されてこなかった本社機能の問題を議論し，多角化した大企業のマネジメント上の課題を明らかにする。ここでは本社機能の重要性を明確に示すために，本社組織に関する質問票調査を利用する。それによって最終的に，戦略調整機能を重視した戦略本社の重要性を指摘し，小さな本社に対して疑問を提示する。

　まず第8章では多角化企業における本社の役割に言及し，日本企業の戦略と組織の関係を明らかにし，現代日本企業の競争優位の源泉を明らかにする。本社の定義，役割を確認し，日本企業の本社の特徴を議論するための戦略論の枠組みを述べる。

　第9章では日本企業の本社規模をイギリス企業と比較することで確認し，

本社の規模の決定要因を明らかにする。ここでは日本企業の本社機能，その果たしている役割をみることにより，本社の規模がどのように決まるかが示される。

　第10章で本社の規模と成果の関係を分析し，小さな本社が経営成果の観点から有効かどうかを検討し，大きな本社の意義を考える。そこでは本社が大きいということが，経営成果の観点から必ずしも深刻な問題ではないということが指摘されると同時に，大きな本社が持っている意義が示される。

　最後に終章で，この研究のまとめを行う。

注
1 ）宮本他（2007），pp. 297-310。
2 ）各社 Web サイト参照。
　　トヨタ自動車（http : //www2. toyota.co.jp/jp/history/index.html）
　　本田技研工業（http : //www.honda.co.jp/guide/corporate-profile/history/）
　　パナソニック（http : //panasonic.co.jp/company/info/history/）
　　ソニー（http : //www.sony.co.jp/SonyInfo/CorporateInfo/History/）
3 ）トヨタ自動車株式会社編（1987），p. 33。
4 ）トヨタグループ史編纂委員会編（2005），pp. 14-20。
5 ）四宮（1998），p. 38。
6 ）本田技研工業株式会社総務部 HCG 編（1975）参照。「特定産業振興法案」とは貿易自由化に対応して，国際競争力を強化するために，特定の産業を指定して独占禁止法で制限されている合理化カルテルを認め，各種の特典を与えようとした法案で，自動車をはじめとして重電機，石油化学などが指定産業に予定されていた。この法案は昭和38年の通常国会に提出されたが廃案となった。
7 ）淺羽（2004），pp. 2-5。
8 ）宮本他（2007），pp. 180-183。
9 ）宮本他（2007），pp. 194-196。
10）宮本他（2007），p. 392。
11）宮本他（2007），p. 392。
12）日本経済新聞2003年4月26日，28日朝刊，『日経ビジネス』2003年11月10日号参照。
13）もっとも中村邦夫社長の改革は赤字をきっかけとして行われたのではなく，一連の改革は中村社長就任直後からスタートしている。これについては伊丹他（2007）を参照。
14）松下通信工業，九州松下電器，松下寿電子工業，松下精工，松下電送システムの5社。
15）日本経済新聞2001年8月1日付記事。
16）日経産業新聞2002年2月22日付記事。

17) 1986年の日本経済新聞に特集が組まれている。1986年7月3日〜18日, 朝刊（基礎コース）。
18)『日経ビジネス』2003年11月3日号, p. 9。
19) Barney (2002), pp. 8-10, 邦訳 pp. 32-34。
20) 上野・吉村 (2004) では, 社外取締役の導入が日本企業で有効に機能していないことが示されている。
21) 伊藤 (2009) は日本の「カイシャ」とアメリカの「カンパニー」の違いを指摘している。
22)『組織科学』第37巻第3号, 2004年, 特集「多角化戦略の再検討」。
23) 林・高橋編著 (2004), pp. 152-153。
24) 吉原他 (1981), p. 9。

第 I 部
既存研究と研究方法

第1章
多角化戦略に関する既存研究

第1節　はじめに

　多角化という言葉は非常に曖昧な言葉であり，概念である。企業経営において多角化という言葉は一般的に語られる言葉であり，新聞報道などでもよく使われる言葉である。そのため，多角化という言葉について多様な解釈が併存しているのが現状である。

　また，多角化という言葉と関連して議論される概念である「選択と集中」という概念も，あいまいな概念である。「選択と集中」という概念には文字通り「選択」と「集中」が含まれている。これらは本来，別の概念であるが，ワンセットで使われることが多い。そのため2つの概念の間の区別は明確になされていない（都留・電機連合総合研究センター編，2004）。そもそも選択するということは，そのあとに集中するということを暗に含んでいるため，ワンセットで議論しても問題がないことも多いのであるが，選択したからといって，集中が行われるとは限らない。

　さらに「選択と集中」は一般的には事業数の減少ととらえられるが，「選択」は事業数の減少とは必ずしも同じではない。ある事業領域を「選択」し，そこに経営資源を「集中」的に投下した結果，特定の事業領域において事業が拡大し，結果的に事業数が増加するということは，十分に考えられることである。また「集中」する領域を「選択」するという使われ方をする場合もある。

　これらのことは，事業というものをどのような広さでとらえるかというこ

ととも関係してくる。一般的な印象として語られている多角化や事業の「選択と集中」とは違ったレベルで事業をとらえる場合も含め，厳密なデータに基づき，日本企業の多角化と「選択と集中」を議論する必要がある。

　このような企業の事業構成の変化について，積極的に議論を展開してきたのが産業組織論と経営戦略論である。多角化の研究はこれらの領域で盛んに行われている。

　産業組織論においては，企業の多角化行動が産業に与える影響を明らかにすることを目的としている。産業組織論ではSCP（市場構造・行動・成果）パラダイムにおいて，多角化行動は垂直統合の程度とともに，市場構造要因の中に含まれている（箱田，1988）[1]。

　一方，経営戦略論では，多角化戦略に関する企業の意思決定が，どのように経営成果に結びつくかが議論されることが多い。経営戦略論における議論も，経済学の影響を受け，範囲の経済を達成できる事業間の関連の程度に焦点を当て，その関連の程度と企業の経営成果の関係を実証的に分析する研究が，学界の大半を占めている。特に欧米における多角化研究の大半はこのような関連性についての研究であり，関連型多角化と非関連型多角化のどちらが好業績かという研究に終始しているといってよい。

　このような事業間の関連性に注目が集まるのは，多角化研究の多くが，Penrose（1959）の研究を基礎とし，出発点としていることによる。Penrose（1959）の研究は多角化研究の理論的研究の嚆矢であり，その後の研究に多くの影響を与えているのみならず，彼女の分析枠組みは，経営戦略論の主流を占めるリソース・ベースド・ビュー（resource based view : RBV）にも大きな影響を与えている。そこでまずPenrose（1959）の議論を概観し，多角化研究の理論的基礎を確認しよう。

第2節　経済学における多角化研究

1．Penrose（1959）の研究

　多角化戦略についての理論的研究の嚆矢はPenrose（1959）の研究である。彼女は企業を経営資源の束ととらえることにより，多角化行動のメカニ

ズムを明らかにしている。彼女によると、企業は「入手した各種資源の各単位から得られる用役をできるだけ有利に使用しようとする動機をもつ」[2]のであり、ゆえに「拡張によって、資源の用役を現在以上に有利に利用する方法を得ることができるかぎり、会社は拡張への動機をもつことになる」[3]のである。また、「どのような資源でも現在の操業に十分利用されていないかぎり、会社にとってはそれをもっと十分に使用する方法を見出す動機が存することになる」[4]として、多角化の動機を説明している。

企業が多角化を行う場合の誘因の代表が、この余剰資源の有効活用である。余剰資源を有効利用するために多角化が行われる場合、そこでは範囲の経済（economies of scope）が達成され、多角化を行っていない企業に対して競争優位を得ることが可能となる（Penrose, 1959）[5]。たとえば代表的な経済学の教科書である *Economics of Strategy*（Besanko, Dranove and Shanley, 2000）では、企業が多角化を行う主要な動機として、規模の経済と範囲の経済を挙げている。経済学において、多角化、特に関連型多角化の有利性は、この範囲の経済に基づいて説明がなされることが多い。では範囲の経済とはどのような概念であろうか。次に、範囲の経済の定義とその展開をみてみよう。

2．範囲の経済

範囲の経済（economies of scope）は経済学の教科書では、一般的には次のように説明される。範囲の経済とは、商品やサービスの種類が増加するにつれて、費用が節約できることを指す（Besanko, Dranove and Shanley, 2000）。

範囲の経済は費用関数を用いて、次のように示すことができる（Teece, 1980）[6]。

$$c(y_1, y_2) < c(y_1, 0) + c(0, y_2)$$

ここで y_1, y_2 はそれぞれ製品1、製品2の生産量であり、$c(y_1, y_2)$ は費用関数を表す。製品1、製品2という2つの製品を同時に生産する場合のコスト $c(y_1, y_2)$ が、それぞれを単独で生産する場合のコスト、$c(y_1, 0)$, $c(0, y_2)$ の総和よりも小さくなるとき、2つの事業間には範囲の経済が存

在するという。

　ただ，範囲の経済は多角化企業によらなくても達成される場合がある。Teece（1980）は範囲の経済を達成するためには，必ずひとつの企業で複数の製品を生産しなければならないというわけではなく，生産要素を別の企業に貸し出したり，その使用権を販売することによっても達成可能であることを指摘している。範囲の経済は無条件に多角化企業の存在理由にはならないのである。多角化企業が範囲の経済を達成するために必要とされるのは，製品が同じノウハウに依存している場合と，分割不可能な専門化した資産が製品の製造に共通のインプットとして利用される場合である（Teece, 1980）[7]。

　このようなTeece（1980）が示したノウハウの共有や分割不可能な専門化した資産の共通利用を実現するためには，事業間に関連性がなければならない。関連型多角化が好業績である理由も，事業間の関連性をもとにした範囲の経済の達成により説明されるのだが，関連型多角化の好業績は，実は範囲の経済だけでは説明できない。範囲の経済は定義により，コスト削減に関する問題である。他の企業に対するコスト優位を説明する概念であり，あくまでも節約の概念である。範囲の経済に限らず，規模の経済という概念も，大量に生産することによりコストが削減されるという節約の概念である。

　しかしながら，企業の競争優位はコスト削減によってのみ達成されるわけではない。コスト削減は効率性の問題であるが，有効性が伴わなければ競争優位は獲得できない。ここで有効性というのは，企業が提供する製品やサービスの顧客にとっての価値である。有効性が高いとは，すなわちその製品やサービスが顧客に認められて売れるということであり，売上高の増加を意味する。事業間に深い関連性がある場合，効率性だけでなく有効性が達成されている可能性が高い。

　この事業間の深い関連はシナジーという概念であらわされることがある。多角化戦略により，成長を達成した企業は，単にコスト削減による経済性のみならず，売上高の増加をも可能とする何らかの関連性を実現している場合が多い。そのような関連性を説明する概念が，事業間のシナジーである。これは戦略論の領域で議論されてきた（Ansoff, 1965）。

　戦略論においては，コスト削減だけが持続的競争優位の実現を可能とする

のではなく，差別化戦略により，競合企業との違いを出し，顧客の支持を獲得した製品を提供している企業こそが，競争優位を獲得するのである。コスト削減も重要であるが，実はコスト削減だけでは好業績は達成されない。それはなぜか。それを考えるのに，フォード社のT型車の事例がわかりやすいであろう。

　Abernathy（1978）のイノベーション・モデルによれば製品が市場に出る商品ライフサイクルの初期段階では，プロダクトイノベーションが起こり，製品開発が進む。様々な技術の中からドミナント・デザインが決まり，製品が標準化されると，プロダクトイノベーションの頻度は低下する。このドミナント・デザインがT型車である。やがてプロセスイノベーションが進み，生産性が向上し，コストが削減される。

　このようなイノベーションが極端に追求されると，生産システムの柔軟性がなくなり，生産システムの硬直化が起こる。高い生産性と技術革新能力を両立させることは一般的に困難といわれている。これがプロダクティビティ・ジレンマと呼ばれる現象である。このような事態に陥ると，市場ニーズに応じた製品展開ができなくなり，長期的には業績が悪化することになる。T型車の生産性を極限まで追求したフォード社に対して，柔軟に製品ラインを変更したゼネラル・モーターズ（GM）社が競争優位を獲得した事例にみられるように，長期的な競争優位を実現するためには，コスト削減がすべてではないのである。

　よって持続的競争優位の観点から多角化戦略の関連性を考える場合，単なるコスト優位性だけでなく，柔軟性を確保しながらのコスト削減，あるいは柔軟な環境対応による売上高の増加が可能となるような，いいかえると環境変化に対応できるような学習能力を促進するような関連性を議論する必要がある[8]。企業の競争優位を明らかにするためには，コスト削減だけでなく，価値の創造を含んだシナジーの概念についての議論が必要となるのである。篠原（1992）も範囲の経済の限界を売上高についての考慮がなされていない点にあることを指摘している。

　上野（1994）ではそのような事業間の関連性に関する議論が展開され，視点シナジーという概念が提示されている。上野（1994）では，事業を視点と

してとらえることにより，新しい視点を獲得することができるような事業への進出の重要性を指摘し，それによる企業成長を想定している。そのため，関連性からではなく，異質性から生まれるシナジーを目指すことが主張されている。そのようなシナジーは，単にコスト削減だけでなく，売上高の増加に結びつくシナジーであり，さらには企業パラダイムの変革に結びつくようなシナジーである。

ただそこでは，具体的にどのような戦略により，そのような視点シナジーが達成されるかは十分に議論がなされていない。今後このような組織論的な議論がもっとなされなければならない。そこで次に，産業組織論における多角化の議論と，経営戦略論の議論を対比させることにより，多角化戦略の研究課題を明らかにしていこう。

3．産業組織論における多角化研究

多角化とその経営成果の産業組織論における実証研究のもっとも初期の研究として，Gort（1962）が挙げられる。Gort（1962）はアメリカ企業のデータを用い，多角化と収益性の関係を分析した。Gort（1962）は多角化を「個別の企業によって提供される市場の多様性の増加」（Gort, 1962)[9]と定義し，アメリカ大企業111社を対象とし，1947年から1954年のデータを用い，多角化と企業のサイズ，成長性，収益性の関連について実証分析を行っている。それによると，多角化と収益性の間には有意な関係は見出せないことが明らかにされている。

日本でも産業組織論の領域で，多角化戦略が研究されている。産業組織論における多角化研究の代表が，箱田（1988）の研究である。この研究では産業構造の変化と多角化戦略，多角化と一般集中などが議論されているが，研究開発の多角化について，議論を展開しているところがユニークである。

清水・宮川（2003）も産業組織論における多角化の研究といえる。清水・宮川（2003）は1985年から1995年のミクロ統計データを用い，「80年代（1980年代，筆者注）半ばから90年代半ばまでの約10年間における我が国産業構造の変化を，単に各産業における生産額構成比の変化として捉えるだけでなく，生産活動のミクロ経済主体である事業所の動態現象を通して分析するこ

と」(清水・宮川，2003)[10]を目的として分析を行っている。規模の経済と範囲の経済のトレードオフ問題を指摘し，日本企業の生産者が，この2つの経済性を考慮しながら最適な生産活動を行っていること，日本経済にとって望ましい産業構造変化を実現するためには，生産者が多品目生産を行い，範囲の経済を追求することが必要であることを主張している（清水・宮川，2003)[11]。

その他，森川（1998），菊谷・伊藤・林田（2005）などは「企業活動基本調査」を利用して多角化の分析を進めている。これらの研究は，本研究の分析手法と密接に関連しているので，詳細は第4章で述べる。また，玄場・児玉（1999）においても産業単位の多角化データを利用して，産業レベルの多角化の動向と収益性との相関が分析されている。彼らの研究は産業単位の分析であり，各企業の多角化戦略の成果を直接分析したものではないが，非関連分野に進出した産業の収益性の低下を示し，多くの多角化研究と同様の結果を提示している。

このような実証研究とは別に，経済学における理論的研究も，新制度学派と呼ばれる領域で展開されている。次に，経済学における多角化戦略についての理論的考察をみてみよう。

4．経済学における多角化戦略の理論的考察

経済学では多角化の動機は次の3つと考えられている（青木・伊丹，1985)[12]。

第1に問題発生型の多角化である。これは「企業を取り巻く市場環境や技術環境に大きな変化があって，企業業績の上で問題が発生してはじめて（あるいは発生が予測されて），それを解決しなければならないという動機」（青木・伊丹，1985)[13]である。

第2の動機は資源適応型である。これは「企業内部に自然発生的に蓄積されていてかつ完全に利用され尽くされていない資源を有効に利用しようとする動機」（青木・伊丹，1985)[14]である。

第3の動機は企業者型である。これは「長期的な視野に立って企業の将来と環境の変化を考えて，将来有望な分野へ進出しようとする」（青木・伊丹，

1985)[15)]動機である。

　これらの動機に共通するのは，時間の経過とともに変化する環境への対応戦略としての多角化を述べているという点である。いわば前向きの多角化の動機といえる。一方で企業は，従業員の雇用確保を目的に，多角化を行う場合もある。これは，いわば後ろ向きの多角化といえる。このような現象はPenrose（1959）によれば余剰資源の有効活用による多角化の展開と解釈できるが，インフルエンスコストの観点からこの現象を解釈すると，インフルエンスコストの源泉を取り除くことへのインセンティブが働き，企業は多角化を行うということになる（萩原，2007）[16)]。

　ここでインフルエンスコストとは，次のようなものである。組織による決定が，組織を構成するメンバーやグループに対する富その他の利益分配に影響を与えるときに，影響を受ける個人やグループは利己的な利益を追求するために，その決定が自己の利益になるように画策するインフルエンス活動を組織内に引き起こす。これによってもたらされる費用がインフルエンスコストであり（Milgrom and Roberts, 1992）[17)]，このようなインフルエンスコストは，余剰な人的資源が蓄積され，経営組織が複雑になるほど大きくなると考えられている。

　たとえば，組織改革やリストラクチャリングにより影響を受ける従業員は，労働運動を行うなど，企業の人的資源を利用して，その決定に影響を与えるなどのインフルエンスコストをもたらす。このようなコストを考慮に入れた場合，余剰の人的資源は，Penrose（1959）のいうような価値ある資源ではなく，企業に多大なコストを発生させる「負の資産」と考えられる。多角化はこのような負の遺産を新事業に移転させることにより，既存事業におけるインフルエンスコストを減少させ，既存事業の価値を高めようとする行動ととらえることができる（萩原，2007）[18)]。ただ，このような多角化が長期的に持続するためには，やはり競争優位の源泉につながる範囲の経済が実現されていなければならない。

　また株主の利益に反し，株主の意向を無視して，企業経営者に都合のよい過度の多角化が行われる可能性もある。いわゆるエージェンシー問題である。経営者が自己の利益を追求するために，株主価値の増大に寄与しないよ

うな多角化を経営者自身の地位の維持と向上を目的として行う場合がある（Besanko, Dranove and Shanley, 2000）[19]。

このようなエージェンシー問題を解決する標準的な方法は，エージェントである経営者に，インセンティブを与えるような適切な報酬体系を設計するか，あるいは出資を引き揚げ，市場において自分でポートフォリオを組むかである。多角化戦略に関していえば，経営者と株主の間の情報の非対称性が強く，また多角化の経営成果は外的要因により左右される部分が大きく，多角化に関してその巧拙を判断することができるような有効な報酬体系の構築は難しい。さらに，見せかけの範囲の経済などにより，株主の利益にならない多角化が進むことが十分ありうる。よってインセンティブによる解決は現実的ではない。

このような経営者の暴走に対して，投資家は異なる業種の企業の株式を複数保持し，企業ポートフォリオを自ら組むことで，リスクの分散を図ることができるが，株式のポートフォリオにより，範囲の経済を達成することは通常難しい[20]。そのため投資家はエージェンシー問題の存在を理解しながらも，経営者の力を借りざるを得なくなる。

ここでは，なぜ投資家に自分でポートフォリオを組むという選択肢がありながら企業の多角化が進むのか，という多角化企業の存在理由のひとつが説明されているが，ここで示されているのは好ましくない多角化にもかかわらず，多角化が進む理由であり，好ましい多角化が好業績をあげる積極的理由は示されていない。そこで次に経営戦略論において，多角化がどのように議論されているかをみてみよう。それにより，好ましい多角化戦略の在り方を検討しよう。

第3節　経営戦略論における多角化研究

1．Ansoff（1965）の研究

ここでは，経営戦略論における多角化研究をみてみよう。経営戦略の領域における多角化戦略の初期の研究のひとつがAnsoff（1965）の研究である。Ansoff（1965）は，成長ベクトルのひとつとして多角化戦略を定義し，

外部環境に関するマネジメントとして，事業ミクス，製品ミクスの決定の重要性を指摘している。このように，Ansoff（1965）の研究は多角化そのものの研究ではないが，戦略的意思決定という概念を明らかにしたという点で，経営戦略論に大きな影響を与えた。さらに，成長の方向性として明確に多角化を位置づけ，シナジーという概念に対して，明確な定義を与えたことでもその貢献は大きい。

　Ansoff（1965）によれば，新製品・新市場を追求する戦略が多角化戦略であり，この多角化の理論的根拠になっているのが，シナジーという概念である。シナジーという概念は，範囲の経済と混同されることが多い概念であるが，厳密には両者は異なる。範囲の経済は，すでに示したように経済学における節約の概念であり，その根底には経営資源の共通利用が存在する。

　一方，シナジーはAnsoff（1965）によると，1＋1＝3という比喩で示される通り，2つの事業を同時に行うことにより，売上高の増加が達成されるような，相乗効果の概念である。厳密には投下資本利益率を増加させるような様々な効果を含んでおり，範囲の経済も含んだ，より広い概念といえる。シナジーは，範囲の経済では説明できないような，事業間の相乗効果を説明する概念として有効である。

　伊丹・加護野（2003）では，範囲の経済を相補効果，シナジーを相乗効果として区別しているが，ここでもシナジーの概念と範囲の経済の概念が明確に区別されなければならないことが示されている。

　欧米において，シナジーについての議論は多いが，その多くはM&Aに関連して議論がなされている。欧米では事業多角化を行う場合，M&A戦略を追求することが多い。しかしながら，このM&Aによって，十分に達成できない経済性として，シナジーが議論されることが多い[21]。欧米におけるM&Aは非関連事業を資本の論理で買収することが多く，事業間の関連性を生かしたシナジーを達成することは実は難しい。また，シナジーについての正しい理解も得られていないため，コスト削減に注意が向きがちである。ここでも範囲の経済との区別は曖昧である。

2．Chandler（1962）の研究

　Ansoff（1965）と同時期の研究で，多角化戦略と組織構造に関する重要な命題を提示したのがChandler（1962）である。Chandler（1962）では，アメリカの大企業であるデュポン社，ゼネラル・モーターズ（GM）社，シアーズ・ローバック社の多角化の事例が豊富なデータで語られ，事業部制の成立の過程が詳細に記述されている。

　たとえばデュポン社の事例では戦時下の火薬事業の拡大，戦後の余剰資源の有効活用のための化学産業への多角化，またその多角化した事業を管理するための事業部制の成立史が詳しく述べられている。これらの事例から有名な「組織は戦略に従う」という命題が導かれたが，Chandler（1962）の貢献はそれにとどまらず，戦略概念の定義を行ったところにある。Chandler（1962）では戦略が「企業の基本的な長期目的・目標を決定し，とるべき行動方向を採択し，これらの目標遂行に必要な資源を配分すること」（Chandler, 1962）[22]と定義されている。ここでの課題は資源配分にみられる全社戦略の構築であり，多角化企業のための戦略概念がここで提示されたといってよい。この定義に従い，のちにRumelt（1974）が多角化戦略の実証研究を行っている。

3．Rumelt（1974）の研究

　Rumelt（1974）は経営戦略論的な考え方に基づき，多角化の類型化を行った，代表的な多角化戦略の実証研究である。Rumelt（1974）は多角化の定義の議論において，これまでの多角化研究の限界を指摘し，そのうえで経営戦略論的な考え方に基づき，「実際の経営に役立つとともに，多角化についてのトップ・マネジメントの考え方の本質がはっきりとわかるような，一連の概念と測定技術を確立する」（Rumelt, 1974）[23]目的で研究を行い，多角化の分類方法を確立した。

　Rumelt（1974）が実証研究を行う際に，概念的な枠組みとして用いたのが，Chandler（1962）の戦略概念である。彼はChandler（1962）の戦略概念に従い，多角化を戦略としてとらえ，マネジメントの観点から多角化研究を進めている。そのために行ったのが，個別事業の特定である（Rumelt,

1974)[24]。個別事業とは他の事業と独立して運営することができる事業であり，その特定には戦略上の変化とその結果についての評価が利用される。それにより，戦略的に意味のある分類体系が構築されるのである。

Rumelt (1974) は，戦略的に意味のある分類体系を開発する目的で，Wrigley の分類体系を修正したものを利用した。Rumelt (1974) の分類体系は，Wrigley の分類体系を修正したもので完全なオリジナルではないが，Rumelt (1974) の研究以降，この分類体系が広く用いられ，実証研究が行われるようになった。

経営戦略論における多角化研究の多くは産業組織論の研究をベースにしており，その境界は厳密なものではない。たとえば，多角化のひとつの尺度としてよく用いられるハーフィンダル指数は，事業集中を測定するための指標であり，多角化度指数も同様である。Rumelt (1974) の研究でも産業組織論の成果を応用し，その批判的展開として分類体系を開発しているし，その後の研究 (Rumelt, 1982) においても，産業要因が成果に及ぼす影響についての研究がなされている。

ただ，従来の産業組織論の分野では，主に標準産業分類によって多角化の研究が行われてきたのに対して，Rumelt (1974) は，実質的な事業間の関連の程度や，関連の形態によって多角化を分類し，実証研究を行ったところに大きな貢献がある。彼は抑制的・主力企業と抑制的・関連企業が高業績であり，非関連型が低業績であることを示した。手法的には産業組織論の成果を応用しているとはいえ，議論の中心は個別企業の競争優位性に焦点が当てられており，経営戦略論的な議論が中心となる。

しかしながら，多角化と経営成果の関係は Rumelt (1974) が示したように，それほど単純なものではない。多角化と成果の間には様々な要因が関係しているが，そのような複雑な関係を解明しようとして，Rumelt (1974) 以降，経営戦略論の領域で，様々な研究がなされてきた。そこで Rumelt (1974) 以降の研究をいくつかみてみよう。

4．Rumelt (1974) 以降の実証研究

多角化と成果の関係は環境要因によって影響を受けるとし，その要因を市

場構造に求めたのが Montgomery（1979）である。彼女は企業の収益性はある程度は多角化の程度やタイプによって説明できるが，それ以上に，市場集中度や市場シェア，あるいは市場の成長性といった市場構造が大きな影響を及ぼすことを示した。Rumelt（1974）も多角化と産業要因の密接な関係を認めてはいるが，それに関して Rumelt（1974）は明確な答えを示していない。

また Christensen and Montgomery（1981）の研究でも同様に，市場構造の重要性が指摘されている。彼らは，抑制的関連型（RC 型）が高業績なのは高成長，高業績，高市場集中度の市場に属していること，非関連型（U 型）の業績が悪いのは，低成長，低収益，低マーケットシェアの市場に属しているためであることを示し，Rumelt（1974）の示した抑制型（C 型）の多角化戦略は，高業績の十分条件ではないとしている。

しかしながらこのことは即座に多角化戦略の選択の重要性を否定するものではない。抑制型（C 型）は，市場において成功するに十分な技術と資源を保有しているのである。彼らの研究は市場構造が提供する機会の重要性とともに，その機会と結びつく企業の能力を，そしてその様な能力を蓄積できるような多角化戦略の選択の重要性を示したものといえる。このような考え方は後にリソース・ベースド・ビュー（RBV）として展開されることになる。

企業の多角化戦略と成果の間に介在する要因として，特に競争要因を取り上げたのが Bettis（1981）である。Bettis（1981）は広告宣伝や研究開発といった競争戦略に注目し，参入障壁の有無が収益に大きな影響を及ぼすこと，関連型多角化は，関連事業に存在する核となる技術を武器に参入障壁を築いたことにより，高収益をあげたことを示している。これらの研究が示唆するところは，企業の業績は多角化のタイプだけでなく，その企業が競争を展開する業界によって大きく変わってくるということである。

そこで業界特性の重要性を指摘したのが Bettis and Hall（1982）である。彼らは特に，サンプルの特性に注目し，戦略間に存在する成果の違いは，どのような産業に属するかに大きく依存することを示した。Bettis and Hall（1982）では Rumelt（1974）の示した結果に対して，関連型多角化が非関連型多角化よりも優れているのは，抑制的関連企業が医薬品産業に属すること

によるものであり，戦略自体の違いによるものではないことが示されている。

　これらの研究は，収益性に注目したものであるが，企業の成果として，収益性だけでなくリスクについても注目した研究がBettis and Mahajan (1985) である。リスクを考慮に入れない分析は，収益性はよいが，ハイリスクである企業を高収益という理由だけで好業績企業と判定してしまう危険があるとする。リスクの減少は多角化の主要な目的のひとつである。Bettis and Mahajan (1985) は，成果を収益性とリスクの分散という2つの観点からみた場合，Rumelt (1974) が高業績としてあげた関連型多角化は，高業績のための必要条件でしかないことを主張する。また関連型多角化を採用する際には，核となる技術 (core skill) をどのような産業で開発するかが重要となることが，この研究では示唆されている。

　Kim, Hwang and Burgers (1993) もまた，リスクとリターンの関係を多角化研究にとりいれた研究のひとつである。彼らはハイリターン・ローリスクの実現には，グローバルな多角化が必要であるとし，産業要因の考慮なしには，多角化と成果の関係は議論できないとして，産業要因が企業の多角化戦略などの企業行動に及ぼす影響の重大さを指摘している。またCapon et al. (1988) は，ある市場が要求する技術は，その市場特有のものであり，ある一定の多角化レベルでは，ひとつの市場に集中する企業がすぐれた業績を達成するとして，市場の範囲についての研究を行っている。

　これらの研究に共通に示されているのが，どのような産業へ進出するかという産業要因の重要性である。産業要因の重要性はRumelt (1982) でも示されている。Rumelt (1982) では以前の研究で明確にされなかった産業要因に焦点を当てた分析を行っている。Rumelt (1982) では，戦略カテゴリー間の成果の違いが，企業の属する産業によってどの程度決まるのかという産業効果をテーマとしている。

　彼は多角化を分析する際に，生産要素の共有と組織効率に注目している。生産要素の共有によって収益を増加させたり，取引費用を減らすような多角化を可能にするような生産要素を，核となる要素 (core factor) と呼んでいる。事業の関連の程度は，この核となる要素の特異性に依存してきまる。特

異性が強いほど関連は強く，目に見えない資源が事業間に存在するため，核となる要素の特異性と投下資本収益率（ROI）との間には関連が出てくると考えられる。また，同じ産業に属する企業の効率に違いが出てくるのは，企業の生産工程や管理システムの創造性において，不確実な模倣可能性が存在するためだとしている。

　Rumelt（1982）では，関連抑制型（RC型）の業績の良さは産業効果に負うところが多いことが示されている。ではなぜ関連抑制型（RC型）は高い業績の産業に集中するのであろうか。このことに関してRumelt（1982）は「カテゴリー（による効果，筆者注）の違いを産業によるものとして説明するよりも，むしろ企業の多角化戦略を産業構造のひとつの形態としてとらえる時期かもしれない」と述べている。つまりどのような多角化戦略をとるかも産業構造に規定される部分が多いことが示されている。

　このように考えると，どのような産業に進出するかが多角化，ひいては経営成果に大きな影響を及ぼしてくるといえる。であるならば，産業の進出を最初に決定する新事業開発が，企業の成果に重要な役割を果たすことになる。どのような事業に進出するかにより，最適な多角化戦略も限定され，経営成果も決まってくるのである。箱田（1988）により，そのような新事業開発の重要性は指摘されている。確かに，事業ポートフォリオの構成を考える場合にも，どのような産業に進出するかという新事業開発についての意思決定が重要となるが，単に新事業開発の指針を示すのではなく，多数保有する事業のマネジメントの問題，その背後に横たわるロジックを示すことがやはり重要である。

第4節　小括

　本章では多角化戦略に関する文献レビューを行った。ここで明らかになったことは，多角化や「選択と集中」に関する議論の曖昧性である。多角化も「選択と集中」も企業経営上の一般的な言葉であるがゆえに，厳密な定義がなされないまま議論されることが多い。また多角化戦略の経済学的研究の基礎となっている「範囲の経済」という概念の研究上の限界も指摘された。

「範囲の経済」はあくまでコスト削減につながる概念であり，企業の競争優位の獲得を説明する概念としては不十分である。ゆえに範囲の経済を多角化の根拠とする経済学の議論もまた限界を持っている。そのような限界を克服するために，経営戦略論における多角化戦略の議論を展開しなければならない。経営戦略論では範囲の経済に代わるシナジー概念の重要性が指摘されたが，同時に多角化の程度の議論においては，産業要因の重要性も指摘されている。これらの問題の本質を理解するためには，多角化戦略の議論とともに，組織についての議論が必要である。なぜなら，シナジーを達成するためには事業部間の相互作用についての考察が必要であり，その相互作用を生み出す組織形態，本社のコントロールを明らかにしなければならないからである。そこで次に，多角化に関連する範囲で，組織構造に関する研究のレビューを行おう。

注
1) 箱田 (1988), p. 2。
2) Penrose (1959), p. 67, 邦訳 p. 88。
3) Penrose (1959), p. 67, 邦訳 p. 88。
4) Penrose (1959), p. 67, 邦訳 p. 88。
5) もっとも Penrose (1959) は，企業の成長のプロセスを明らかにしようとしたのであり，企業経営者に持続的競争優位を獲得するための処方箋を提供しようとしたのではないという主張もある (Rugman and Verbeke, 2002)。
6) Teece (1980), p. 224。
7) Teece (1980), p. 241。
8) 場合によっては非関連性から学習が促進される場合もある。非関連性から実現されるシナジーについては上野 (1994) を参照。
9) Gort (1962), p. 8。
10) 清水・宮川 (2003), p. 3。
11) 清水・宮川 (2003), pp. 215-216。
12) 青木・伊丹 (1985), pp. 62-63。
13) 青木・伊丹 (1985), p. 62。
14) 青木・伊丹 (1985), p. 63。
15) 青木・伊丹 (1985), p. 62。
16) 萩原 (2007), pp. 14-15。
17) Milgrom and Roberts (1992), 邦訳 p. 210。
18) 萩原 (2007), pp. 15-16。

19) Besanko, Dranove and Shanley（2000），邦訳 p. 224。
20) Barney（2002）には，「投資家は，多角化に伴う範囲の経済の多くを，企業経営者の力に頼らず自前の努力で享受することができる。それは異なる業種の企業の株式を複数保持し，株式ポートフォリオを組むことである。」(p. 408，邦訳下巻 p. 67) という記述があるが，そのあとには「一般に，外部投資家が事業間の活動の共有を実現させる能力は限られている。活動を共有するには，階層的統治に見られるような一定レベルの支配や各事業間の何らかの統治が必要になるが，これらは，外部投資家自身による投資ポートフォリオで実現することは難しい」(p. 413，邦訳下巻 p. 74) と述べられている。これが，外部投資家が株式ポートフォリオにより範囲の経済を追求するよりも，多角化企業への投資を選択する理由であるが，範囲の経済の実現には取引特殊な投資の必要性が高い場合と，範囲の経済が持続的競争優位の源泉となりうる場合であることが指摘されている。経営資源論の立場に立った場合，この持続的競争優位の源泉となりうる経営資源についての理解が重要であり，これを行うことができるのは，やはり外部投資家ではなく企業経営者ということになる。これが多角化企業の存在意義となり，経営者が保有するコア・コンピタンスである。ただ，このコア・コンピタンスは経営者がでっちあげる空想の産物（invented competencies）に過ぎない場合があることも同時に指摘されている（p. 418，邦訳下巻, p. 82）。
21) たとえば Sirower（1997）を参照。
22) Chandler（1962），p. 13。
23) Rumelt（1974），p. 10，邦訳 p. 14。
24) Rumelt（1974），p. 12，邦訳 p. 17。

第2章
組織構造に関する既存研究

第1節　はじめに

　多角化の研究が，Rumelt（1974）をはじめとして数多くなされているのと同様に，組織構造の研究も多角化の研究と並行して盛んに行われている。多角化戦略と組織構造，環境要因との適合関係の重要性は吉原他（1981）でも示されている。

　吉原他（1981）によると過度の分権化は，成長性に関して優れており，過度の集権化は収益性に関して優れている。このことは「(多角化の程度に合った分権化を行っている状態である戦略と組織の，筆者注) 適合形態が，収益性と成長性をバランスさせるという意味で，企業にとって望ましい形態であり得ることを意味」している（吉原他，1981）[1]。しかしながら，それから外れた状態を繰り返すことにより，長期的に発展していく企業の姿も，「組織の不均衡成長モデル」として同時に描かれている（吉原他，1981）[2]。分権化の程度は，このように多角化との関係によって測られなければならない。

　以下では多角化との関連で，まず Rumelt（1974）と吉原他（1981）の組織構造の分類体系と実証結果を検討し，続いて Williamson（1975）の M 型仮説と組織構造の分類体系，それを修正した Hill（1988）と Markides（1995）の研究を概観する。

第2節　多角化企業の組織構造の多様性

Rumelt（1974）は，企業の組織構造を次の5つに分類している（Rumelt, 1974）[3]。

① 「機能別」組織
　　主要な下部単位が，製造プロセスにおける諸段階の経営機能という観点から規定される組織。
② 「副次部門を備えた機能別」組織
　　基本的には機能別組織であるが，トップ・マネジメントや，ある場合には機能別のマネジャーの1人へ報告する，ひとつ以上の製品事業部（必ずしも真の意味での副次部門ではない）を有している組織。
③ 「製品別事業部制」組織
　　本社と一群の現業事業部から構成される組織。
④ 「地域別事業部制」組織
　　本社と一群の現業事業部から構成される組織であるが，各事業部は，異なった地域において，ひとつの製品あるいは一連の製品の企画設計，生産，販売に必要な責任と資源をもつ。
⑤ 「持株会社」組織
　　等しく，ひとつの親会社によって所有されている，いくつかの企業（あるいは事業部門）の連合体である。

Rumelt（1974）はこの分類を用い，1949年，1959年，1969年の各年のFortune500社から，それぞれ上位100社のサンプルをとり，その企業（合計246社）の戦略と組織構造を分析している。

組織構造の判定は上記の5つのカテゴリーへの当てはめであり，研究者による定性的な評価によるものである。その分析によると，この時期のアメリカ大企業は職能別組織構造から製品別事業部制組織構造へと大きくその組織を変化させていることがわかる（表2-1）。

このようなアメリカ大企業の組織構造の変化の原因のひとつは，Chandler

表2-1　各組織カテゴリーに入る企業の推定百分比

(%)

組織カテゴリー	1949年	1959年	1969年
機能別	62.7	36.3	11.2
副次部門を備えた機能別	13.4	12.6	9.4
製品別事業部制	19.8	47.6	75.5
地域別事業部制	0.4	2.1	1.5
持株会社	3.7	1.4	2.4
推定値を抽出するために使用された企業数	189社	207社	183社

出所：Rumelt（1974）p.65，邦訳 p.85。

(1962)の研究で示された，大企業の戦略と組織の間にある因果関係であり，多角化の度合いが大きければ大きいほど，企業は事業部制組織構造をとるということである。

同時に，Rumelt（1974）は多角化企業以外にも事業部制採用の動きがみられることから，多角化戦略以外の要因による組織構造の変化を示唆している。1949年から69年の間にみられたFortune500社における事業部制組織構造の増加のうち，53%が多角化の増加によるものであり，残りの47%が，事業部門化への趨勢変動によるものであることが示されている（Rumelt, 1974）[4]。

単一事業企業にもかかわらず，事業部制組織構造が採用されている事例から，「製品の多様性が少ない場合や，あるいは，ひとつの製品が依然として圧倒的な主力製品である場合においてさえも，企業というものは事業部門化を強める性向がある」（Rumelt, 1974）[5]ことを主張する。また，事業部制の採用が多角化を進めるような事例から，経営戦略が組織構造に影響を与えるだけでなく，組織構造が経営戦略に影響を与える可能性も示している（Rumelt, 1974）[6]。

組織構造と経営戦略の関係を分析する同様の調査が，日本でも行われている。吉原他（1981）の研究では日本を代表する企業118社をサンプルとし，1963年，1968年，1973年の組織構造の分類を行っている。組織構造の分類カテゴリーは基本的にはRumelt（1974）のそれを踏襲しているが，日本の状

況にあわせて,職能別組織,事業部制,一部事業部制の3つの分類カテゴリーを採用している。またこれらは単に企業の組織構造を判断して,カテゴリーに当てはめるだけでなく,以下に示すような操作的な分類基準を明確に規定し,その分類基準に従って分類を行っている。

組織構造の特定は,企業の多角化戦略のタイプの特定と同様,境界を具体的に定めることは実は困難である。企業の組織構造は職能別組織構造,事業部制組織構造と分類はできるが,実際の企業の組織はそれらの組み合わせであったり,独自のタイプであったりする。同じ組織構造をもっている企業は存在せず,企業がとる組織構造は事実上無限に存在するともいえる (Rumelt, 1974)[7]。

そのような困難を避ける方法が,質問票調査による企業への直接確認という方法である。これは組織構造の判断を企業にゆだねるという方法であり,分類基準の統一性が失われるという問題を持っている (吉原他, 1981)[8]。しかしながら,企業における組織単位の自律性,意思決定の権限,他部門との関係などは,当該企業の関係者が一番よく理解しており,適切な質問項目が策定されるならば,そのような問題はある程度回避できる可能性がある。本書で用いられた,Markides (1995) の組織構造の分類は,そのような問題を克服し,実質的な組織構造を判断しようとしたひとつの試みといえる。

それに対して,吉原他 (1981) では,操作的な分類基準を作ることにより,この問題を解決しようとした。吉原他 (1981) では,組織構造（組織形態）は次のようなフローチャートに従い,分類される（図2-1）。この分類の特徴は,組織構造を単に形態だけでとらえるのではなく,量的な指標（たとえば主要事業部門の売上高の比率）や組織単位の自律性を分類体系に入れたことである。これにより,見かけの組織構造と実際の組織構造をある程度区別することが可能となる。ただ,その判断は研究者に依存しており,完全に客観的な分類とはなっていない。

この分類指標による分類の結果が表2-2である。これによると日本企業ではアメリカ企業ほど事業部制の採用は進んでいないものの,1973年の時点で約半数の企業が事業部制を採用していることが示されている（吉原他, 1981)[9]。事業部制の採用の動きは,アメリカ企業と比較して,およそ15年

図2-1 組織形態の分類基準

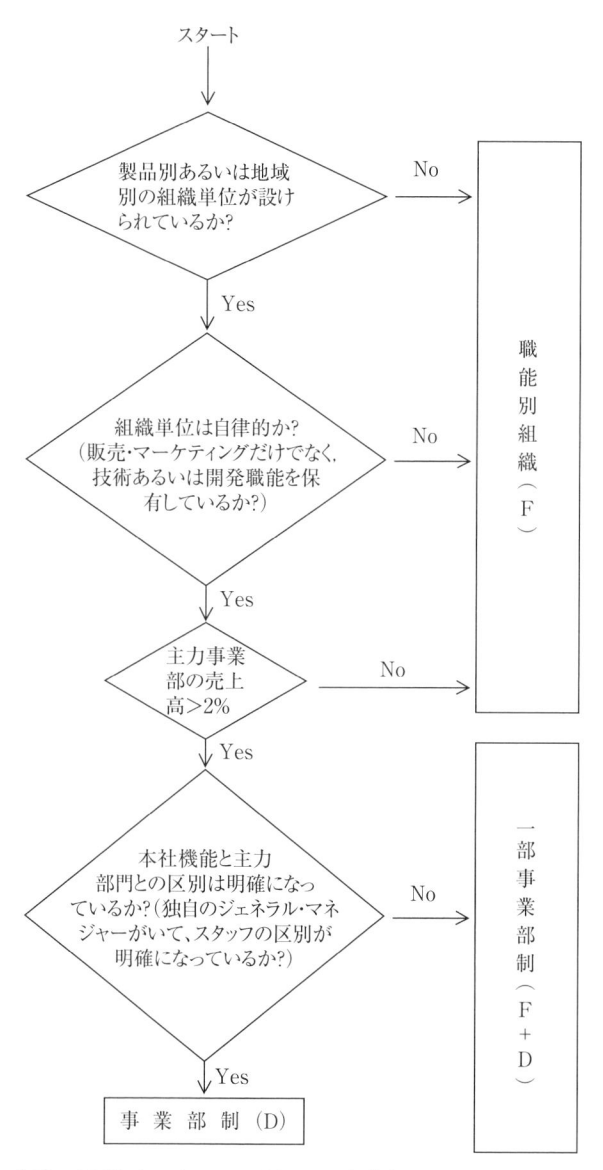

```
                  スタート
                     ↓
         ┌──────────────────┐
         │ 製品別あるいは地域  │      No
         │ 別の組織単位が設け ├──────→┐
         │   られているか？    │        │
         └──────────────────┘        │
                     │ Yes            │
                     ↓                │
         ┌──────────────────┐        │
         │ 組織単位は自律的か？│      No │  職
         │（販売・マーケティング│        │  能
         │ だけでなく,技術ある ├──────→┤  別
         │ いは開発職能を保有 │        │  組
         │  しているか？）      │        │  織
         └──────────────────┘        │ （F）
                     │ Yes            │
                     ↓                │
         ┌──────────────────┐        │
         │ 主力事業部の売上   │  No    │
         │   高>2%           ├──────→┘
         └──────────────────┘
                     │ Yes
                     ↓
         ┌──────────────────┐
         │ 本社機能と主力     │        ┌──┐
         │ 部門との区別は明確 │  No    │一部│
         │ になっているか？    ├──────→│事業│
         │（独自のジェネラル・ │        │部制│
         │ マネジャーがいて,  │        │(F+D)│
         │ スタッフの区別が   │        └──┘
         │ 明確になっているか？）│
         └──────────────────┘
                     │ Yes
                     ↓
              事 業 部 制 (D)
```

出所：吉原他（1981）p.194，図5-2より作成。

表2-2 組織形態の分布

組織形態	1963年 (昭和38年)	1968年 (昭和43年)	1973年 (昭和48年)
職能別(F)	66社(55.9%)	54社(45.8%)	48社(40.7%)
一部事業部制(F+D)	18社(15.3%)	24社(20.3%)	21社(17.8%)
事業部制(D)	34社(28.8%)	40社(33.9%)	49社(41.5%)

出所:吉原他(1981)p.198,表5-1。

のタイムラグが存在する(吉原他,1981)[10]。またその普及の程度だけでなく,普及のスピードにも圧倒的な差があることが指摘されている(吉原他,1981)[11]。

さらに吉原他(1981)は分権化の程度と成果の関係についても言及している。吉原他(1981)によれば,過度の分権化は,成長性に関して優れており,過度の集権化は収益性に関して優れている。吉原他(1981)は,戦略と組織構造が多角化の程度と分権化の程度において適合している形態が,収益性と成長性をバランスさせる企業にとって望ましい形態であることを主張する(吉原他,1981)[12]。

Chandler(1962)の研究は,このような戦略と組織の適合関係についての古典的研究である。彼は寄せ集めの事業子会社の集まりである持株会社を集権的に管理するために事業部制を採用したゼネラル・モーターズ(GM)社や,多角化戦略を進めて多数の事業部門を持つようになり,集権的な職能別組織構造では対応できなくなったデュポン社など,アメリカ大企業の研究によって,「組織は戦略に従う」という命題を示した。彼が明らかにしたのは,多角化企業がマネジメントの課題に直面し,事業部制を採用するようになるという,アメリカ大企業の事業部制採用の歴史である。企業が戦略の変更にしたがって組織を変更するという命題は,多くの企業で妥当するといえる。

日本における多角化戦略と組織構造に関する実証研究は,それほど多くないが[13],先にあげた吉原他(1981)が示すように,日本でも事業部制の採用比率は,事業構成の多様性の程度に比例して増大することが確認されている(吉原他,1981)。ただ多角化が進めばすぐさま事業部制が採用されるという単純なものではなく,多角化していても組織形態の採用に関する自由度,多

様性は存在する。特に「中程度の多角化のレベルでは組織形態の選択に関してかなりの自由度があること」(吉原他, 1981)[14]も示されている。また上野 (2004) でも多角化企業の組織構造には自由度が存在することが示されている。

「組織は戦略に従う」という Chandler (1962) の命題は, 多くの研究で支持されており, 大企業の多くは事業部制を採用しているのは事実であるが, 多角化が進めば一律に同じような事業部制が採用されるというものではなく, 事業部制の多様性は存在する。一方で, 事業部制を採用する企業の戦略も一律ではない。多角化企業のみが事業部制を採用しているのでもなく, 非多角化企業も事業部制を採用していることが, いくつかの研究で示されている。先に示した Rumelt (1974) の研究でも, 1960年代のアメリカ企業の多くが, 高度に多角化していなくても事業部制を採用していることを示し, Chandler (1962) の「組織は戦略に従う」という命題に加え, 「構造はまた流行にも従う (structure also follows fashion)」(Rumelt, 1974)[15]という命題を付け加えている。

ヨーロッパの大企業の研究 (Whittington and Mayer, 1997) でも, 事業部制組織が完全に支配的な存在ではなく, 持株会社などの多様性が存在することが示されている。またシングルビジネス企業でも事業部制を採用し, 安定した財務成果を得ていること, また組織構造には硬直性が存在することが報告されている (Whittington and Mayer, 2000)。企業の多角化, 大規模化に応じて一律に分権化が進むという単純なものではないのである。このことは, 業務決定の分権化は非多角化企業にとっても有効であることを示している。事業部制組織構造の, 他の組織構造に対する優位性はゆるぎないもののように思われるが, 実はそうではない。

そのような事業部制も, 過度の多角化, 非関連分野への多角化により, 有効性を失う場合がある。トップ・マネジメントとミドルの間のコミュニケーションの断絶, 事業部数の増大と事業の多様性の拡大により, トップ・マネジメントの意思決定が機能しなくなる場合である (Chandler, 1990)。

このような事業部制には若干の修正が必要であろうし, 事業部制の中にも多様性はある。では, そのような多様性をどのような枠組みでとらえればよ

いのだろうか。Williamson (1975) は事業部制を採用している企業における内部統制のあり方には多様性があり，その内容を議論することが，戦略と組織の適合問題を考える場合には重要であることを指摘している。彼はM型組織 (M-Form) の優位性を示しているが，理想的なM型組織 (M-Form) は単なる事業部制とは異なるということもまた主張している。

この多様性を理解するためには，企業における意思決定に注目しなければならない。事業部制組織とは戦略的意思決定の集権化と業務的意思決定の分権化を可能とする組織構造であるからである (Whittington and Mayer, 1997)。Williamson (1975) はこの意思決定プロセスの違いによって組織構造を分類し，M型仮説を展開しているが，その実証分析がHill (1988), Markides (1995) により行われている。

本書ではWilliamson (1975), Hill (1988), Markides (1995) の研究に従い，日本企業の多角化戦略と組織構造に関しての定量的な研究を行う。この章の残りの部分で，Williamson (1975) の組織構造の分類枠組みを示し，Hill (1988), およびMarkides (1995) で使用された分類スキームを説明し，組織構造の実態把握の準備を行い，環境と戦略，組織構造の関係を議論する。

第3節　Williamson (1975) のM型仮説

M型企業，つまり事業部制組織構造が多角化企業にとって好ましいとするのがWilliamson (1975) のM型仮説である。Williamson (1975) は「M型の線に沿って大企業を編成し運営するほうが，U型の組織構造を採る場合にくらべて，新古典派の利潤最大化仮説に近い目標追求と最少費用行動をもたらすであろう。」(Williamson, 1975)[16]と述べている。同時に「こうした効果を実現するには，たんなる事業部制の採用以上のものが必要」(Williamson, 1975)[17]であることを述べ，業務的な責任と戦略的な責任の分離を主張している。さらにそのような分割だけでも不十分であり，「本社幹部が各事業部の成果を評価するための内部的統制の機構を開発すること，および収益性の高い用途に資源を割り当てるのに好都合であるような内部資源配分能力を開発することが要求される」(Williamson, 1975)[18]とも述べている。

Williamson（1975）は，M 型仮説を検証するためには，単に事業部制を採用しているかどうかを調べるだけでなく，事業部制を採用している企業の内部統制を評価し，組織構造のタイプを区別する必要があることを指摘している。またそのための組織構造の分類システムも示している。

　本書でも Williamson（1975）の分類システムを利用し，分析を行う。ただ Williamson（1975）は特に多角化のタイプとの関係を議論しているのではない。Williamson（1975）の研究と同様の分類を多角化との関係で議論しているのが Rumelt（1974）である。Rumelt（1974）の研究は Williamson（1975）の研究と同時期の研究であるが，Williamson（1975）とは独立に研究を行いながら，第 2 節で示したような，類似の組織構造の分類方法を提示している。

　しかしながら，Rumelt（1974）の組織構造の分類は，Williamson（1975）の分類と比較して，操作性という点で問題がある。そこで我々は Williamson（1975）の分類方法を若干修正し，実際に実証研究を行った Hill（1988），Markides（1995）の分類方法を利用する。それらを次にみてみよう。

第 4 節　Hill（1988），Markides（1995）の研究

　事業部制をとっている企業でも内部統制のあり方は多様である。ここでは事業部制を採用している企業の内部コントロール・システムと戦略の関係を考察する。経営管理上の有効性を議論するためには，Williamson（1975）が指摘するように，内部的な意思決定および統制の機構問題を扱うことが重要なのであり，内部構造に基づく企業の分類システムを使用する必要がある。

　たとえば持株会社かカンパニー制かは，その法律的な違いよりも，本社がいかに事業部にかかわるかということが経営管理上は重要となる[19]。本書での分析にあたっては，Williamson（1975）の分析スキームを若干改良した Hill（1988）ならびに Markides（1995）の分類を採用した。彼らは内部のコントロール・システムを分析することで，以下の 6 つの分類を示し，組織構造を分類している[20]。

　それが次の分類である。

① 単一型（U型）
　伝統的な職能別組織構造
② 持株会社型（H型）
　適切な内部統制機構を持たない事業部制組織
③ 多数事業部型（M型）
　事業部制を採用しており，業務的決定と戦略的決定が分離していることが特徴で，集権的な戦略的，財務的コントロール・システムを持った組織
④ 過渡的多数事業部型（T型）
　修正過程にあるM型企業
⑤ 集権的多数事業部型（CM型)[21]
　広範囲に業務的決定に関与する本社によって特徴づけられる集権化された多数事業部制
⑥ 混合型（X型）
　U型と事業部制の混合組織

　Hill（1988）は質問票調査によってイギリス企業156社を調査し，この分類に従ってイギリス大企業の組織構造を分析している。それによると1985年時点のイギリスの大企業の35.2%が多数事業部型（M型）であることが示されている（Hill, 1988)[22]。

　Markides（1995）は同様の分類手法を用い，アメリカの製造業企業136社の調査を行った。それによるとアメリカでは多数事業部型（M型）企業が支配的であるが（1970年53.3%，1989年41.1%），持株会社型（H型）企業も1970年の7.9%から1989年の14.7%に増加していることが示されている（Markides, 1995)[23]。

第5節　小括

　本章では組織構造に関する既存研究のレビューを行った。それによるとアメリカ大企業は多角化が進むにつれて，事業部制の採用が進んでいること，

その意味で Chandler (1962) の「組織は戦略に従う」という命題は正しいこと，ただ「構造はまた流行にも従う」という命題も付け加えなければならないことなどが明らかになった。ただ，専業企業においても事業部制が存在するという分析だけで，「組織は流行に従う」とするのは少々乱暴である。同じ事業部制でも企業によりその中身は異なる。

そのような違いを把握するひとつの試みが吉原他 (1981) の組織構造の分類方法であったが，より操作的な組織構造の把握方法として，Williamson (1975) の分類方法を修正した Hill (1988)，ならびに Markides (1995) の組織構造の分類方法が示された。その分類によると，イギリスの大企業の35.2%が多数事業部型（M型）であること，アメリカ企業では多数事業部型（M型）が支配的であることが明らかとなった。次章では，この分類指標の詳細を検討し，本書における実証分析の枠組みを提示しよう。

注
1) 吉原他 (1981)，p.226。
2) 吉原他 (1981)，p.224。
3) Rumelt (1974)，pp.38-40，邦訳 pp.51-52。ここで「副次部門」は subsidiaries の訳であり，「子会社」のことである。
4) Rumelt (1974)，p.70，邦訳 p.93。
5) Rumelt (1974)，p.72，邦訳 p.94。
6) Rumelt (1974)，p.76，邦訳 p.99。
7) Rumelt (1974)，p.33，邦訳 p.44。
8) 吉原他 (1981)，p.192。
9) 吉原他 (1981)，p.198。
10) 吉原他 (1981)，p.201。
11) 吉原他 (1981)，p.201。
12) 吉原他 (1981)，p.226。
13) 経済学における理論的な分析としては伊藤 (2002) による研究，経営学における大量サンプルによる実証分析としては吉原他 (1981)，加護野他 (1983) の研究があげられる。
14) 吉原他 (1981)，p.225。
15) Rumelt (1974)，p.149，邦訳 p.197。
16) Williamson (1975)，p.150，邦訳 p.247。
17) Williamson (1975)，p.150，邦訳 p.247。
18) Williamson (1975)，p.151，邦訳 p.247。

19) たとえば Goold, Campbell and Alexander（1994）も，企業の本社と事業部がどのような関係にあるかという問題を，ペアレンティングという概念を用いて議論している。
20) Williamson（1975）chapter 8，Hill（1988）p. 72参照。Markides（1995）も同様の分類である。
21) この型は，Williamson（1975）によって「堕落した事業部制（Corrupted Multidivisional）と呼ばれている。これは，「必要な統制機構が備わっているが，総合本社が広範囲に業務に関与している多数事業部制」である。しかし，Hill（1988）は，この形態を「広範囲に業務的決定に関与する本社によって特徴づけられる集権化された多数事業部制（Centralized multidivisional）」と呼んでいる。本書では，この形態は関連型多角化企業の環境のもとで合理性を持つとみなすため，この用語法に従った。
22) Hill（1988），p. 75。
23) Markides（1995），Chapter 8。

第3章
研究方法

第1節　はじめに

　本研究は多角化戦略と組織構造，ならびに経営成果に関する実証研究であり，次に示すような多様なデータを利用する。それらは官公庁が出している統計類，有価証券報告書やアニュアルリポートなどの企業開示資料，そして研究者による質問票調査である。本研究ではこれらのデータを併用するのが大きな特徴である。その理由は序章でも述べたが，いろいろな方面から企業の多角化戦略と組織構造を研究することにより，企業の多角化の実態をよりリアルにとらえることができ，それにより有意な発見を行うことができると考えるからである。それではこの研究で使われる研究方法，ならびに資料を順に説明していこう。

第2節　統計資料を利用した分析

　本研究ではまず『企業活動基本調査報告書』を利用し，日本企業の多角化戦略の全体像を把握する。企業単位の統計調査には，初期の代表的なものとして工業統計調査丙調査「企業多角化等調査」がある。これは1987年（昭和62年）と1989年（平成元年）に行われたものであり，企業を単位とした統計資料であるため，当時の企業活動の状況を把握することができるが，本格的な企業単位の調査としては「企業活動基本調査」が最初である。「企業活動基本調査」（指定統計第118号）は第1回調査が1992年（平成4年）に，第2

回調査が1995年（平成7年）に行われ，その後毎年行われ，現在にいたっている。

この調査の実施に関連した論文で，田畑（1994）は企業を単位として調査することのメリットとして，企業を単位とした方が調査しやすい場合があることと，企業の意思決定や企業全体としての行動を調査できるという2点を指摘している（田畑，1994）[1]。この調査はタイトルの通り，企業を調査単位とした，大規模な調査の結果であるが，すべての企業が対象となっている悉皆調査ではない。鉱業，製造業および卸売・小売業，飲食店などに属する事業所を有する企業のうち，従業員50人以上，かつ資本金又は出資金3000万円以上の会社を対象として行ったサンプル調査である[2]。対象が限られているというサンプル上の制約はあるが，十分な量のサンプルも得られており，また調査事項の中の事業内容に，売上高および費用等に続いて売上高の内訳が示されており，企業の多角化を研究するための有益なデータを提供している。

このデータを利用した多角化研究が近年いくつか行われており，森川（1998），菊谷・伊藤・林田（2005），菊谷・齋藤（2006）などの優れた成果が出始めている。本書でもこの「企業活動基本調査」を利用して分析を行っている。「企業活動基本調査」は，多角化だけに関する調査ではなく，その時々の企業の経営問題を調査しているが，その中で特に『企業活動基本調査報告書』第2巻の企業多角化に関する調査を利用し，第4章で産業レベルの多角化の全般的特徴を明らかにする。

第3節　有価証券報告書を利用した研究

多角化戦略の経営学の領域における主要な研究である吉原他（1981）の研究は，Rumelt（1974）の分類手法を修正して用いた研究であるが，これは有価証券報告書などに示される企業の個別財務データを利用した研究ともいえる。ここでは本書第4章でも利用した吉原他（1981）の分類手法を示し，その意義と問題点を考えよう。

吉原他（1981）はRumelt（1974）の分類手法を修正し，多角化の程度，

タイプに応じて，多角化戦略を次の 7 つの戦略タイプに分類した（吉原他，1981)[3]。

① 専業型（S）……………………専業戦略
② 垂直型（V）……………………垂直的統合戦略
③ 本業・集約型（DC）……………本業中心集約的多角化戦略
④ 本業・拡散型（DL）……………本業中心拡散的多角化戦略
⑤ 関連・集約型（RC）……………関連分野集約的多角化戦略
⑥ 関連・拡散型（RL）……………関連分野拡散的多角化戦略
⑦ 非関連型（U）…………………非関連多角化戦略

ここで，集約型とは事業間の「関連が網の目状に緊密にある時で，少数の種類の経営資源をさまざまな分野で共通利用するような多角化のタイプ」（吉原他，1981)[4]である。一方，拡散型とは「さまざまな経営資源が企業内に蓄積され，緊密な共通利用関係が生じることなく，保有する経営資源をテコに新分野に進出，その新分野で蓄積した経営資源をベースにさらに新しい分野に進出する」（吉原他，1981)[5]ような多角化のタイプである。それらは図 3-1 のように示される。

これらの分類は Rumelt（1974）を踏襲したものであるが，多角化戦略の

図 3-1　集約型と拡散型

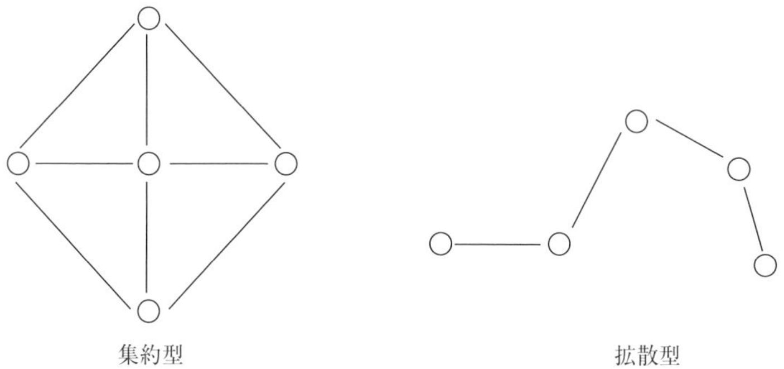

集約型　　　　　　　　　　　拡散型

出所：吉原他（1981）p.15, 図 1-2。

タイプを量的な観点からだけでなく,経営資源のつながりという質的な観点から分析することを可能としたことで,多角化研究に大きく貢献した。ここでの質的な観点とは経営資源的な観点であり,この研究以降,日本においても経営資源についての議論が盛んとなる。

これら戦略タイプの判定は,次のような手順で行われる。まず,単位事業の特定である[6]。単位事業とは「その分野の重要な意思決定が他の分野の事業活動に大きな影響を及ぼすことなく行いうる程度に独立性をもった分野」

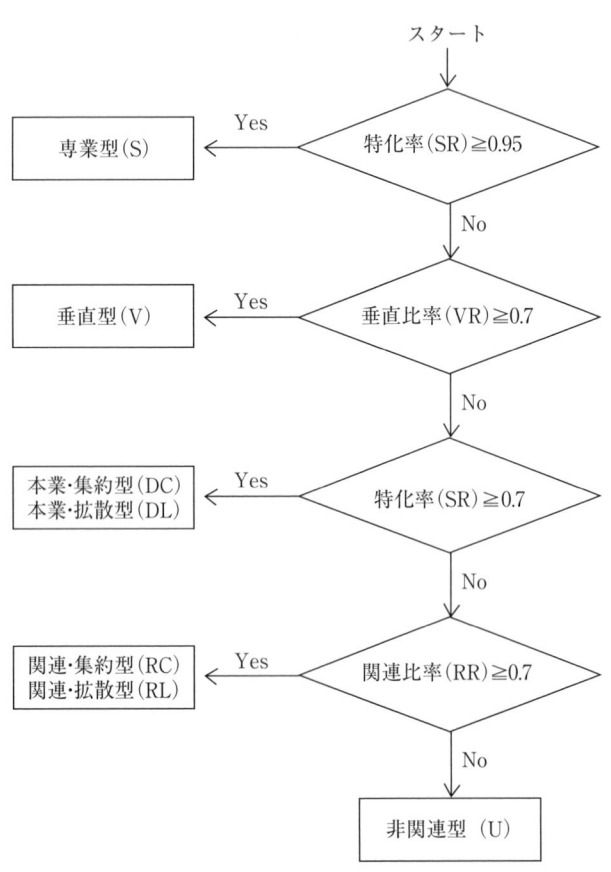

図3-2　戦略判定のフローチャート

```
                              スタート
                                 ↓
           ┌──────┐    Yes   ╱特化率(SR)╲
           │専業型(S)│ ←─────╱   ≧0.95    ╲
           └──────┘         ╲            ╱
                              ╲          ╱
                                 ↓ No
           ┌──────┐    Yes   ╱垂直比率(VR)╲
           │垂直型(V)│ ←─────╱    ≧0.7     ╲
           └──────┘         ╲            ╱
                              ╲          ╱
                                 ↓ No
         ┌─────────┐  Yes   ╱特化率(SR)╲
         │本業・集約型(DC)│←─╱   ≧0.7     ╲
         │本業・拡散型(DL)│  ╲            ╱
         └─────────┘       ╲          ╱
                                 ↓ No
         ┌─────────┐  Yes   ╱関連比率(RR)╲
         │関連・集約型(RC)│←─╱   ≧0.7     ╲
         │関連・拡散型(RL)│  ╲            ╱
         └─────────┘       ╲          ╱
                                 ↓ No
                            ┌──────┐
                            │非関連型(U)│
                            └──────┘
```

出所:吉原他(1981)p.18,図1-3より作成。

(吉原他，1981)[7]と定義される。

そのような単位事業の特定を行った後，特化率（SR：Specialization Ratio），垂直比率（VR：Vertical Ratio），関連比率（RR：Related Ratio）を測定し[8]，図3-2に示したフローチャートに従って戦略を判定するという手順がとられる。

ここで特化率とは「一つの企業全体の中で最大の売上規模をもつ単位事業が全売上高に占める構成比のこと」であり，ひとつの分野への特化を示す尺度である。垂直比率とは「垂直的統合という関連をもった単位事業のグループがある時，そのグループ全体の売上が全売上高に占める構成比」である。これは垂直的統合の度合いを示す尺度である。最後の関連比率とは「技術や市場で何らかの形でつながっている単位事業のグループがある時（一つの企業の内にはそのようなグループ自体が複数個あることもある），最大の売上規模の関連事業グループが全売上高に占める構成比」である（吉原他，1981)[9]。

この分析手法のポイントは，単位事業の特定にある。企業により事業の分類は異なり，同じ事業領域でも企業によりその意味は異なってくる。また他の事業との関連，その企業における重要性や意味，他の事業に与える影響も異なってくる。この分類手法を用いるときには，それらの点を考慮しなければならない。多角化の程度を測定するための特化率はまず，単位事業の特定から始められなければならない。実はこれが非常に困難な作業である。

このことを行うために，企業の有価証券報告書などの事業報告書が用いられるが，そのような資料に企業間の比較可能性が完全に保証されているわけではない。有価証券報告書の目的は投資家の保護であり，研究目的に照らして客観性が保たれているわけではない。企業独自の事業分類により，データが提供されているのであり，研究者が必要とするデータが十分に示される保証はない。また，このようなデータが利用できるのは，基本的には証券取引所に株式公開している企業であり，分析は大企業が中心となる。また企業間の比較よりも，その企業個別の業績の分析が中心となる。Rumelt（1974）も「終始最も入手しにくかった情報は，専門化率，関連率，垂直比率を算出するために必要な，企業の製品分野別の収入内訳であった」と述べている

(Rumelt, 1974)[10]。

　またデータが十分に提供されたからといって，適切な判断ができるとは限らない。事業領域の分析には，その事業領域に関する知識が必要であり，分析のためにそのような知識・情報を取得することは時間的な困難を伴う。また単位事業の特定には研究者の判断が入り込む余地が大きい。

　Rumelt (1974) の研究で使用されたサンプル企業のうち，87社がWrigleyの研究と共通しているが，そのうち28社の分類がRumelt (1974) とWrigleyの間で異なっていた。この相違の14％はRumelt (1974) のサンプルが1969年のデータであるのに対して，Wrigleyのサンプルが1967年のデータであることからくる，企業の地位の変化であり，7％が分類基準による違い，25％が非関連事業の分類上の条件の厳密さからくる違いであり，残りの相違の54％が判断やデータの相違によるものであった。「主力事業」と「関連事業」の分類の相違のうち大部分が判断による違いであり，それは個別事業の定義そのものの違いであるとRumelt (1974) は指摘している (Rumelt, 1974)[11]。

　吉原他 (1981) の研究も，そのような制約から日本の代表的企業100社余りを対象としているにすぎない。その企業が本当に日本企業を代表しているのかは議論されなければならない問題である。本研究でも，この手法を利用して時系列の分析を行っているが，環境の変化により，日本を代表する企業は変わってくることも考えなければならない。またどの様な企業を選択するかという選択によるバイアスも考慮しなければならない問題である。

　このような問題がありながらも，この分類は，今日，多角化研究の標準的な分類基準となっている。そこで本書でもこの分類基準を用い，企業の多角化戦略を判定している。本研究で用いられる多角化戦略の判定結果は，上野 (1990) で行われたものを利用している。

第4節　企業の組織革新に関する質問票調査研究

1．調査方法について

　この研究の中心は，次に述べる「企業の組織革新」に関する3つの質問票調査[12]により得られたデータを使った分析である。そのうち2つは2000年と

2007年に日本で行われたものであり,もうひとつは2001年にイギリスで行われたものである。

質問票調査を利用した研究の利点は,企業に直接,その意見を尋ねることができるということであるが,サンプルに偏りが生じるなど,制約も多い。ただ,本研究では質問票調査を重視する。序章で述べたように,企業活動は単に,資源のつながりという関係で観察されるのではなく,企業経営に携わる人々の意思の結果であるというのが基本的なスタンスである。

Yin(1994)も述べているように,ケース・スタディとサーベイ調査はそれぞれメリット・デメリットが存在し,明らかにしようとする問題が異なる。どのようなリサーチ戦略を用いるかは,「(a) 提示されているリサーチ問題のタイプ,(b) 研究者が実際の行動事象を制御できる範囲,そして(c) 歴史事象ではなく現在の事象に焦点をあてる程度」(Yin, 1994)[13]の3つの条件に依存する。

ケース・スタディが望ましいのは,一般に「『どのように』あるいは『なぜ』という問題が提示されている場合,研究者が事象をほとんど制御できない場合,そして現実の文脈における現在の現象に焦点がある場合」である(Yin, 1994)[14]。一方で質問票調査は「誰が,何が,どこで,どれほど」あるのかを調べるのに効果的であるといわれる。現在事象への焦点はケース・スタディと同様であり,歴史研究と対比される。多角化戦略と組織構造の実態を分析し,そのあるべき姿を検討することが本研究の目的であり,質問票調査は有効な手段と考えられる。

もちろん質問票調査というリサーチ戦略をとることにより引き起こされる,避けがたい問題は慎重に扱わなければならない。質問票調査には次のような調査誤差が起こると考えられる(Dillman, 2000)[15]。

① 標本誤差:母集団のうち,少数のサンプルしか調査できないことからくる誤差
② 測定範囲の誤差:調査母集団のすべてのサンプルが等しく選ばれる可能性がない場合に起こる誤差
③ 測定上の誤差:質問票の不備により不正確で意味不明の解答しか得ら

れないことからくる誤差
④ 無回答誤差:調査に回答した人々と調査に回答しなかった人々が異なることからくる誤差

これらの誤差のうち,標本誤差と無回答誤差が,我々が行った郵送質問票調査では特に問題となる。これらの誤差を避けるための有効な方法は,なるべく多くの対象に質問票を送付し,努力して回答率を上げるということ以外にないのであるが(Mangione, 1995)[16],大学が行う企業を対象とした質問票調査の場合,それほど高い回答率は期待できない。実際に,後で示すように,我々が行った質問票調査の有効回答率も,それほど高いものではない。そのため,この誤差が存在するということは常に注意しておく必要がある。

たとえば郵送による質問票調査ではなく,面接調査法という方法もある。この方法を用いれば回答率を高くすることができる。さらに,精度の高いデータが得られる,複雑な質問ができる,質問の誤解が起きにくい,多くの分量の質問ができる,などの長所があるが,多くの費用と時間がかかり,調査員の質の維持が困難であるという短所も持っている(林,2004)[17]。

それに対して,質問票調査は,以下のような長所があり,企業を対象とした調査を行う場合,有効な方法である。

① 面接調査員を必要としない
② 面接調査員が介在しないので人為的誤差がなく,質問の斉一性を保持できる
③ 匿名で実施することが容易である
④ 面接調査員が口頭で質問するのを躊躇する微妙な内容の調査に適している
⑤ 面接調査のような対面的状況下での調査ではないからホンネを回答しやすい
⑥ 面接調査のように同一地点から複数標本を抽出せず,標本を地域的に広く分散させられる
⑦ 海外調査,全国調査など(面接調査員の確保が困難な)地域的広がり

のある調査や標本数の多い調査でも,1人当たりの実査費用は均等で,実査期間は同じである

(林,2004)[18]

以上のように,それぞれの調査方法には長所,短所があるので,それらを考慮に入れ,調査方法は選択されなければならない。

この研究は基本的には変数間の関係を明らかにしようとした研究であり,沼上(2000)の示すような「行為システム記述」や「意図せざる結果」の探求を行うような研究ではないが,企業経営者の戦略的な意図を取り上げ,そのあり方を明らかにしようとしている。経営者の意図はどのようなものかという,いわばWhatに関する問題意識に,質問票調査を使うことで接近できると考えている。もちろん,そのためにはケース・スタディも有効であるが,ケース・スタディは経営者の意図のうち,なぜそのようなことをしたかというWhyを尋ねることを意図した調査である。なぜ経営者はそのようなことを意図したか,あるいは意図しなかったのかということの前に,そもそも経営者はどのような意図を持ち,どのような企業経営を行い,それがどのような成果に結びついたのかということを明らかにする必要があると我々は考えている。そのための第1の接近方法が質問票調査である。

本研究では次に示す組織革新に関する質問票調査と第5節で示す本社組織に関する調査が用いられた。

2.組織革新実態調査

経営戦略と組織構造についての調査は,2000年と2007年に日本で,2001年にイギリスで行われた。これらの調査は1999,2000年度(平成11,12年度)の科学研究費補助金(基盤研究A),ならびに2007,2008年度(平成19,20年度)の科学研究費補助金(基盤研究C)の助成を受けて行われた「企業の組織革新」に関する実態調査であり,郵送による質問票調査が行われた。

2000年に行われた第1回「組織革新実態調査」は,質問票が東京,大阪,名古屋の各証券取引所に上場している鉱業および製造業企業1331社の各企業の代表取締役宛てに,2000年9月1日に送付され,2000年9月14日締め切り

で回収が行われた。締め切り後2回にわたり，はがきによる回答依頼を送付し，176社の有効回答が得られた。有効回答回収率は13.2%である。

2007年に行われた第2回「組織革新実態調査」は，質問票が東京，大阪，名古屋の各証券取引所に上場している製造業企業1306社の各企業の代表取締役宛てに，2007年11月22日に送付され，2007年12月7日締め切りで回収が行われた。前回同様，締め切り後2回にわたり，はがきによる回答依頼を送付し，111社の有効回答が得られた。有効回答回収率は8.5%である。

2001年に行われたイギリス企業に対する調査は次の通りである。この調査はイギリスのCranfield大学の協力を得て行われたもので，同大学から資金的な援助，並びにSchool of ManagementのAndrew Kakabadse教授の企業に対する協力依頼状など，研究上の協力を受けている。質問票は2001年9月時点にロンドン証券取引所に上場している鉱業および製造業企業662社の会長，CEO，取締役に対して2001年9月6日に送付され，2001年9月21日をもって締め切り，69社の有効回答を得た。回収率は10.4%であった。

本研究では，これらの質問票調査の結果を利用して分析を行う。なお，回

表3-1　調査概要のまとめ

調査時点 調査内容	イギリスの調査 （2001年調査）	第1回組織革新実態 調査概要 （2000年調査）	第2回組織革新実態 調査概要 （2007年調査）
調査方法	郵送質問票調査	郵送質問票調査	郵送質問票調査
調査対象企業	2001年9月時点でロンドン証券取引所に上場している鉱業および製造業企業662社	2000年9月時点で東京，大阪，名古屋の各証券取引所に上場している鉱業および製造業企業の1331社	2007年11月時点で東京，大阪，名古屋の各証券取引所に上場している製造業企業1306社
発送先	対象企業の会長，CEO，取締役	対象企業の代表取締役	対象企業の代表取締役
調査時期	2001年9月6日送付，2001年9月21日締切	2000年9月1日送付，2000年9月14日締切	2007年11月22日送付，2007年12月7日締切
有効回答数	69社	176社	111社
回収率	10.4%	13.2%	8.5%

答企業の業種分布，並びに規模分布は，次項で示すが，ここでは調査概要をまとめて表3-1に示しておく。

3．調査企業の業種と規模

以下にこの3つの調査の回答状況の概要を示す。まず，サンプル企業の業種概要が表3-2である。日本における調査では，その企業に割り当てられた証券コードから，主要な産業を特定した。イギリスの調査回答者には匿名での回答を許容しているので，業種リストを示した上で，本国で行われている事業活動のうち，主要な業種をひとつ答えてもらった。

表3-2はサンプル企業の主要な業種を示している。イギリスのサンプルの多くは素材型産業企業（63.8%）であり，日本のサンプル企業の多くは機

表3-2 サンプル企業の業種

業　種	イギリス 2001年		日本 2000年		日本 2007年	
	企業数(社)	比率(%)	企業数(社)	比率(%)	企業数(社)	比率(%)
鉱業	7	10.1	0	0.0	0	0.0
食料品	8	11.6	10	5.7	8	7.3
繊維・衣料	7	10.1	7	4.0	8	7.3
パルプ・紙	0	0.0	3	1.7	1	0.9
化学・化学製品	3	4.4	26	14.8	18	16.4
医薬品	5	7.3	5	2.8	0	0.0
石油・石炭製品	0	0.0	1	0.6	2	1.8
ゴム・プラスチック	5	7.3	2	1.1	2	1.8
ガラス・土石製品(窯業)	1	1.5	6	3.4	5	4.5
鉄鋼	2	2.9	6	3.4	2	1.8
非鉄金属及び金属製品	6	8.7	16	9.1	8	7.3
機械	5	7.3	28	15.9	12	10.9
電気機器	12	17.4	28	15.9	25	22.7
輸送用機械	0	0.0	18	10.2	9	8.2
精密機器	2	2.9	10	5.7	1	0.9
その他製造業	6	8.7	10	5.7	9	8.2
合計	69	100.0	176	100.0	110*	100.0

注：比率については，四捨五入を行っているため合計が100にならない場合もある。*不明1社。

表3-3 サンプル企業の従業員規模

従業員規模（人）	イギリス 2001年 単体		日本 2000年						日本 2007年					
			単体		連結		連結（一部単体）		単体		連結		連結（一部単体）	
	企業数(社)	比率(%)	企業数(社)	比率(%)	企業数(社)	比率(%)	企業数(社)	比率(%)	企業数(社)	比率(%)	企業数(社)	比率(%)	企業数(社)	比率(%)
0～ 249	16	23.2	13	7.4	5	3.0	6	3.4	24	21.8	2	2.0	6	5.5
250～ 499	14	20.3	29	16.5	18	10.8	22	12.5	20	18.2	14	14.1	20	18.2
500～ 999	9	13.0	43	24.4	26	15.7	30	17.0	25	22.7	9	9.1	10	9.1
1,000～ 4,999	17	24.6	69	39.2	63	38.0	64	36.4	36	32.7	45	45.5	45	40.9
5,000～ 9,999	6	8.7	12	6.8	22	13.3	22	12.5	3	2.7	15	15.2	15	13.6
10,000～49,999	4	5.8	8	4.5	27	16.3	27	15.3	2	1.8	11	11.1	11	10.0
50,000～99,999	1	1.5	2	1.1	1	0.6	1	0.6	0	0.0	1	1.0	1	0.9
100,000以上	2	2.9	0	0.0	4	2.4	4	2.3	0	0.0	2	2.0	2	1.8
合計	69	100.0	176	100.0	166*	100.0	176	100.0	110** 99	100.0	*** 110	100.0	****	100.0

注：*不明10社，**不明1社，***不明12社，****不明1社．

図3-3 サンプル企業の従業員規模（単体）

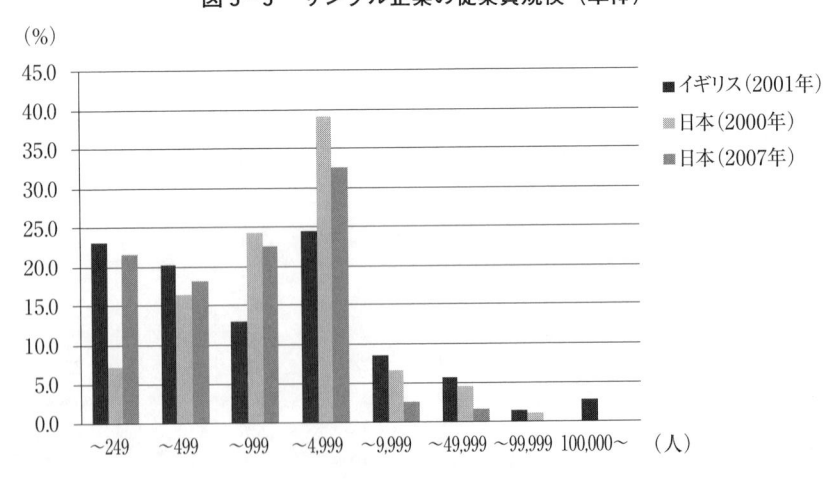

械，電気機器などの加工型産業企業（2000年：53.4%，2007年：50.9%）であった。全体にパルプ・紙，石油，ゴムなどの業種が少ないが素材型と加工型産業のバランスはとれている。

　このような業種の違いが，質問票の回答の違いに影響を与える可能性があるが，両国のサンプル企業は，様々な産業に分布しており，適切なサンプルを構成していると考えられる。

　表3-3はサンプル企業の企業規模を従業員数でみたものであり，図3-3は単体の従業員数のみ，グラフに示したものである。従業員数は単体と連結では大きく異なる。日本では純粋持株会社が1997年に解禁され，単体でみた場合，その従業員は，その企業規模を正確に示さなくなっている。もちろん純粋持株会社と事業兼営持株会社の区別は可能であるが，純粋持株会社でなく，連結情報を開示していない企業も存在する。連結情報を開示していない企業は，そもそもその必要性がない企業であり，単体情報でその企業の実態を示しているのだが，連結決算主体に移行したのが，第1回の調査時点であり，必要なデータが得られなかった企業もある。

　会計制度が連結決算主体に移行したのが2000年であり，2000年の調査時点では連結の従業員数のデータが十分に得られなかったために，基本的には単体の従業員で集計を行った。ただ参考のため，2001年3月決算の連結従業員の集計データも同時に掲載した。2001年時点のデータはeolESPerが提供するデータを利用でき，連結の従業員数のデータを得ることができたが，2001年段階で，統合によりサンプル企業のうち2社のデータが得られなかった。

　2007年調査のサンプル企業の財務データは基本的には連結決算のデータが得られるが，サンプル企業の一部は連結財務データが得られなかった。それらの企業は連結対象の子会社，関連会社を持たないため，連結決算を公表していない企業である。それらの企業は単体の財務データがその企業の実態を表していると考え，単体のデータを利用した。連結決算を公表している企業は連結のデータが企業の実態を表わしていると考えられる。それらの企業の中には純粋持株会社が含まれ，単体の財務データはその企業の実態を表さない。以上により，連結データが得られる企業は連結のデータを利用し，連結データが得られない企業は単体のデータを利用した。

イギリス企業は基本的に子会社を含む連結のデータであるが，単体で回答するという回答ミスの可能性があり，従業員や売上高のデータなどが，企業グループの実態を表していない場合がある。イギリスの調査では，企業名が匿名の場合が多く，その検証が困難であった。そのような制約を踏まえ，ここでは日本企業は単体と連結の情報を示し，さらに連結情報が得られなかった場合には単体情報で代替するという方法で企業規模を比較した。質問票のデザインによって，イギリス企業の従業員と売上高のデータが正確性を欠いている可能性はあるが，それは今後の課題である。

表3-4　サンプル企業の売上高の比較

売上高（£）	イギリス（2001年）		日本（2000年）	
	企業数（社）	比率（％）	企業数（社）	比率（％）
0 ～ 4,999万	28	41.2	18	10.2
5,000万～ 49,999万	28	41.2	97	55.1
50,000万～499,999万	8	11.8	54	30.7
50億以上	4	5.9	7	4.0
合計	68*	100.0	176	100.0

注：*欠損値1。

図3-4　サンプル企業の売上高の比較

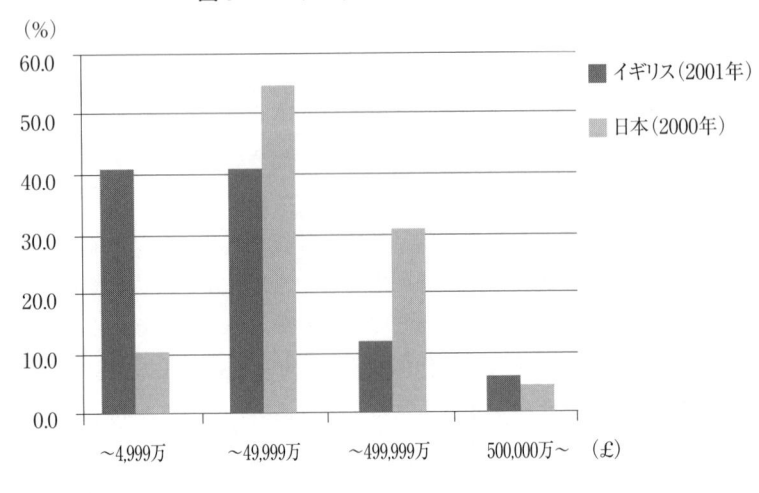

この従業員規模の分布をみると，回答企業の規模は想定される母集団に比べ，若干小さくなっていると思われる。特にイギリス企業と2007年調査のサンプルの企業規模が小さい。しかしながら，平均的にみれば，大企業がサンプルとなっているといえる。

　次に売上高の情報が表3-4と図3-4に示されている。売上高は為替相場の変動により変化するため，同時期の調査である2000年の日本企業の調査と2001年のイギリス企業の調査を比較した。

　これによると，イギリスのサンプル企業の売上高は日本のそれよりも小さくなっている。日本の主要なサンプルは，5000万ポンドから5億ポンドであるが，イギリスの主要なサンプルの山は2つあり，5000万ポンド以下と5000万ポンドから5億ポンドの間である。

4．質問項目の策定

　質問票では戦略の方向性に関する質問，企業の組織構造に関する質問，本社による事業部に対する内部統制に関する質問が行われた。経営環境に関する質問もとりいれた。この質問票は次のように大きくは5つのグループから構成されている。

① 基礎的な企業情報
② 組織構造
③ 事業部のコントロールについて
　・事業部業績の評価
　・事業部長の権限
　・本社の責任
　・事業部の貢献利益の処理
④ 戦略に関する質問
　・多角化戦略
　・競争戦略
⑤ 企業環境について

最初のグループは，サンプル企業の基本的な属性を問う質問である。2番目のグループは組織構造の質問である。3番目のグループは事業部のコントロールについての質問であり，事業部業績の評価についての質問と事業部長の権限，本社の責任に関する質問，事業部の貢献利益の処理についての質問の4つの質問から構成されている。4番目のグループは，戦略に関する質問で，それらは多角化戦略に関する質問と競争戦略に関する質問からなる。最後のグループは企業環境についての質問である。これらの質問は，実際の質問票では日英で順序が入れ替わっている[19]。

　この質問票の質問項目の第3のグループである，事業部のコントロールについての質問を利用して，組織構造の判定が行われた。次にその判定の方法を見てみよう。

5．組織構造の分類指標

　本研究では戦略だけでなく，組織構造についても調査を行った。組織構造に関する調査は Hill（1988），Markides（1995）と同様の方法を用いたが，日本の状況に合わせるために Markides（1995）で用いられた質問票を参考にし，日本とイギリスの状況に合わせて修正したものを使用した。

　ここでの質問は，何らかの事業部門別組織構造を採用している企業のみが対象であり，各事業部門と本社の関係を意思決定という観点から尋ねている。質問票では，先に述べたように，本社による事業部門の管理，コントロールについて，「事業部長の権限」，「本社の責任」，「事業部業績の評価」の3つのセクションに分けて尋ねている。これらのデータを用いて，以下に示すように業務統制指標，戦略統制指標，財務統制指標という3つの合成指標を作成した。

　① 業務統制指標
　　この指標は事業部の日常業務決定に対する本社による関与を測定するものである。具体的には事業部長（あるいは事業本部長）が10種類の業務決定（「総合職の人事」，「在庫水準の変更」，「新製品のデザイン」，「主要製品の価格の変更」など）についてどの程度自由に意思決定でき

るかを「1．事業部長は本社に連絡することなしに行動できる」，「2．事業部長は行動し事後的に報告するだけでよい」，「3．事業部長は行動する前にあらかじめ本社に相談しなければならない」，「4．事業部長は本社の公式の許可を得なければどのような行動もとれない」という4段階の記述で尋ね，その回答を合成して指標を作成した。この値が大きいほど業務統制が強い。

② 戦略統制指標

　この指標はどの程度，本社に戦略的コントロールが集中しているかということを測定しようとしたものである。具体的には10種類の戦略的意思決定（「主要な投資の決定」，「長期の経営計画」，「資金管理」，「資金調達」，「買収企業の特定」，「新規事業開発」など）に対して，本社がどの程度責任を持っているかということを，「1．常に本社の責任である」，「2．ほとんど本社の責任である」，「3．現業事業部と本社が責任を分担する」，「4．まれに本社の責任である」，「5．本社の責任ではない」という5段階で尋ね，その回答により合成指標を作成した。この値が小さいほど本社の戦略統制が強い。

③ 財務統制指標

　この指標は，本社が事業部に対してどの程度，財務指標によるコントロールを行っているかを測るものである。この指標は「事業部長（あるいは事業本部長，カンパニー・プレジデントなど）の業績評価をする際に，以下の収益指標はどの程度重要ですか」という事業部門の業績評価に関する質問の回答を合成したものである。売上高や利益，成長率などの10の指標について「1．全く重要でない」から「5．非常に重要である」までの5段階で回答してもらい平均値をとった。この値が大きいほど本社による財務統制が強い。

　これらの指標に加え，本社による内部資金管理変数（ICM：internal cash management）も利用した。これは内部資源配分の方法を測定する変数であり，事業部門で生み出したキャッシュを本社が全社的に企業内で再配分するならばICM＝1を，それぞれの事業部で管理されるならばICM＝0をとる

図 3-5　組織構造の分類方法

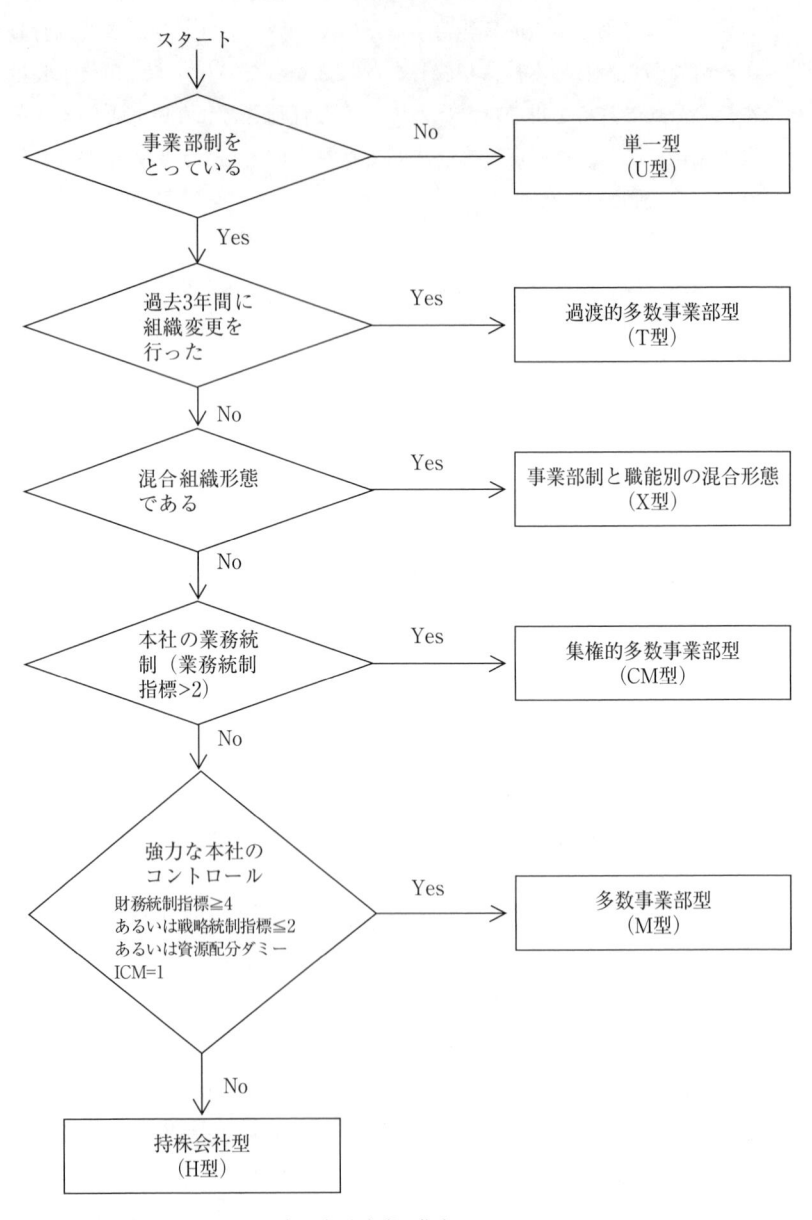

```
スタート
  │
  ▼
┌─────────────┐  No   ┌──────────────┐
│ 事業部制を   ├─────▶│ 単一型       │
│ とっている   │      │ (U型)        │
└──────┬──────┘      └──────────────┘
       │ Yes
       ▼
┌─────────────┐  Yes  ┌──────────────────┐
│ 過去3年間に  ├─────▶│ 過渡的多数事業部型│
│ 組織変更を   │      │ (T型)            │
│ 行った       │      └──────────────────┘
└──────┬──────┘
       │ No
       ▼
┌─────────────┐  Yes  ┌────────────────────────┐
│ 混合組織形態 ├─────▶│ 事業部制と職能別の混合形態│
│ である       │      │ (X型)                  │
└──────┬──────┘      └────────────────────────┘
       │ No
       ▼
┌─────────────┐  Yes  ┌──────────────────┐
│ 本社の業務統 ├─────▶│ 集権的多数事業部型│
│ 制（業務統制 │      │ (CM型)           │
│ 指標>2）     │      └──────────────────┘
└──────┬──────┘
       │ No
       ▼
┌─────────────────────┐
│ 強力な本社の        │
│ コントロール        │  Yes  ┌──────────────┐
│ 財務統制指標≧4     ├─────▶│ 多数事業部型 │
│ あるいは戦略統制指標≦2│      │ (M型)        │
│ あるいは資源配分ダミー│      └──────────────┘
│ ICM=1               │
└──────┬──────────────┘
       │ No
       ▼
┌──────────────┐
│ 持株会社型   │
│ (H型)        │
└──────────────┘
```

出所：Hill（1988），Markides（1995）を参考に作成。

ダミー変数である。これらの指標を用い，図3-5に示された分類のフローチャートに従ってサンプル企業を6つの組織構造カテゴリーに分類した。

まず，事業部制をとっているか職能別組織かによって企業は分類される。事業部制を採用していない場合を単一型（U型）とした。次に過去3年間に組織改革を行っている企業を，本社と事業部の間にまだ十分な関係が構築されていない過渡的多数事業部型（T型）として区別した。さらに事業部制と職能別の混合形態（X型）が区別され，その後，業務統制指標が2より大きいとき，つまり，平均的にみて，事業部長は本社の許可を得て行動しないといけないと思われるとき，本社による業務統制が行われていると判断され集権的多数事業部型（CM型）と分類された[20]。業務統制指標が2以下，つまり本社による業務統制が行われていない場合で，かつ戦略的なコントロールが行われている場合（戦略統制指標が2以下）か，財務的なコントロールが行われている場合（財務統制指標が4以上），あるいは資源配分によるコントロールが行われている場合（ICM＝1），多数事業部型（M型）と判断され，それ以外が持株会社型（H型）と判断された。

第5節 本社組織に関する調査

本研究では企業の組織革新の質問票調査に加え，企業の本社組織の調査結果も利用された。この調査は著者が独自に行ったものではないが，著者も調査に参加した，共同研究の結果である。

1．イギリス企業の本社組織の調査

まずひとつ目が，イギリスで行われた調査である。これはGooldを中心とするアッシュリッジ戦略経営研究所（Ashridge Strategic Management Centre）が1992年にイギリスで行った調査である。この調査には，我々の研究グループも参加し，研究を協力して行ったので調査結果を利用している。調査概要は以下の通りである。

調査方法：郵送質問票調査
調査時期：1992年
送 付 先：従業員2500人以上のイギリスとアイルランドの企業，483社に質問票を送付
回　　答：107社から回答（回収率22%）

2．日本企業の本社組織の調査

　最後の調査が日本で行われた本社組織に関する調査である。本社に関する調査の日本のデータは神戸大学の加護野研究室が中心となり行ったオープン・リサーチ・プロジェクトのひとつである「企業の本社組織の研究プロジェクト」である。これは1996年に日本で行われた調査であり，筆者もメンバーに加わった。調査概要は以下の通りである。

調査方法：郵送質問票調査
調査時期：1996年7月末
送 付 先：株式公開企業のなかで連結売上高1000億円以上の企業621社と，代表的な未上場企業で単体での売上高が1000億円以上の248社（計869社）に対して質問票を送付。
回　　答：227社から回答，うち，有効回答は220社（回収率26.1%）

　これら2つの質問票調査により得られたデータをもとに，日本企業の本社の役割を第8章で検討し，本社規模の規定要因を第9章で，本社の規模と成果との関係を第10章で議論する。

第6節　小括

　以上の調査研究をまとめると表3-5のようになる。これらの研究は行われた時期や対象企業，目的が異なるため，単純な比較分析，変数間の関連の分析はできない。たとえば，組織革新実態調査と本社組織の研究は，時期も調査目的も大きく異なり，組織革新実態調査で得られた結果を踏まえ，多角

表 3-5　調査研究のまとめ

企業データ		日本	有価証券報告書（各企業，各年版）
企業統計		日本	「企業活動基本調査」（1991年〜2003年）
質問票調査	多角化と組織	日本	第1回「企業の組織革新」に関する実態調査（2000年，日本）
			第2回「企業の組織革新」に関する実態調査（2007年，日本）
		イギリス	イギリス企業に対する質問票調査（Strategy and Structure of Companies: An International Comparison between the UK and Japan, 2001年）
	本社組織	日本	本社組織の調査（日本，神戸大学，1996年）
		イギリス	本社組織の調査（イギリス，Ashridge Strategic Management Centre, 1992年）

化企業の本社組織の機能を議論することには，無理がある。しかしながら，多角化企業のマネジメントについての研究であること，大企業を対象としていることなど，大まかな研究の方向性，研究の目的に関しては一致しており，論理的な整合性がとれる範囲において，これらの調査を関連づけて議論することには，それなりに意義があると考えられる。

注
1) 田畑（1994），p.21。
2) 1987（昭和62）年，1989（平成元）年に実施された「工業統計調査丙調査」では製造業に属する企業が対象とされていた。しかしながら，事業活動の多角化が製造業だけでなく，他の産業においても急速に進展していることをうけ，1992（平成4）年から実施された「企業活動基本調査」では，「工業統計調査丙調査」の対象業種である製造業のほか，鉱業，卸売・小売業，飲食店（一般飲食店およびその他の飲食店に属するものを除く）に調査対象業種が拡大されている。その後，1998（平成10）年に「一般飲食店」が調査対象業種に追加されるなど，対象業種の拡大が行われている。
3) 吉原他（1981），p.17。
4) 吉原他（1981），p.15。
5) 吉原他（1981），p.15。
6) Rumelt（1974）では discrete businesses（p.12）であり，邦訳書では，個別事業（p.17）と訳されているが，吉原他（1981）は単位事業という用語を使っている。
7) 吉原他（1981），p.13。
8) 特化率は Rumelt（1974）では specialization ratio（p.14）であり，邦訳書では専門化率と訳されている（p.20）。なお関連比率は related ratio（p.15）であり，邦訳書

では関連率，垂直比率は vertical ratio であり，邦訳書では垂直率と訳されている（p.31）。
9）吉原他（1981），p.17。
10）Rumelt（1974），p.42，邦訳 p.55。
11）Rumelt（1974），p.45，邦訳 p.59。
12）質問票の詳細は付録 C 質問票 C-1，C-2，C-3 を参照。
13）Yin（1994），邦訳 pp.6-7。
14）Yin（1994），邦訳 p.1。
15）Dillman（2000），p.11。
16）Mangione（1995），邦訳 p.83。
17）林（2004），p.11。
18）林（2004），pp.11-12より抜粋。
19）詳細は付録 C 質問票 C-1，C-2，C-3 を参照。
20）日本の状況に合わせて，Markides（1995）の質問票とは質問の仕方を変えているので，基準値が逆転している。

第II部
多角化戦略と組織構造

第4章
多角化戦略と事業集中の実態

第1節　はじめに

　1990年代に入りバブル経済が崩壊し，長期不況に直面した日本企業はリストラクチャリング（事業の再構築）を進めてきた。そこには，事業の再構築に名を借りた人員削減という面がたぶんにあった。しかしながら人員削減だけでは企業の競争力は回復しない。そこで本当の意味でのリストラクチャリング，つまり事業の再構築が求められるようになった。事業の「選択と集中」という問題が企業経営の基本課題として認識されてきたのもそのような理由による。リストラクチャリングも「選択と集中」も，基本的には企業の事業構成の変化を意味する。過度に多角化を進めて，経営資源のつながりが希薄になり，経営成果に結びつかなくなった企業が，事業の絞り込みを行ってきた。マスコミなどに大きく取り上げられるため，リストラクチャリングによって，日本企業の多くが多角化とは反対の方向，つまり事業集中を進めているという認識が一般的になってきた。しかし，リストラクチャリング，あるいは「選択と集中」は必ずしも事業数の削減を意味しない。

　「選択と集中」という，曖昧な言葉で示される戦略的決定の中には，事業数の変更というよりもむしろ，得意分野への経営資源の集中という意味が強く含まれている。それは一般的には事業数の減少を前提とするが，時にはその集中に付随して，周辺事業分野への進出，さらには事業の拡大が行われる場合もある。「選択と集中」はそのまま専業化，非多角化を意味するものではない。あくまで成長を目指した戦略的決定であり，事業構成の変更であ

る。問題は事業領域の「選択と集中」という企業経営上の重要な戦略的決定をどのような尺度で測定し，そこから企業経営の実践に役立つ知見をいかに導き出すかである。意味のある尺度による，現状の正確な認識のうえに，論理的な経営戦略の策定方法の提案が可能となる。このような議論は意外となされていないのが現状である。「選択と集中」とはそもそも何か，リストラクチャリングとの違いは何か，企業の意思決定の意図は何か，という本質的な議論が必要である[1]。

そこで本章では，企業の戦略問題として「選択と集中」の問題をとらえ，多角化戦略，ならびに「選択と集中」についての研究を概観したうえで，『企業活動基本調査報告書』のデータを利用して，日本企業の多角化戦略，ならびに「選択と集中」の実態を明らかにし，今後の多角化研究の方向性を検討する。なお，次の第5章では同様の問題に対して，質問票調査を利用して検討を加える。

第2節 「選択と集中」のとらえ方

企業の「選択と集中」をどのようにとらえればよいのであろうか。このような問題に関しては，多角化戦略の領域で研究の蓄積が多い[2]。これまでに多様な多角化指標や多角化のとらえ方が考案されてきた。それらは大きくは2つに分けることができる。

ひとつは標準産業分類に基づく客観的なデータなどを利用し，何らかの指標で多角化の程度を表す方法である。具体的には専業化比率，ハーフィンダル指数，エントロピー指数などがある。これら客観的な産業分類をもとにした事業構成比率による企業の多角化の把握は，多角化のレベルを連続変数として定量的にとらえられるという利点がある。ただ客観的ではあるが，形式的な産業分類を利用するため，同じ産業分類に分類される事業でも，個別の企業にとっては，その戦略的意味，既存事業との関連性，企業全体に占める戦略的重要性に違いがあり，測定された多角化程度が戦略的に意味のないものとなる可能性がある。

もうひとつはRumelt（1974）の分類手法のような，多角化をいくつかの

タイプに分類する方法である。彼は，標準産業分類のような客観的な分類の限界を指摘し，事業における進出や撤退などの基本的な意思決定が，どのように他の事業に影響を及ぼすかを考えることにより，個別事業を特定したうえで，製品分野の多様性と関連の程度を測定し，多角化戦略を単一事業企業，主力事業企業，関連事業企業，非関連事業企業といった戦略タイプに分類している。彼の研究では，1950年代から1960年代にかけて，アメリカ大企業が多角化を進展させたことが示されている。

この Rumelt（1974）の分類手法を採用し，日本企業の多角化戦略を研究したのが吉原他（1981）である。吉原他（1981）は Rumelt（1974）の手法を用い，1960年代から1970年代にかけて，日本企業が関連型の多角化を大きく進展させたことを示している。

多角化は事業構成の多様化を意味するが，同時に事業の進出・撤退行動ととらえることもできる。この場合，どのような組織レベルで事業の進出・撤退をとらえるかという問題が存在する。通常，統計資料としては工業統計表をはじめとして，事業所レベルの統計が多くある。しかしながらこのような統計は経営戦略を議論する際には問題がある。多角化戦略は企業における重要な意思決定であり，企業レベルの意思決定として進出・撤退を把握できるような，企業レベルのデータが必要である。

工業統計表を使った研究である清水・宮川（2003）の研究でも，この点について，「今回の分析目的である『個別生産主体の参入・退出』もしくは『生産活動の多角化』の観察という観点で考えれば，生産主体は参入や退出，もしくは多角化や専業化の選択を決定する意思決定主体としての機能を持っていることが望ましい。この点においては，一般的には企業が意思決定主体としての機能を持っていると考えられるため，企業を単位としたデータセットが必要となる」（清水・宮川，2003）[3]と指摘している[4]。そのような企業を単位としたデータセットが，次に示す「企業活動基本調査」により収集されたデータである。

第3節 「企業活動基本調査」を利用した研究

　「企業活動基本調査」は第3章の研究方法のところで述べたように，企業を調査単位とした大規模な調査である。この「企業活動基本調査」を利用した研究に森川（1998）がある。この研究は，日本企業の多角化と集中化の実態と規定要因，企業の経営パフォーマンスとの関係を明らかにしようと試みたものである。この研究では親会社の事業展開とともに，子会社を通じた事業展開についての分析も行われている。

　サンプルは東京都に本社を置く企業で，第1回調査（1992年），第2回調査（1995年）の両年ともに「企業活動基本調査」の調査対象となっている企業4491社である。このサンプルは企業数では調査対象の17〜18％であるが，売上高で見ると50％を超えている。この中には中小企業基本法の定義による中小企業も含まれており，大企業から中堅企業まで，多くの企業を対象としている。

　分析の結果，企業本体の事業展開において，業種の絞り込み，つまり集中化の傾向があることが明らかにされている。また子会社・関連会社を通じた事業展開でみても，業種の拡がりという点では本体と同様，集中化の傾向が観察されている。

　菊谷・伊藤・林田（2005）の研究も「企業活動基本調査」のデータを利用して行われた研究である。この研究では事業の進出と撤退が同程度行われれば，企業が活発に事業再編行動をとっていたとしても，企業全体として多角化程度の変化としては現れず，そのため多角化の程度だけをみていたのでは，事業再編の動きがとらえられない，という基本的な認識のもとで事業進出と撤退の実態把握が行われている。

　まず一般的な指標である専業比率をもとに，日本企業の多くが専業企業であることが示される。ただこれは日本企業が一貫して専業企業であり続けたことを示すのではなく，進出と撤退が多く行われ，そのネットの結果として，専業企業の総数が安定的である可能性を指摘し，各期間（第Ⅰ期：1991年から1994年，第Ⅱ期：1994年から1997年，第Ⅲ期：1997年から2000年）の初めと終わりの企業の事業構成を比べることによりそれを示している。

それによると，期首に専業企業であった企業が期末に非専業企業へと変化した，つまり多角化を進めた企業の割合と，期首に非専業企業（多角化企業）であった企業が期末に専業企業に変化した，つまり集中化を進めた企業の割合が，ほぼ同じく10％前後であることを示し，専業企業と非専業企業の入れ替えが起こっていると指摘している。これが専業企業の割合を安定的に見せている原因であると指摘している。

ただ，本業が製造業に属する企業に限定し，製造業に属する事業のみを対象としているため，金融，サービス，不動産事業への多角化が対象となっていない。そのため，専業企業の比率が大きくなっている可能性や，産業別の傾向が示されていないという点は注意が必要であろう。また親会社を持つ企業も独立して意思決定ができないとして，サンプルから除外されている。また1991年度と，1994年度から2000年度の8時点，すべてに答えている企業のみをサンプルとしている。そのためサンプルは約5350社となっている。

そのようなサンプル企業の多角化の程度は，専業企業比率でみると65％台で1990年代を通して大きな変化はみられない（表4－1）。非専業企業の業種数でみた場合，1991年の2.643業種から1999年の2.584業種と徐々に低下し，事業の集約化傾向が認められるとしている。

菊谷・齋藤（2006）も同様に「企業活動基本調査」を用いた分析を行っている。菊谷・齋藤（2006）は，菊谷・伊藤・林田（2005）と同様に，「結果として実現した事業構成ではなく事業再構築の過程としての事業ガバナンスを捉えることが重要であり，そのためには撤退と進出という視点が必要とな

表4－1　専業企業比率の推移

		1991年	1994年	1995年	1996年	1997年	1998年	1999年	2000年
専業企業比率(％)		65.21	65.94	65.76	65.49	65.03	65.54	65.48	65.37
非専業企業の業種数	平均	2.643	2.619	2.614	2.607	2.602	2.590	2.584	2.597
	最大	10	11	11	12	11	11	11	10
	標準偏差	1.041	1.053	1.026	1.026	1.018	0.989	0.967	0.984

注：専業企業は，売上高が正の製造業種が1業種だけの企業である。業種数の統計量はサンプルを非専業企業に限定して計算されている（約1850社）。
出所：菊谷・伊藤・林田（2005）p.86, 表1。

る」という立場から，撤退と進出の推移を分析し，「本業成長性の高い企業が事業撤退を行い，逆に本業成長性低い企業が新規事業への進出を行うという，積極的な企業戦略が見られる」（菊谷・伊藤・林田，2005)[5]ことを示している。

また菊谷・齋藤（2006）は，撤退と進出がそれぞれ別の企業で行われるのか，同一の企業で行われるのかという検証課題を設定し，撤退と進出を同時に行う企業が多いことを明らかにしている。企業は撤退と進出を同時に行う傾向が強く，撤退と進出という行動をみなければ，企業の本当の姿はみえてこないといわれている。このような撤退と進出という企業行動を事業特性から調べると，本業との関連性の低い事業から撤退し，本業との関連性の高い事業へ進出するという企業行動が，規模の大小にかかわらず，幅広く日本企業にみられることも示している。

菊谷・齋藤（2006）の研究は事業の質的特性について事業ガバナンスを分析したという点で大きな貢献があるが，経済学的な研究であるため，撤退と進出という一連の行動を同時に行うことが，戦略的にどのような意味を持っているか，企業の持続的競争優位にどのように関連しているかについては，十分に検討がなされていない。

企業行動の戦略的意味について議論を深めるという課題に対しては，このような企業統計を用いた分析方法は限界がある。企業統計は日本企業の全体像を明らかにするためには優れた方法であるが，個々の企業戦略の意図は明確には示されない。経営戦略の観点からは，次の有価証券報告書や質問票調査を併用することが必要になってくる。

第4節　有価証券報告書等を利用した研究

企業レベルの基礎データとしては，上記の統計に加え，各企業の有価証券報告書など公表財務データも考えられる。有価証券報告書のデータを利用し，基礎的な多角化データを示した研究に，公正取引委員会編（1989）の研究がある。この調査は，1979年度（昭和54年度），1984年度（昭和59年度），1986年度（昭和61年度）という1980年代前半の調査である。1986年度（昭和61

表4-2 売上高本業比率の推移

(%)

区分 業種	子会社を含まない			子会社を含む	平均子会社数（社）	子会社の売上高比率
年度	1979年度	1984年度	1986年度	1986年度		
食料品	96.1	96.8	97.0	76.6	24.3	32.0
繊維工業	66.3	60.3	57.1	40.2	36.8	42.9
木材・木製品	86.1	72.8	68.8	57.4	3.5	18.8
パルプ・紙	86.1	93.0	92.5	74.5	16.4	31.6
出版・印刷	99.9	100.0	88.3	69.5	22.4	31.4
化学工業	88.4	88.7	84.6	65.6	30.6	35.9
石油・石炭製品	99.2	99.7	99.2	83.7	13.6	19.8
ゴム製品	90.0	89.6	88.5	58.5	31.3	37.7
窯業・土石製品	75.6	76.4	71.4	64.2	24.2	25.9
鉄鋼業	85.8	81.8	78.6	61.8	24.3	25.1
非鉄金属	89.1	67.7	60.8	47.4	28.8	38.9
金属製品	91.5	90.9	90.0	71.9	9.3	28.1
一般機械器具	75.9	77.9	73.1	58.9	16.3	27.0
電気機械器具	93.3	95.3	83.6	59.2	70.3	49.2
輸送用機械器具	79.4	77.0	79.0	65.6	61.7	21.5
精密機械器具	59.1	45.1	37.6	32.0	13.0	35.9
その他の製造業	71.0	69.7	67.4	55.1	7.4	20.1
平均	86.7	84.5	80.2	62.1	26.5	34.1

出所：公正取引委員会編（1989）p.4。年度を西暦に変更している。

年度）の調査では子会社を含んだ分析も行われている。製造業17業種の東証一部上場企業の中から資本金上位10社を抽出し、合計156社（1986年度）をサンプルとし、有価証券報告書によって総売上高、製品分野別売上高を調査している（表4-2）。1986年度には前記企業が株式の50％超を所有している国内子会社のうち、総資産1億円超のものについて子会社として抽出し、合計4133社の調査が行われている。1社当たりの平均子会社数は26.5社（1986

年度）となっている（公正取引委員会編, 1989)[6]。

この研究では，1980年代に日本企業は多角化の程度を高めたことが示されている。売上高本業比率でみて，全業種平均では，1979年度86.7％，1984年度84.5％，1986年度80.2％と低下しており，多角化の進展がみられるとしている。1984年度から1986年度にかけて本業比率の変化をみると，食料品，輸送用機械器具以外で低下している。電気機械器具，精密機械器具，非鉄金属，窯業・土石製品，一般機械器具などで低下傾向が強い。最も本業比率が低いのが精密機械器具で1979年度59.1％，1984年度45.1％，1986年度37.6％であり，低下率も大きい（21.5％低下）。パルプ・紙，石油・石炭製品，金属製品はあまり低下がみられず，本業比率の値自体が90％台で高い。

本業比率について，子会社を含まない場合と子会社を含めた場合を比較す

表4-3　戦略タイプの変化

(社)

戦略タイプ	1958年	1963年	1968年	1973年	1978年	1983年	1988年	1993年	1998年
専業型 (S)	30 (26.3%)	29 (24.6%)	23 (19.5%)	20 (16.9%)	19 (16.2%)	17 (14.5%)	17 (14.5%)	7 (6.0%)	8 (7.0%)
垂直型 (V)	15 (13.2%)	18 (15.3%)	22 (18.6%)	22 (18.6%)	20 (17.1%)	21 (17.9%)	19 (16.2%)	14 (12.1%)	12 (10.5%)
本業・集約型 (DC)	17 (14.9%)	13 (11.0%)	12 (10.2%)	13 (11.0%)	13 (11.1%)	12 (10.3%)	14 (12.0%)	11 (9.5%)	11 (9.6%)
本業・拡散型 (DL)	7 (6.1%)	7 (5.9%)	10 (8.5%)	8 (6.8%)	9 (7.7%)	8 (6.8%)	5 (4.3%)	8 (6.9%)	9 (7.9%)
関連・集約型 (RC)	17 (14.9%)	23 (19.5%)	17 (14.4%)	17 (14.4%)	19 (16.2%)	22 (18.8%)	21 (17.9%)	23 (19.8%)	22 (19.3%)
関連・拡散型 (RL)	18 (15.8%)	19 (16.1%)	26 (22.0%)	30 (25.4%)	30 (25.6%)	32 (27.4%)	32 (27.4%)	33 (28.4%)	29 (25.4%)
非関連型 (U)	10 (8.8%)	9 (7.6%)	8 (6.8%)	8 (6.8%)	7 (6.0%)	5 (4.3%)	9 (7.7%)	20 (17.2%)	23 (20.2%)
計	114 (100.0%)	118 (100.0%)	118 (100.0%)	118 (100.0%)	117 (100.0%)	117 (100.0%)	117 (100.0%)	116 (100.0%)	114 (100.0%)

注：数字は企業数。
出所：1958年度～1973年度は吉原他（1981）p.36, 表2-1。1978年度～1988年度は上野（1991）p.50, 表3-1を参考。1993年度及び1998年度は伊丹＋一橋MBAワークショップ（2002）p.194, 表6-1のデータを利用して作成。

ると，子会社を含めた場合の本業比率の方が大幅に低下していることがわかる。この傾向は業種別にみてもほぼ同様であり，子会社の活用によって多角化が進展していることが示されている（公正取引委員会編，1989）[7]。

有価証券報告書による企業の個別データを利用した研究としては，前述の吉原他（1981）の研究と，それに続く上野（1990，1991，1997），伊丹＋一橋MBA戦略ワークショップ（2002）の研究がある。次に，これら一連の研究の分析結果をみてみよう。これらの研究による多角化のタイプ別の企業数を示したのが，表4-3であり，それを図にしたのが図4-1である。

これらの研究から，1990年代までの多角化戦略の動向について，次のような傾向が伺える。専業型は1960年代後半から1990年代にかけて一貫して減少を続けている。それに対して関連型の多角化が1960年代から1990年代初頭まで増加を続け，日本の大企業の支配的な戦略となっている。一方で非関連型は1980年代前半までは少数であったが，1980年代後半から1990年代にかけて，大幅な増加を示している。

まとめると，日本企業，特に日本の大企業は1960年代から1990年代にかけて一貫して多角化を進めてきた。1993年から1998年にかけては非関連型が若

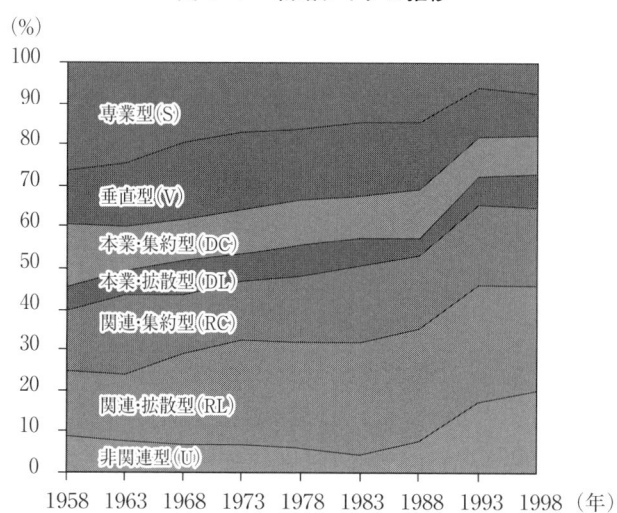

図4-1　戦略タイプの推移

干増加した以外は，戦略タイプの構成に大きな変化はなく，多角化がすでに飽和状態に達したと考えられる。

これら多角化動向の違いは，業種による違いが大きいと考えられる。業種別に多角化の程度をみると，多角化度合いの低い企業が，石油精製業，水産業，製糸業，セメント業，鉄鋼業の5業種に集中していること，これらの業種の技術は他の分野への多角化の種となるような派生技術を生み出しにくいこと，つまり他分野への転用可能性が低いため技術関連型の多角化が進みにくいと考えられることを伊丹＋一橋MBA戦略ワークショップ（2002）は指摘している[8]。

基本的に日本企業の多角化は，内部開発型であり，技術関連型といえるので，上記の考察は妥当であると考えられるが，非関連型の多角化の増加という点を考慮すると，技術関連型の多角化だけでなく，市場関連型や外部開発型の多角化の可能性を考慮に入れる必要があるであろう。

宮島・稲垣（2003）も，日経ニーズが提供する企業レベルのデータである連結財務データを利用した分析を行っている。この研究では，1990年代後半に，選択と集中は本当に進展したのかという問題意識のもと，1990年代以降における日本企業の事業戦略（多角化と集中化）の把握が行われている。具体的には東証一部上場企業の連結セグメント（部門）売上高から，1990年か

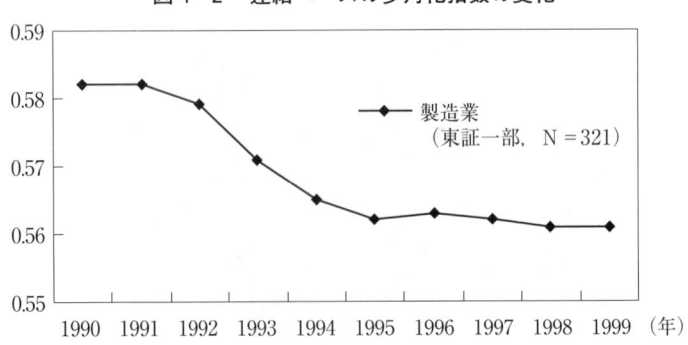

図4-2 連結ベースの多角化指数の変化

注：図の値はハーフィンダル指数であり，値が小さいほど，つまり下へ行くほど多角化度が高いことを示している。
出所：宮島・稲垣(2003)，p.15, 図表2-4 より作成。作図のための値は同書，p.39の2章付表①を参照した。

ら1999年の10年間にわたり，連続して多角化指数（ハーフィンダル指数）を計算できる企業，447社のうち，製造業企業321社のハーフィンダル指数を計算している。それによると，連結決算ベースでは，1991年から1995年にかけて，急速に多角化が進展していることが示されている（図4-2）。

日本企業は1980年代後半から90年代前半にかけて，非関連分野への多角化を急速に進展させ，その結果，1990年代半ば以降の「選択と集中」という事業戦略の再検討が起こっていると指摘している。ただこれは製造業における平均的な姿であり，技術特性の異なる産業別の分析が必要であるとして，その分析も行われている[9]。

それによると1990年代半ばに多角化から集中化へと戦略変更した産業として，鉄鋼，薬品，ゴム製品，総合電器などが挙げられている。例えば鉄鋼はバブル期以降の半導体やバイオ事業への進出の結果，それらの事業の縮小撤退を余儀なくされたと指摘されている。多角化戦略を継続している産業としては，食品，繊維，パルプ・紙，非鉄金属などが挙げられている。特に食品業の医薬・バイオへの進出が顕著であることを指摘している。また繊維でも多角化の必要性が高いことが指摘されている。一方戦略安定的な産業は化学，窯業，機械，電機，輸送用機器であるが，個別にみると多角化を進めている企業も多いことが示されている。

これらの結果は，先の森川（1998）の指摘している事業集中の事実と整合的ではない。この違いは主にサンプル企業の規模の違いによるものと思われる。森川（1998）のサンプルには中小企業も多く含まれているのに対して，宮島・稲垣（2003）のサンプルは東証一部上場の大企業である。食品，繊維，パルプ・紙，非鉄金属などの大企業が，規模の経済，範囲の経済を追求し，新規事業領域へ積極的に進出し，このような違いが生まれたのであろう。

第5節　質問票調査による研究

企業を単位とした調査としては有価証券報告書など公表資料を利用した調査のほかに，質問票調査による調査が考えられる。質問票調査は企業の意思

決定について,直接確認できるという利点は非常に大きいが,継続的調査が難しく,時系列のデータが得られにくいという点が指摘できるであろう。このような質問票調査を行った研究に都留・電機連合総合研究センター編(2004),上野(2004)などがある。

都留・電機連合総合研究センター編(2004)では「選択と集中」とはそもそも何かについて根本的な議論を展開し,「選択と集中」のとらえ方を整理し,ユニークな分類を行っている。彼らの研究では「選択」を「垂直・水平方向の自社の担当範囲(撤退・縮小から重点化・拡大までの度合)の決定」,「集中」を「自社の担当範囲内の職能・事業分野への経営資源の配分のメリハリの度合」と定義し(都留・電機連合総合研究センター編)[10],2002年に実施された質問票調査を用いて企業の「選択と集中」の測定を行っている。

具体的には「選択」は撤退から重点化までの得点の平均値を利用した指標であり,拡大・重点化か縮小・撤退を示す指標である。一方「集中」は撤退から重点化までの得点の標準偏差を利用した指標であり,資源配分のメリハリの度合をはかる指標である。これらの指標の高低により,企業の事業再編を,「選別的重点化」,「選別的撤退」,「一律的重点化」,「一律的撤退」の4つの戦略類型に分類している。サンプル企業についての集計が次の表4-4である。

これによると選別的に撤退を行っている企業が一番多い。日本企業は選択を行ったうえで,ある事業に集中的に資源を投入するという戦略的決定を行っていることが示されている。このことは,企業の事業再編を単なる事業

表4-4　産業セグメント(水平方向)の「選択と集中」マトリックス

	「拡大・重点化」 =重点度・高	「縮小・撤退」 =重点度・低
「集中・選別」 =メリハリ度・高	選別的重点化 21.1% (44社)	選別的撤退 30.6% (64社)
「一律」 =メリハリ度・低	一律的重点化 23.9% (50社)	一律的撤退 24.4% (51社)

出所:都留・電機連合総合研究センター編(2004),p.70,表2-6より作成。

数の変化ではなく，資源配分の違いなど，企業の意思決定の内容を深く分析する必要性を示している。

このような研究と同じアプローチをとっている研究に上野（2004）がある。上野（2004）では質問票調査により，「既存主力事業への投資」と「事業数の増減」に対する企業の方針を尋ねるという2つの質問により，多角化戦略と選択と集中を同時にとらえようとしている。第5章でこの分析は詳しく検討するが，ここでは日本企業の全般的な動きを簡単にみておこう。

2000年に行われた日本企業の組織革新に関する質問票調査では，「既存主力事業への投資」と「事業数の増減」に関して，2000年以前の5年と今後の予定についての調査がなされている。「既存主力事業への投資」については「縮小」，「維持」，「拡大」の3段階で，「事業数の増減」については「減少」，「維持」，「増加」の3段階で尋ねている。その結果が表4-5である。

これによると過去5年間は，主力事業を維持あるいは拡大しながら，全体としては事業数を維持するか減少させていくという傾向がみられる。それに対して2000年以降の予定では，主力事業の維持，拡大の傾向に変化はみられ

表4-5　日本企業の事業集中

〈過去5年〉

既存主力事業への投資 \ 事業数の増減	減少	維持	増加	合計
縮　小	6社　(3.6)	4社　(2.4)	3社　(1.8)	13社　(7.8)
維　持	26社　(15.6)	44社　(26.4)	18社　(10.8)	88社　(52.7)
拡　大	24社　(14.4)	26社　(15.6)	16社　(9.6)	66社　(39.5)
合　計	56社　(33.5)	74社　(44.3)	37社　(22.2)	167社　(100.0)

〈今後〉

既存主力事業への投資 \ 事業数の増減	減少	維持	増加	合計
縮　小	6社　(3.6)	3社　(1.8)	3社　(1.8)	12社　(7.2)
維　持	34社　(20.5)	28社　(16.9)	30社　(18.1)	92社　(55.4)
拡　大	30社　(18.1)	17社　(10.2)	15社　(9.0)	62社　(37.4)
合　計	70社　(42.2)	48社　(28.9)	48社　(28.9)	166社　(100.0)

注：カッコ内は比率（%）。

ないが，事業数を減少させるとしている企業が70社（42.2%）となり，事業数の削減が進むことが予想される。日本企業は2000年以降も事業集中の傾向が予想されている。

第6節 『企業活動基本調査報告書』記載データを利用した分析

1．本業比率の推移

既存研究により，企業単位の統計資料の有用性，産業別の研究の必要性が示された。以上の既存研究をふまえ，本章ではさらに『企業活動基本調査報告書』を利用して，日本企業の多角化戦略，「選択と集中」の実態把握を行

表4-6 本業比率の推移（1991年度～2000年度）

(%)

業種	1991年度	1994年度	1995年度	1996年度	1997年度	1998年度	1999年度	2000年度
鉱業	79.1	79.2	74.8	78.3	80.0	78.5	75.3	79.6
製造業	79.4	80.0	81.8	81.7	82.0	81.8	83.0	84.5
卸売業	73.2	73.0	62.0	63.2	62.8	63.0	65.8	68.3
小売業	70.7	69.7	67.4	68.1	67.0	68.0	69.3	69.3

出所：経済産業省経済産業政策局調査統計部編『企業活動基本調査報告書』各年版より作成。

図4-3 本業比率の推移（1991年度～2000年度）

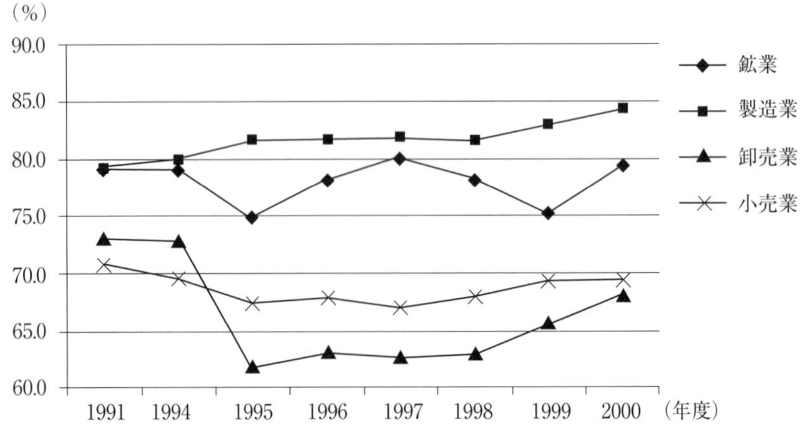

出所：経済産業省経済産業政策局調査統計部編『企業活動基本調査報告書』各年版より作成。

う。

「企業活動基本調査」のデータは，日本標準産業分類を用いた客観的なデータである。客観的ではあるものの形式的であるという問題点はすでに指摘したが，「企業活動基本調査」は前述のように，企業を調査単位とした貴重なデータである。この調査では，企業単位での各事業の売上高を尋ねており，企業の本業比率，逆にいうと兼業比率が把握できる。具体的には，『企業活動基本調査報告書』には「売上高にみる事業展開状況」として，製造，卸売，小売企業の本業比率が調査されている[11]。ここで本業比率とは，「日本標準産業分類2桁ベースで集計した主業種（本業）の売上高を総売上高で除した割合。(本業比率＝主業種（本業）売上高／総売上高)」と定義されて

表4-7 本業比率の推移（2000年度～2006年度）

(％)

業種	2000年度	2001年度	2002年度	2003年度	2004年度	2005年度	2006年度
鉱業	79.5	80.5	－	－	－	－	－
製造業	79.5	81.8	81.9	81.8	82.2	84.0	84.2
卸売業	68.3	69.6	71.6	73.9	75.4	75.7	76.3
小売業	69.4	70.8	71.9	73.2	74.1	74.6	74.9

出所：経済産業省経済産業政策局調査統計部編『企業活動基本調査報告書』各年版より作成。

図4-4 本業比率の推移（2000年度～2006年度）

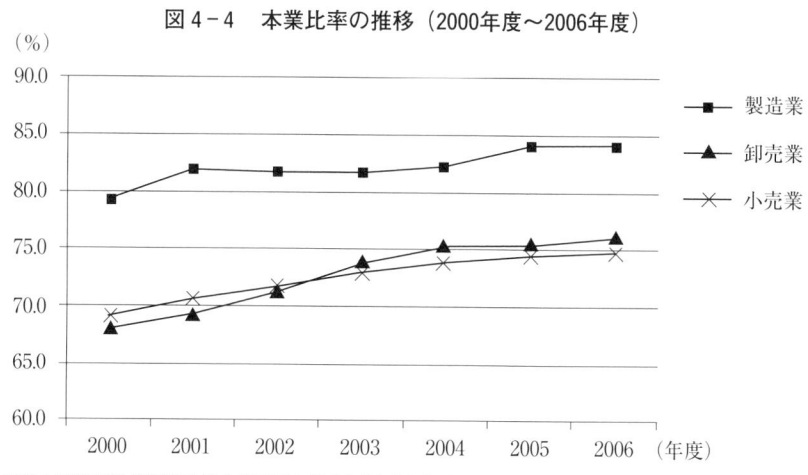

出所：経済産業省経済産業政策局調査統計部編『企業活動基本調査報告書』各年版より作成。

第4章 多角化戦略と事業集中の実態

いる。

　1990年代の本業比率の推移をみると（表4-6と図4-3），製造業では1990年代は徐々に本業比率を高めている。このデータからは，製造業企業は事業集中を進めていることがわかる。一方卸売業，小売業は本業比率を低くしている。つまり多角化を進めているといえるが，1990年代後半から2000年代前半にかけては，また本業比率を高めている。このように，1990年代の多角化動向は産業により異なるといえる。

　そのような傾向は2000年代には変わってくる（表4-7と図4-4）。製造業では1990年代後半に進めた集中化により，本業比率は2000年代の初めは落ち着いていたが，2004年から2005年にかけて本業比率をまた高めている。卸売業と小売業は2000年代に入り，一貫して本業比率を高めている。1990年代に本業比率を低め，多角化を進めたのとは正反対の行動である。このような傾向が，製造業，流通業という大きなくくりだけでなく，業種によっても異なるのかどうかを，次にみてみよう。

2．産業別の多角化程度の分析

　次に『企業活動基本調査報告書』（事業多角化等統計表）の「〔事業多角化に関する表〕2．産業別の企業数データ」を利用して，1990年代における産業別の企業多角化の推移をみてみよう。

　『企業活動基本調査報告書』では産業別の専業企業数と兼業企業数が示されている。専業企業とは「主業種比率」が100％の企業であり，兼業企業とは「主業種比率」が100％未満，逆にいうと兼業比率が0％よりも大きい企業である。同報告書では兼業比率の違いにより，兼業企業を3つのグループに分け，それぞれのグループごとに企業数，売上高，営業費用，経常利益などが記載されている[12]。そのうち1994年度（平成6年度）から2005年度（平成17年度）の企業数データを収集し，12年間の専業企業，兼業企業の比率の変化を観察した[13]。

　まず製造業全体の状況をみてみよう。それを示したのが表4-8と図4-5である。これをみると，製造業全体では，1999年度から2000年度にかけて大きく変化していることがわかる。特に専業企業の比率が大幅に伸びている。

表4-8　多角化程度の推移（製造業合計）

(社)

	1994年度	1995年度	1996年度	1997年度	1998年度	1999年度
専業	4,304 (31.3%)	4,595 (31.9%)	4,598 (32.3%)	4,535 (32.2%)	4,580 (32.5%)	4,507 (32.5%)
兼業1	5,267 (38.4%)	5,562 (38.7%)	5,434 (38.1%)	5,380 (38.1%)	5,458 (38.8%)	5,417 (39.1%)
兼業2	3,052 (22.2%)	3,117 (21.7%)	3,118 (21.9%)	3,118 (22.1%)	3,046 (21.6%)	2,961 (21.4%)
兼業3	1,108 (8.1%)	1,112 (7.7%)	1,101 (7.7%)	1,071 (7.6%)	991 (7.0%)	976 (7.0%)
合計	13,731 (100.0%)	14,386 (100.0%)	14,251 (100.0%)	14,104 (100.0%)	14,075 (100.0%)	13,861 (100.0%)

(続き)	2000年度	2001年度	2002年度	2003年度	2004年度	2005年度
専業	5,405 (40.1%)	5,461 (41.2%)	5,399 (41.7%)	5,297 (42.5%)	5,778 (43.7%)	5,896 (45.4%)
兼業1	4,648 (34.5%)	4,395 (33.2%)	4,297 (33.2%)	4,134 (33.2%)	4,224 (31.9%)	4,033 (31.0%)
兼業2	2,549 (18.9%)	2,523 (19.0%)	2,394 (18.5%)	2,242 (18.0%)	2,368 (17.9%)	2,273 (17.5%)
兼業3	884 (6.6%)	868 (6.6%)	856 (6.6%)	777 (6.2%)	865 (6.5%)	788 (6.1%)
合計	13,486 (100.0%)	13,247 (100.0%)	12,946 (100.0%)	12,450 (100.0%)	13,235 (100.0%)	12,990 (100.0%)

出所：経済産業省経済産業政策局調査統計部編『企業活動基本調査報告書』各年版より作成。

　1999年度の専業企業比率は32.5%であり，2000年度の専業企業比率は40.1%で8％弱増加し，兼業企業はそれぞれのカテゴリーで1～3％の減少である。2000年度以降も専業企業は増え続け，2005年度には45.4％に達している。

　1999年以降の専業企業の増加の理由を探るため，このような増加が主にどのような産業で多いのかをみてみよう。産業別の多角化の程度の推移を示し

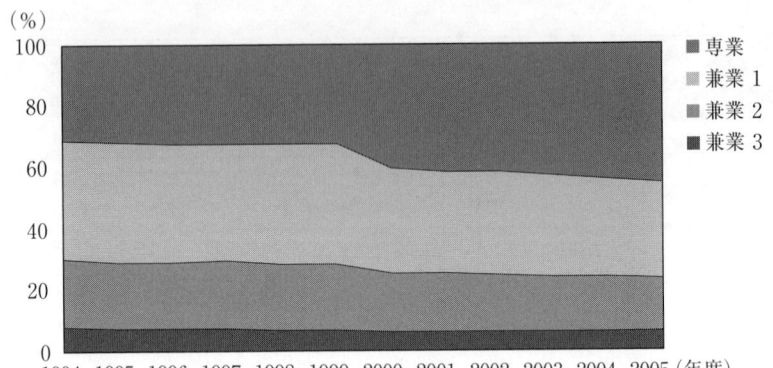

図4-5 多角化程度の推移（製造業合計）

出所：経済産業省経済産業政策局調査統計部編『企業活動基本調査報告書』各年版より作成。

たグラフが図4-6である。これをみると多くの産業では1990年代に専業企業の比率に大きな変化は認められないが，やはり1999年から2000年度にかけて，専業企業が大きく増加し，その後も専業企業比率は増加傾向にある。詳しく見ると，このような傾向は，産業により若干異なっていることがわかる。

たとえば食料品や木材・木製品，家具・装備品，パルプ・紙加工品，化学工業，プラスチック製品，ゴム製品，窯業・土石製品，鉄鋼業，非鉄金属製品，金属製品，電気機械器具などはこのような傾向が認められるが，飲料・たばこ・飼料，石油製品・石炭製品，なめし革・同製品などはこのような傾向ではなく，特異なパターンを示している。

たとえば飲料・たばこ・飼料では1997年度までに多角化が進んでいるが，他の業界より少し早く，専業企業への集中化が起こっている（図4-6）。また輸送用機器は全般的な傾向としては集中化傾向にあるものの，極端な変化はみられない。

さらに変化だけでなく，産業によって，専業企業，兼業企業の比率そのものがかなり異なっていることがわかる。たとえば衣服・その他繊維製品，出版・印刷・同関連産業，なめし革・同製品など，比較的技術の複雑性の程度が低いと考えられる産業は，もともと専業企業の比率が高い。そのため1990

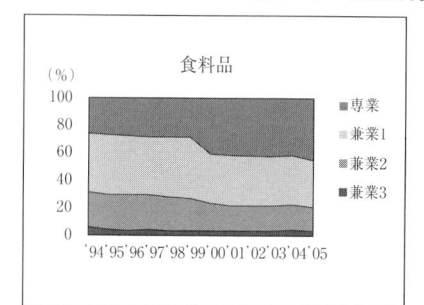

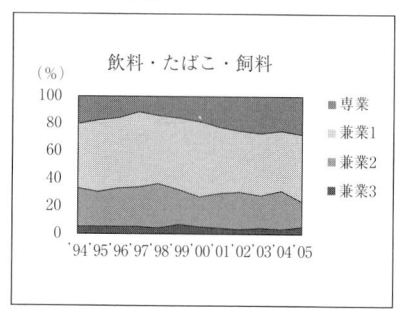

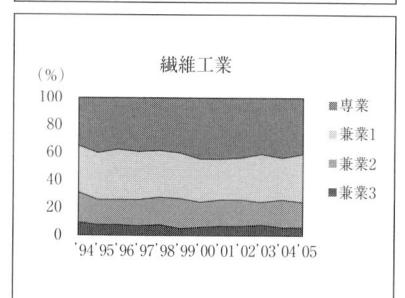

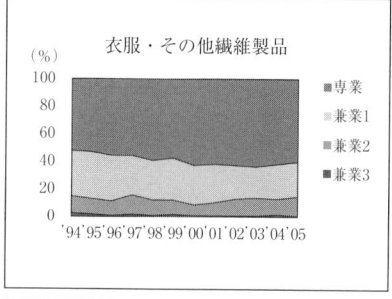

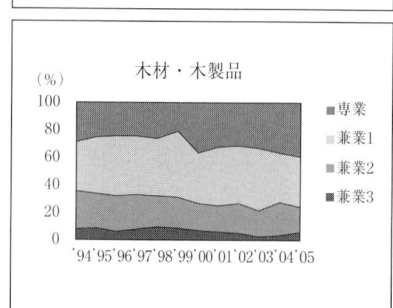

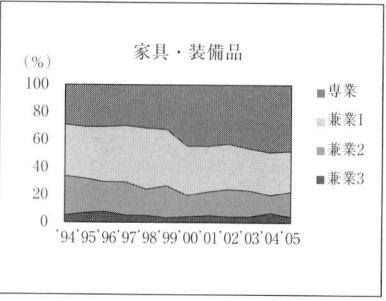

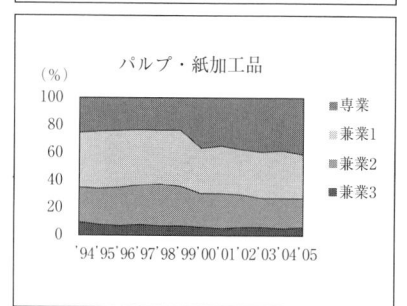

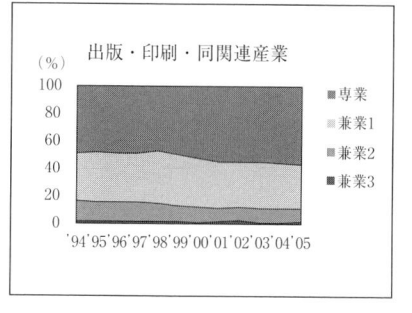

図4-6　産業別多角化程度の推移

第4章　多角化戦略と事業集中の実態

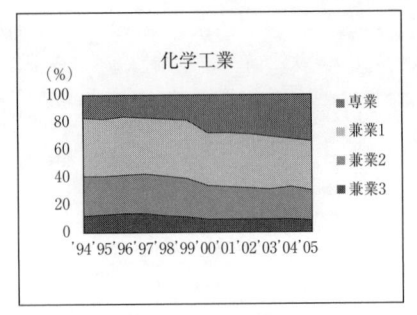

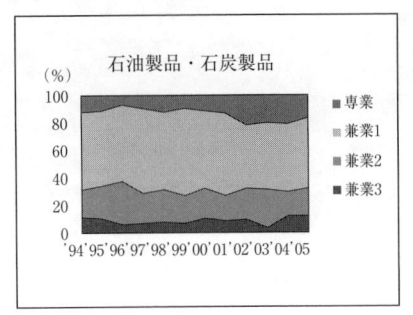

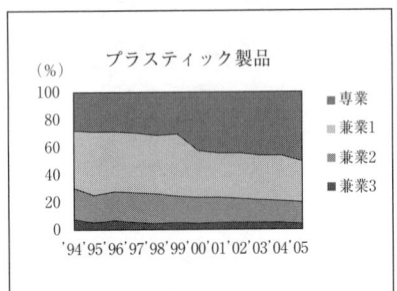

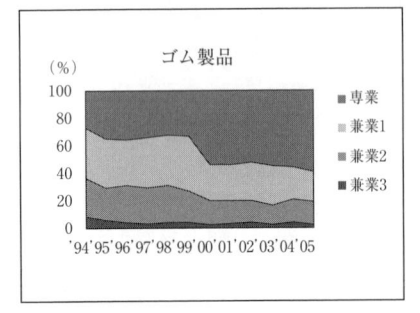

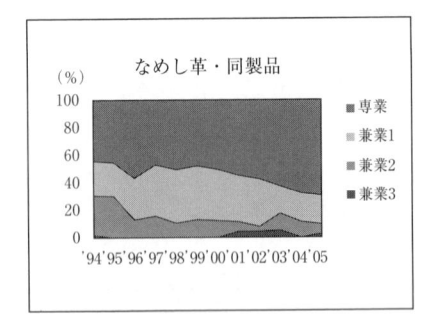

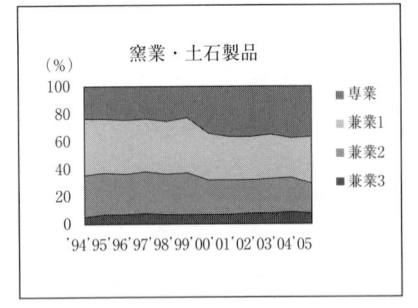

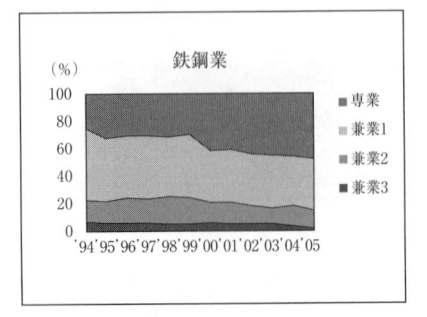

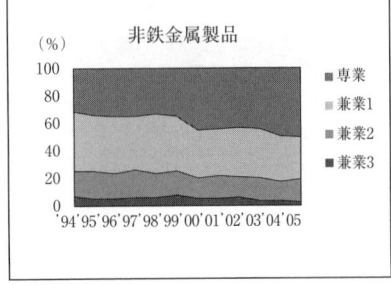

図4-6 産業別多角化程度の推移（続き）

図4-6 産業別多角化程度の推移（続き）

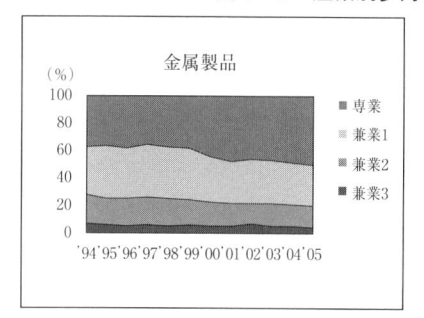

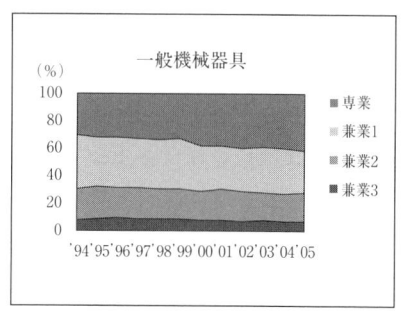

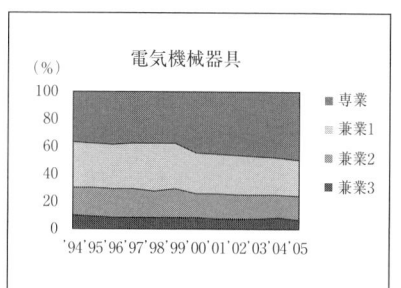

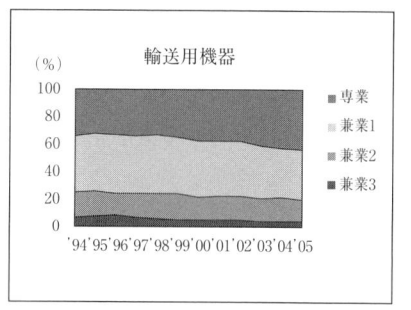

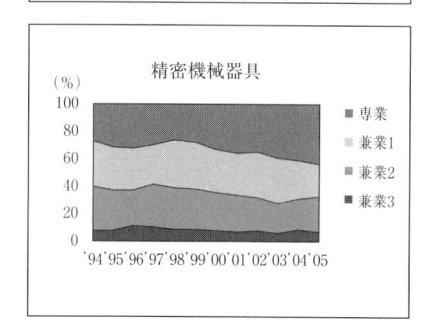

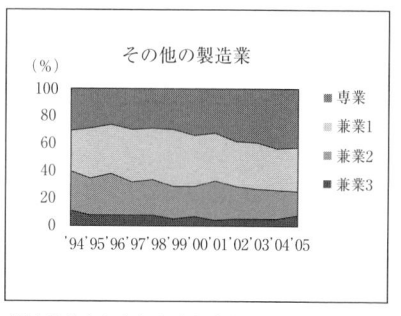

出所：経済産業省経済産業政策局調査統計部編『企業活動基本調査報告書』各年版より作成。

年代後半にも大きな変化はみられない。

それに対して，化学工業，一般機械器具，電気機械器具など，一般的に技術の複雑性が高いと考えられる産業では，兼業企業比率そのものが高く，多角化の程度がかなり進んでいた。多角化の最適度を超えて多角化が進み，その進みすぎた多角化の揺り戻し現象が起きた可能性が指摘できる。複雑な技

術は，いろいろな形で新事業への転用が可能である。ただ転用可能な技術を用いた事業が，それぞれの事業領域で競争優位を獲得できるとは限らない。

このような現象が最も顕著なのが，飲料・たばこ・飼料，石油・石炭製品などの装置産業である。飲料・たばこ・飼料，石油・石炭製品など装置産業といえるような企業は兼業企業比率が高い。これらの産業は成熟度が高く，この高い産業の成熟度が企業の多角化行動に大きく影響していることが考えられる。産業の成熟度が高いことにより，産業のライフサイクルから逃れようとして多角化すると同時に，技術の複雑性も高いために，技術の他の分野への転用可能性が高まり，さらに多角化が進む。その結果1990年代に入るまでに，すでに多くの企業が多角化度を高めており，1990年代後半に選択と集中を進めざるを得ないような状況に陥ったと考えられる。

もちろんこれらの産業は装置産業であるが故に，規模の経済が働き，大規模企業が多い産業である。そもそも大規模であるということが，多角化の能力と結びついている可能性もあり，企業規模の分布の違いを考慮に入れなければならないが，産業による違いという点だけでみても興味深い傾向である。

第7節 事業集中と経営成果

これまでの分析により，全般的な傾向として1980年代に日本企業は多角化をすすめ，1990年代になり事業の集中を行ってきたことが明らかとなった。ここで，事業集中の傾向を欧米との比較という観点から確認し，次に経営成果との関係を議論しておこう。ここでは，今日の経営戦略の中心的課題が，拡大してしまった事業領域のしぼり込みという事業構成の変化と，戦略事業分野に資源を集中する「選択と集中」の行為であることが確認される。

1．アメリカ企業の事業集中

まずアメリカの現状をみてみよう。表4-9はMarkides（1995）がまとめたアメリカ企業の事業集中の状況である。彼はRumelt（1974）の多角化類型とデータ，そして彼自身のデータを用いて，アメリカ企業の戦略カテゴ

表4-9 アメリカ企業の事業集中と多角化の傾向

(％)

	1949～59年	1959～69年	1981～87年
事業集中	1.3	1.1	20.4
多角化	21.7	25.0	8.5

出所：Markides（1995），p.47，Table4.1。

リー間の移動をまとめている。表4-9に示されているように，1940年代から1960年代にかけて，アメリカ企業は急速に多角化を進めている一方で，事業集中を進めた企業はほとんどなかった。ところが1980年代に入ると，この状況は一変し，多角化を進める企業は減り，事業集中を進めた企業が急激に増えている。このような事業集中がアメリカ企業のその後の復活の原因のひとつであると考えられている。アメリカ企業は多角化から事業集中への道を歩んでいるのである。

2．事業集中と経営成果

このように，日米に共通にみられる事業集中は，企業の財務成果とどのような関係を持っているのであろうか。馬場（2001）は金融，保険，電力・ガスを除いた日本企業26業種について，それぞれの業種の売上高上位5社，合計130社をサンプルとして用い，事業集中についての分析を行っている。その結果は，全体としては多角化の程度に変化はなく，多角化への流れも事業集中の流れも特にみられないというものであったが，多角化の程度の高い企業グループでは，事業集中への動きが顕著であり，多角化の程度の低い企業グループでは多角化への動きが顕著であった。さらに事業集中を進めたグループでは，それ以外のグループに比べて，収益性の改善がみられた。『会社四季報』（東洋経済新報社）に記載されている事業構成の変化で測った事業集中と標準産業分類の2桁分類で測った事業集中のどちらでみても，事業集中を行ったグループは，総資産利益率（ROA）の改善がみられたという（表4-10）。

事業構成の変化，特に事業集中が企業の業績に関係していることが確認されたが，どのように事業集中を進めればよいのであろうか。

表4-10　日本企業の事業集中と収益性の関係

	総資産利益率(ROA)・集中前(%)	総資産利益率(ROA)・集中後(%)	収益性が改善した比率(%)	サンプル数(社)
事業構成による分類				
前後1年	−0.13	0.07	87.5	15
前後2年の平均	−0.23	0.06	76.9	13
前後3年の平均	−0.20	0.11	75.0	8
2桁分類				
前後1年	0.07	0.28	75.0	16
前後2年の平均	0.02	0.33	73.3	15
前後3年の平均	−0.05	0.13	77.8	9

出所：馬場（2001）p.227，表6より作成。

　事業の選択と集中を行うのは，一般的には多角化が行き過ぎたからであるが，多角化のひとつの動機になっているのが成熟産業からの脱出である。一般的に成熟産業に属する企業が多角化を行い，それが行き過ぎた結果，事業集中が起こる場合が多いと考えられる。成熟産業を切り捨て，新しく展開した成長性のある新事業へ資源を集中するという戦略パターンである。

　この戦略には成熟産業はもうからない，成長できないという前提がある。確かに成熟産業は定義によると成長しないのだが，本当にそうであろうか。成熟産業に属する企業が，事業集中によってイノベーションを起こし，業績を改善することができるのであろうか，というのがここでの疑問である。そこで次に，選択と集中の観点から，成熟産業におけるイノベーションを検討し，企業の収益性を決めるのが産業要因か戦略要因かを検討してみよう。

3．成熟産業でのイノベーション

　成熟産業では成長の機会が存在しないのではなく，成熟産業でもイノベーションを起こす機会は十分に存在すると考えられる。それはなぜか。成熟産業でイノベーションをおこせないのは，実は成熟産業において，自己成就的予言がよくあてはまるからである[14]。業界全体が成熟していると認識することにより，積極的な投資ができず，成長の機会を見出せないのである。

表4-11 事業単位の収益性を説明する要因

	Rumelt (1991)[a]	McGahan and Porter (1997)[b]
年度による変動	N/A	2.39
産業要因	8.32	18.68
親会社の役割	0.80	4.33
産業要因と親会社の共分散	N/A	-5.51
事業単位の戦略要因	46.37	N/A
事業セグメントの戦略要因	N/A	31.71
産業と年度の交互作用	7.84	N/A
誤差項	36.87[c]	48.40

出所：a．Rumelt (1991) p.178, Table 3 より作成。
　　　b．McGahan and Porter (1997) p.25, Table 3 より作成。
　　　c．*Rumelt (1991) のTable 3によると36.87となっているが，推定値から計算すると36.67となる。

　我々が参加したポスト・リストラクチャリング・マネジメント研究会（PRM研究会）[15]による調査では，雇用削減を実施した企業で，自己成就的予言が起こりつつあることが観察された。雇用削減をせざるをえないのは業界全体もわが社も成熟しているからである，という認識が拡大し，成熟しているということが戦略や戦術策定の前提となり，戦略的決定が萎縮してしまっているのである。その結果，ますます成熟化のスピードが加速するという現象が起こっているというのがこれらの企業の現状であった。

　成熟分野でもイノベーションを起こせる可能性があることは，欧米の研究でも明らかにされている。欧州のいわゆる成熟産業（テキスタイル，造船，化学など）を対象として，復活への道を調査した研究（Baden-Fuller and Stopford, 1994）によると，復活に失敗した企業の経営者は，業界の状況が自社の利益水準を決定すると考えており，逆に復活に成功した企業の経営者は企業の革新が自社の利益水準を決め，それが業界の利益水準を決定すると考えている。成熟事業とはマネジャーの心の持ちようによって決まるものであり，企業家精神にあふれた人材を有することにより，企業は成熟から脱することができるのである。そのような企業は業界の成長性にとらわれずイノベーションを起こし，収益性を改善している。

企業の収益性を説明するのは業界構造ではなく，戦略の選択であるということは，その他の実証研究によっても示されている（表4-11）。Rumelt (1991) の研究によると，事業単位の収益性の違いのうち，「業界の選択」によって説明できる部分は8.32%にすぎず，「戦略の選択」によって説明できる部分（事業単位の戦略要因）は46.37%にもなる。McGahan and Porter (1997) の研究でも「戦略の選択（事業セグメントの戦略要因）」によって決まる部分が31.71%であり，「業界の選択」によって決まる部分（18.68%）を上回っている。

　雇用削減を実施した企業は，成熟していると思いこみ，発想が萎縮してしまい，製品革新や設備投資のタイミングが遅れがちとなる。産業が成長している段階であれば，たとえ先行されても，先行企業よりも大規模な投資を行うことでその遅れを挽回できるが，成熟産業ではタイミングの遅れが致命的となる。現業の事業部門に対しては，成熟事業で守勢に回ることほど危険なことはないということを認識させる必要があるし，経営者自身もそのことを十分意識しておかなければならない。

　では次に，成熟産業でイノベーションを起こしている具体例をみてみよう。成熟産業でも，確実に利益をあげている事業部門は存在する。そうした事業部門は，商品・サービスのレベル，あるいは事業システムのレベルでイノベーションをおこし，成熟市場での需要の掘り起こしに成功している（加護野・吉村・上野，2002）。

　商品・サービスレベルのイノベーションとしては，三洋電機の超音波と電解水で洗う洗剤ゼロコース付きの洗濯機，排気風を約8割減らした掃除機などが挙げられるであろう。シャープのイオン除菌の技術を組み込んだクーラーや空気清浄機などもこれに該当する[16]。家電市場，とくに白物家電市場は成熟市場の代表であるが，積極的な投資により，商品・サービスのイノベーションをおこし，成熟を乗り越えている例が意外と多い。事業システムレベルのイノベーションとしては，プラスのアスクル，ワールドの新業態事業部門，ダイキン工業におけるサービス部門[17]などが挙げられるであろう。

第8節　小括

　本章では1980年代以降の日本企業の多角化戦略，ならびに「選択と集中」を概観してきた。それをまとめると次のようになる。

　1980年代には全般的に多角化が進展してきた。公正取引委員会編（1989）の研究により，1980年代に子会社を利用した多角化が進展したことが示された。同様に吉原他（1981）の研究や上野（1991）の研究でも1980年代に多角化，特に関連型多角化が進展したことが示されている。その後の研究（伊丹＋一橋MBA戦略ワークショップ，2002）により，1990年代に入ると，戦略タイプの全体的な構成に大きな変化はみられず，多角化が飽和状態に達したこと，さらに多角化と集約化の二極分化がみられることなどが示された。

　菊谷・伊藤・林田（2005）の研究でも1990年代を通して，専業化率に大きな変化がないことが示されている。ただ事業の再構築である進出・撤退が頻繁に行われていることも明らかにされた。菊谷・齋藤（2006）では，そのような企業行動が同一の企業でとられることが示され，森川（1998）の研究では，1990年代前半，多角化戦略の進展が止まっただけでなく，むしろ事業集中が進んだことが示された。宮島・稲垣（2003）では逆に1980年代後半から1990年代前半にかけて，多角化が進展したという報告がなされている。その結果が1990年代半ば以降の「選択と集中」という事業戦略の再検討を引き起こしたとされているが，それは製造業の平均的な姿であり，産業により多様性があることも示されている。

　これら多角化と事業集中の研究への新しい分析視角として，企業戦略の内容に注目する研究が出てきた。企業の戦略的決定をより詳細に分析しようとする立場である。都留・電機連合総合研究センター編（2004）では2000年初頭，一律的撤退だけではなく，選別的撤退が行われていることが示されている。上野（2004）では1990年後半，本業への事業集中が確認されるが，それと同時に事業数の拡大も認められ，企業成長への新たな動きが観察されている。

　以上をまとめると，多角化戦略と事業集中の実態は次のようになる。1980年代に積極的な多角化を進めた日本企業の多くは，1990年代に入り事業集中

を余儀なくされた。しかしながら産業や企業規模によって多様性が存在した。また企業は単なる事業集中を行っているだけではなく，選択的に資源を集中し，競争力のある本業を育てようとしてきたと同時に，1990年代の後半からは，積極的に成長戦略へ方向を変え始めてきた。

一方アメリカではそのような傾向は1980年代にすでに出てきており，日本企業はその傾向の後追いをしているかのようである。そのような傾向に流されることがはたして好業績に結びつくかどうかは慎重に議論される必要があるが，残念ながらそのような議論は企業現場では起こらない。また学術的な議論も不十分といわざるをえない。

以上の考察から，今後の多角化研究の方向性に対して，次のような示唆が得られるであろう。第1に，産業別の分析，あるいは産業要因を考慮に入れた分析の必要性である。企業の多角化，「選択と集中」は産業によりかなりの程度異なるため，一律に論じることは危険である。第2に多角化の状態だけでなく，事業の進出・撤退を含めた個別の企業行動の把握である。第3に，個別の企業行動を単に，進出と撤退という数量的な分析を行うだけでなく，企業の意思決定に注目し，その内容を把握し，進出と撤退行動の中身の分析を行うということである。第4に，それらの企業行動がどのような経営成果に結びついているかを成熟産業における事業開発のレベルで議論する必要があることである。

これらの課題すべてに答えることはできないが，次章以降では，主に企業の多角化行動と組織構造の問題を企業の意思決定の問題ととらえ，質問票調査の結果を利用して分析を進め，経営成果との関係を議論していこう。

注
1) たとえば都留・電機連合総合研究センター編（2004）は「選択と集中」を取り上げ，本格的な議論を展開している。また同様に「進出」と「撤退」という行動レベルで事業構造を捉えようとした研究である菊谷・伊藤・林田（2005）は，客観的な産業分類に基づいた事業構成に関する時系列データを利用することで，1時点での多角化のパターンを見ただけでは把握できない，事業の再編行動の把握を試みている。
2) 加護野（1977）は多角化指標に関して詳しい議論を展開している。
3) 清水・宮川（2003），pp.17-18。
4) 清水・宮川（2003）では，生産活動の変化と生産技術の関係に注目した場合，生産

活動の類似性を基準とする産業分類に対応した，事業所レベルのデータが必要になるとし，事業所レベルのデータである工業統計を利用し分析を行っている。
5）菊谷・伊藤・林田（2005），p.25。
6）公正取引委員会編（1989），p.2。
7）公正取引委員会編（1989），p.8。
8）伊丹＋一橋MBA戦略ワークショップ（2002），p.196。
9）箱田（1988）も1960（昭和35）年から1983（昭和58）年の産業別製品構成を詳細に分析し，企業の属する産業の成長率によって，企業の多角化行動が決まることを指摘している。本章の後半でも，産業別に企業の多角化傾向を観察する。
10）都留・電機連合総合研究センター編（2004），p.56。
11）日本標準産業分類の改訂に伴い2001年度の時点で産業分類の変更が行われており，集計方法が異なっているため，そのままでは継続的な比較は出来ない。『企業活動基本調査報告書』では2002年版（平成14年版）で2000年度のデータも集計し直しがなされている。本書では個票データが利用出来ないため，2000年度に限ってデータの接続処理をしている。
12）3つのグループは，兼業1（0％＜兼業比率≦25％），兼業2（25％＜兼業比率≦50％），兼業3（50％＜兼業比率）である。このグループ名を表4-8，図4-5，図4-6でもそのまま利用している。
13）1991年度（平成3年度）にも調査が行われているが，兼業企業が分類されていないため，対象から除外した。
14）自己成就的予言とは，「このようになるのではないかといった予期が，無意識のうちに予期に適合した行動に人を向かわせ，結果として予言された状況を現実につくってしまうプロセスをさす」（『心理学事典』有斐閣）社会心理学における用語である。
15）このPRM研究会は，神戸大学大学院経営学研究科加護野研究室が主催，アクセンチュアが事務局となり，2002年前半に実施され，雇用制度・慣行の見直しに着手後の企業での経営のあり方，長期的な成長に貢献するリストラクリャリングのあり方が検討された。参加者は，雇用削減をともなう構造改革の過程にある企業（製造業）の経営企画・人事スタッフである。長い歴史をもつ，各業界を代表する企業10社が参加した。企業の複数回にわたる検討会に加え実施されるともに，参加企業の現場の従業員に対してのインタビュー調査が実施された。インタビューの対象となったのは，各社の管理，研究開発，製造，営業といった部門の人材である。年齢層もある程度，分散するように設定された。各社で実施されたリストラクリャリングについて，その中味，タイミング，トップ・マネジメントの姿勢，次世代のトップに求められる条件などが質問された。研究会の成果は加護野・吉村・上野（2002）で報告されている。
16）朝日新聞2002年1月10日付朝刊。
17）空調機器の販売後における，保守・メンテナンスなどのサービス事業を担当する部門である。

第5章
日本企業の戦略動向と組織改革

第1節　はじめに

　1990年代に日本企業が「選択と集中」を進めてきたのは先にみたとおりである。「選択と集中」を合言葉に，積極的にリストラクチャリング（事業の再構築）が進められた。「選択と集中」は本来，コア・コンピタンス（Hamel and Praharad, 1994）を保有する事業への集中でなければならないが，これまでの日本企業の「選択と集中」が，そのような形で行われてきたかどうかは疑わしい。「選択と集中」の名のもとに，リストラクチャリング（リストラ）と称し，単なる縮小，人員削減が行われるような場合もある。日本企業の「選択と集中」という行動を実証的に検証することは，日本企業の経営成果を考えるうえで重要な作業である。

　1980年代，積極的な多角化を進めてきた日本企業が，1990年代後半から戦略転換を行い，事業の絞り込みを進めてきたことは，これまでの本研究以外の研究でも明らかになっている（たとえば伊丹＋一橋 MBA 戦略ワークショップ，2002）[1]。本書でも，前章において，産業レベルでの多角化の進展と「選択と集中」の動向について，検討を加えてきた。これらの戦略転換が，単なる流行や時流に流されて行われたものであるならば，好業績のための条件を欠くことになり，経営成果に結びつかない可能性がある。これらの「選択と集中」が，本当に企業業績の向上につながっているかは，産業レベルの戦略動向の分析と業界の業績動向の分析だけでなく，個別企業の戦略と成果の関係を検証しなければ，明らかにすることはできない。

一方で，このようなリストラクチャリング（事業の再構築）に対応して，企業の組織改革も盛んである。本来，リストラクチャリング（事業の再構築）は，組織改革を伴うものであるが，なかにはリストラクチャリングの名を借りた単なる人員削減でしかないものも存在する。組織改革を伴わないような場合，これもまた長期的な成果には結びつかない可能性がある。戦略と組織の適合関係の重要性，あるいは戦略と環境の適合関係の重要性は多くの文献で指摘されている（たとえば加護野，1980；吉原他，1981など）。戦略の変化とそれに合わせた組織構造の変化を伴わないリストラクチャリングは，単なる人員削減による短期的な応急処置にすぎない。長期的な成果を考えた場合には，戦略の変化に合わせた組織構造の変化が必要であろう。日本企業において，そのような組織改革が本当に進んでいるかどうかは厳密に検証されなければならない問題である。

　たとえば，松下電器産業（当時）は2002年10月に関係会社5社（松下通信工業，九州松下電器，松下精工，松下寿電子工業，松下電送システム）を完全子会社化し，松下電工（当時）の子会社化を行った。ソニーも1994年に事業本部制を廃止し，カンパニー制を導入したが，その後も頻繁に組織改革を行っている。2004年4月にはソニーによるソニー・コンピュータエンタテインメントの完全子会社化が実施され，2005年にはカンパニー制を廃止した。カンパニー制を採用する企業がある一方，ソニーやNECのようにカンパニー制を廃止している企業もある。

　これらの動きは組織構造の大きな変化である。これらの企業は日本を代表する企業であり，人々の注目度も高いため，大きく報道されるが，このような変化が日本企業の一般的な姿かどうかは，客観的なデータで検証されなければならない。日本企業の組織改革の動きはカンパニー制の採用と廃止をとってみても多様である。

　このような最近の動きをどのような枠組みでとらえればよいのであろうか。実際に企業は多角化をどの程度進め，どの程度事業集中をしているのであろうか。どのような組織構造を採用し，それは戦略，環境にどの程度規定されているのであろうか。日本企業の組織改革は妥当な行動なのであろうか。このような疑問に答えるために，本章で，質問票調査の結果を利用し，

個別企業の多角化動向と組織構造改革の実態を検証してみよう。

第2節　日本企業の全社戦略の動向

　まず質問票調査の結果を利用して，日本企業の戦略動向をみてみよう[2]。質問票調査では，日本企業の全社戦略の方向性を事業数の増減と既存主力事業への投資の増減という2つの次元を用いて測定した。質問票の実際の質問は「過去5年間における貴社の全社戦略は，どのような方向を目指していましたか。(質問票C-1問25，C-2問12)」という質問であり，その方向性を「(1)事業数の増減について」と，「(2)既存事業の扱いについて」という2つの観点からそれぞれ尋ねている。

　「(1)事業数の増減について」は，「1．競争力のない事業を整理し，事業を絞り込んだ。」，「2．既存事業数を維持した。」，「3．積極的に新規事業への進出を行い，事業数は増加した。」，の3つの選択肢を提示した。

　「(2)既存事業の扱いについて」は，「1．既存主力事業への投資を縮小した。」，「2．既存主力事業への投資は基本的には維持した。」，「3．既存主力事業への投資を強化し拡大を図った。」，の3つを提示し，それぞれ，最も当てはまるものひとつを選択するという回答方式で質問を行った。

　この質問により，一般的に「選択と集中」と呼ばれている企業行動の詳しい中身に踏み込んだ分析が可能となる。一般的には「選択と集中」という言葉でくくられる企業行動を多様な行動として把握できる。たとえば本業を縮小し，事業数も減少させている衰退企業の行動と，事業数を減らしてはいるが，本業を強化している，本当の意味での「選択と集中」を行っている本業回帰型企業の行動を区別して把握することができる。本章ではこれらの戦略を区別するために，それぞれの戦略方向性に従い，表5-1のように名前を付けた。

　それでは各戦略タイプの内容をみていこう。まず重要な戦略の方向性として，多角化の程度を示す事業数の増減の軸がある。事業数の増減は3つに分けられたが，事業数を増加させる戦略が一般的には多角化戦略と呼ばれる。そのような多角化戦略も既存主力事業への投資と関連させることにより，次

表5-1 戦略の分類

既存主力事業への投資 \ 事業数	減少	維持	増加
縮　小	縮小均衡型	本業縮小型	新事業移行型
維　持	事業整理型	現状維持型	拡大多角化型
拡　大	選択集中型	本業強化型	コア多角化型

のように3つに分けられる。

① 新事業移行型（事業数増加・既存事業縮小）
　　これは既存主力事業への投資を縮小させながら，事業数を増加させている戦略である。既存事業への投資を減らしながら，そこで余裕のできた資源を新規事業へ投資し，徐々に新規事業への移行を図ろうとしている企業である。

② 拡大多角化型（事業数増加・既存事業維持）
　　これは既存主力事業への投資を維持しながら，事業数を増加させている戦略である。単純に多角化により事業の拡大を図っている企業ともいえる。

③ コア多角化型（事業数増加・既存事業拡大）
　　この戦略は，既存主力事業への投資を拡大させながら事業数を増加させている戦略である。単に多角化するのではなく，自社のコア事業を認識し，それを一層強化しながら，更なる成長を図っている企業といえる。ただし，経営資源の裏付けがなければリスクの高い戦略となってしまう。

一方で，多角化を行っておらず事業数を維持している企業も既存主力事業への投資との関係で次の3つに分類できる。

① 本業縮小型（事業数維持・既存事業縮小）
　　現在の事業数は維持しているが，既存主力事業の投資を減らしている

戦略で，既存事業の成長力に陰りがみえ，新しい事業が必要であるが，有望事業領域が見当たらないか，多角化の余力がない企業が採用する戦略といえる。これらの企業は停滞気味であり，単に本業が縮小し，成長の方向性を見失っている企業ともいえる。

② 現状維持型（事業数維持・既存事業維持）

これは現在の事業数を維持し，既存主力事業への投資も維持している戦略で，現在のところ順調ともいえるが，長期的にみた場合，成長に不安が残る企業である。

③ 本業強化型（事業数維持・既存事業拡大）

現在の事業数を維持しているが，既存主力事業への投資は積極的に拡大している戦略で，自社のコア事業を確認し，それを強化していく戦略をとっている企業である。

「選択と集中」と一般的にいわれるような，事業数の減少を伴う戦略も，既存主力事業への投資をどのように行うかで，単なる縮小戦略と，戦略的に選択と集中を行っている本当の意味での「選択と集中」戦略に分かれる。その分類が次の3つである

① 縮小均衡型（事業数減少・既存事業縮小）

事業数を縮小して「選択と集中」を行っているようにみえるが，既存主力事業への投資も縮小させ，縮小均衡に陥っている企業である。事業成長の戦略が描けず，自社のコア事業の認識もできていない，厳しい状況にある企業といえる。

② 事業整理型（事業数減少・既存事業維持）

これは事業数を減少させているので，「選択と集中」のようにみえるが，実際は既存事業への投資は維持しているだけであり，本当の意味での「選択と集中」は行われていない。単に競争力のない事業を整理したにすぎないタイプといえる。

③ 選択集中型（事業数減少・既存事業拡大）

事業数を縮小し，それを既存主力事業への投資に回すという本当の意

味での「選択と集中」の戦略といえる。事業数を減らし，それによって得られた資源を回すという意味では，最も本業を強化している戦略であるともいえる。

以上のような分類に従い，2000年と2007年時点で，企業が実際にどのような戦略をとっているのか，あるいは，今後どのような方向に向かおうとしているのかを質問票調査の結果からみていこう。

調査では調査時点の過去5年間の戦略と，調査時点における今後の予想を尋ねている。第1回調査による調査時点（2000年）以前の過去5年間の全社戦略の方向性を見たものが表5-2である。これをみると，既存主力事業への投資を「維持」しながら，事業数も「維持」するという「現状維持型」の企業が最も多く，167社中44社（26.4％）と，全サンプルの4分の1を占める。選択と集中が盛んに叫ばれた状況でも，大きく戦略を変化させなかった企業が最も多いというのは意外な発見である。

しかしながら，やはり戦略を変化させた企業も多く存在することは事実である。事業数を「維持」しながら既存主力事業への投資を「拡大」する「本業強化型」，あるいは事業数を「減少」させながら既存主力事業への投資は「拡大」する「選択集中型」も多く，それぞれ167社中26社（15.6％），24社

表5-2 過去5年間の全社戦略の方向性（1996年～2000年）

既存主力 事業への投資	事業数 減少	維持	増加	合計
縮　小	縮小均衡型 6社（3.6）	本業縮小型 4社（2.4）	新事業移行型 3社（1.8）	13社（7.8）
維　持	事業整理型 26社（15.6）	現状維持型 44社（26.4）	拡大多角化型 18社（10.8）	88社（52.7）
拡　大	選択集中型 24社（14.4）	本業強化型 26社（15.6）	コア多角化型 16社（9.6）	66社（39.5）
合　計	56社（33.5）	74社（44.3）	37社（22.2）	167社（100.0）

注：カッコ内は比率（％）。

(14.4%) 存在する。

　さらに,「選択と集中」とは逆の動きもみられる。この時期, 事業数を増加させた企業も167社中37社 (22.2%) 存在し, その中では既存主力事業への投資を維持, あるいは拡大した企業の割合が大きい。

　1996年以降の時期は「選択と集中」という言葉が新聞・雑誌に取り上げられることが多くなってきた時代である (都留・電機連合総合研究センター編, 2004)[3]。しかしながら, データをみる限り, この時期に「選択と集中」が一律に行われたというわけではないことがわかる。「選択と集中」という傾向はありながら, 現状を維持している企業もあれば, 逆に事業数を拡大した企業も少なからず存在していることがわかる。このような傾向から, 一般的にいわれているような「選択と集中」は, 実は様々な形で展開されており, 必ずしも新聞で報道され, 注目されているような, 一律の「選択と集中」が行われているのではないことがわかる。ただ, 大きな流れとしては「選択と集中」という傾向にあり, 2000年以前の5年間, 日本企業は既存主力事業への投資を維持あるいは拡大しながら, 事業数を維持あるいは減少させてきたのである。

　質問票調査では, 調査時点以降の企業の方向性を予測するために, 今後の事業数の変化の予想も尋ねている。今後の全社戦略の方向性を示したものが表5-3である。これをみると2000年時点の「今後」の予想では, 既存主力事業への投資を今後も維持するとしている企業が最も多く, 166社中92社 (55.4%) と約半数を占める。これを事業数の増減でみると減少の傾向が強く, 166社中70社 (42.2%) の企業が事業数を減少させると予想している。これらの戦略を掛け合わせた9分類でみてみると, 既存主力事業への投資を維持しながら事業数を減少させる「事業整理型」戦略が最も多く, 166社中34社 (20.5%) となっている。この時点では過去5年と比べ, 事業数を維持し, 既存主力事業への投資も維持する「現状維持型」企業は28社 (16.9%) と少なくなり, 事業選択の傾向が強まることが予想された。

　ただ, 事業数は減少させるが, 既存主力事業への投資は拡大させていこうとする「選択集中型」企業も30社 (18.1%), 既存主力事業への投資を維持しながら事業数を増加させる「拡大多角化型」の戦略を予定している企業も

表5-3 今後の戦略の変化の予想(2000年)

既存主力事業への投資＼事業数	減少	維持	増加	合計
縮　小	縮小均衡型 6社 (3.6)	本業縮小型 3社 (1.8)	新事業移行型 3社 (1.8)	12社 (7.2)
維　持	事業整理型 34社 (20.5)	現状維持型 28社 (16.9)	拡大多角化型 30社 (18.1)	92社 (55.4)
拡　大	選択集中型 30社 (18.1)	本業強化型 17社 (10.2)	コア多角化型 15社 (9.0)	62社 (37.4)
合　計	70社 (42.2)	48社 (28.9)	48社 (28.9)	166社 (100.0)

注：カッコ内は比率(%)。

30社 (18.1%) 存在している。過去5年間と比べると，これらの戦略はともに増えていることから，集中化と多角化の二極化が起こることが予想された。

このように2000年以降も集中化の傾向が一段と強まることが予想されたが，そのようなことは結果として起こったのだろうか。実際にどのような戦略が選択されたのかを見るために，2007年に行われた第2回調査の結果をみてみよう（表5-4）。

2007年の調査でも同様の質問を行っている。2007年の調査によると，2007年までは事業数を維持しながら既存主力事業への投資を強化する「本業強化型」の傾向が最も強かったことが明らかとなった（111社中31社，27.9%）。過去に予想されたほど事業の選択は進んでいないことがわかる。

さらに2007年時点の今後の予想（表5-5）をみると，今後の方向性としては，既存主力事業への投資を拡大しながら，積極的に新規事業へ進出しようとする動きがあることがわかる。最も多いのは「現状維持型」（111社中24社，21.6%）と事業数を維持しながら既存主力事業への投資を拡大しようする「本業強化型」を志向する企業である（111社中24社，21.6%）。その次に多いのが既存主力事業への投資を維持しながら事業数を増加させる「拡大多角化型」（111社中18社，16.2%）である。また既存主力事業への投資を拡大

表5-4　過去5年間の全社戦略の方向性（2003年～2007年）

既存主力事業への投資 ＼ 事業数	減少	維持	増加	合計
縮　小	縮小均衡型 4社（3.6）	本業縮小型 2社（1.8）	新事業移行型 0社（0.0）	6社（5.4）
維　持	事業整理型 14社（12.6）	現状維持型 20社（18.0）	拡大多角化型 9社（8.1）	43社（38.7）
拡　大	選択集中型 20社（18.0）	本業強化型 31社（27.9）	コア多角化型 11社（9.9）	62社（55.9）
合　計	38社（34.2）	53社（47.8）	20社（18.0）	111社（100.0）

注：カッコ内は比率（％）。

表5-5　今後の戦略の変化の予想（2007年）

既存主力事業への投資 ＼ 事業数	減少	維持	増加	合計
縮　小	縮小均衡型 2社（1.8）	本業縮小型 0社（0.0）	新事業移行型 1社（0.9）	3社（2.7）
維　持	事業整理型 14社（12.6）	現状維持型 24社（21.6）	拡大多角化型 18社（16.2）	56社（50.5）
拡　大	選択集中型 16社（14.4）	本業強化型 24社（21.6）	コア多角化型 12社（10.8）	52社（46.9）
合　計	32社（28.8）	48社（43.2）	31社（27.9）	111社（100.0）

注：カッコ内は比率（％）。

　させながら事業数を増加させる戦略である「コア多角化型」戦略をこの5年間に実際にとってきた企業（111社中11社，9.9％，表5-4）や，今後このような戦略をとろうとする企業（111社中12社，10.8％）も少なからず存在する。

　2000年に予想されたような事業集中は現実としてそれほど進まず，また今後もそのような傾向が強まることはないと予想される。むしろ本業強化とともに，事業数削減とは逆の方向である多角化が進むことも予想されている。

2000年の調査と2007年の調査は，サンプルが異なるため，慎重に議論されなければならない。また，環境要因の影響を強く受けることも当然予想される。内閣府が公表している景気指標CI（先行指数）によると，2000年の調査が行われた2000年9月は，景気が後退局面に入る時期であり，企業は苦しい経営を強いられることを予想していた（図5-1）。当然，戦略展開の予想も悲観的にならざるをえない。

　それに対して，2007年にはそのような悲観的予想はないと思われる。2007年調査時点からみた過去の景気の実態をCI（一致指数）でみると，2002年1月から景気は拡大を続けてきたことがわかる（図5-2）。

　以上のような景気動向に，すべての企業が左右されるわけではないが，景気の状態が企業の戦略動向，あるいはその予想に影響を与えることは十分考

図5-1　CI（先行指数）

出所：内閣府ホームページ「景気動向指数（速報，改訂値）（月次）結果」「長期系列（CI指数，DI指数，DI累積指数）」より作成。
http://www.esri.cao.go.jp/jp/stat/di/di.html（2008年11月27日）。

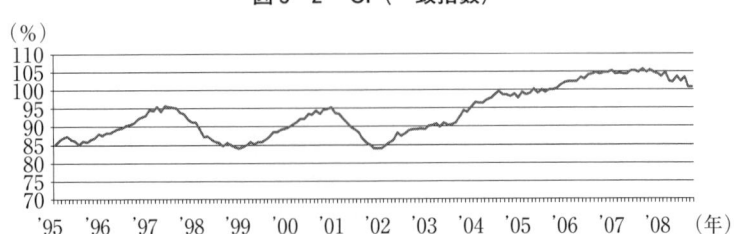

図5-2　CI（一致指数）

出所：内閣府ホームページ「景気動向指数（速報，改訂値）（月次）結果」「長期系列（CI指数，DI指数，DI累積指数）」より作成。
http://www.esri.cao.go.jp/jp/stat/di/di.html（2008年11月27日）。

えられる。

第 3 節　日本企業の多角化戦略の動向

　これまでの2000年調査，2007年調査の分析で，「選択と集中」の傾向だけでなく，多角化の傾向もみられることが明らかとなった。そこで次にこの調査に基づいて，多角化の具体的な中身をみていこう。調査では次のような質問を行った。調査時点から過去5年間にどの程度多角化を行ったのか，多角化を行わなかったのであればそれはなぜか，行ったのであればどのような分野へ多角化を行ったのか，である。まず多角化の有無を尋ねたのが表 5-6 である。ここでの多角化は事業構成全体の多様性ではなく，新規事業への進出という意味での多角化である。

　2000年度調査によれば有効回答171社中82社（48％）が過去5年間に新規事業分野への多角化を行っており，89社（52％）が多角化を行わなかった。ほぼ半数の企業がなんらかの形で，過去5年間に多角化を行っている。2007年の調査によると，多角化を行ったのは111社中49社（44.1％）であり，2000年に比べて若干少なくなっているが，ほぼ同様の結果であるといってよい。第4章でみたように2000年代前半には本業集中が進んでいるが，それは企業が多角化を行っていないということではない，ということがこの結果からも分かる。もちろん，第4章の『企業活動基本調査報告書』の対象企業と，独

表 5-6　新規事業分野への多角化の有無

（問）過去5年間に，貴社は新規事業分野への多角化をおこないましたか。該当する項目に○をおつけください。

	2000年		2007年	
	企業数(社)	比率(%)	企業数(社)	比率(%)
1．行った	82	48.0	49	44.1
2．行わなかった	89	52.0	62	55.9
合計	171	100.0	111	100.0
欠損値	5		0	

自質問票調査の対象企業は異なるため，厳密なことはいえないが，2007年調査のデータをみる限り，日本の大企業は多角化を行いながらも，事業の「選択と集中」を進めているといえる。

　一方で約半数の企業が多角化を行わなかったというのも事実である。では，多角化を行わなかった企業は，どのような理由から多角化を行わなかったのであろうか。それを示したのが表5-7である。表5-7によると，多角化を行わなかった理由としては，2000年調査では「本業による成長を志向したから」が47社（56.0％）と最も多く，事業集中傾向がここでも観察される。それは2007年調査でも同様である（33社，54.1％）。その一方で「多角化の必要性は認識しているが，条件が整わなかったから」という企業も多く存在し（2000年，13社，15.5％；2007年，10社，16.4％），必要性と能力のミスマッチが問題となっている。

　2000年に9社（10.7％）の企業が多角化事業の見直しのために多角化を行わなかったとしているが，2007年にはそのような企業は2社（3.3％）に減少している。一方で，本業による成長が十分に期待できたとする企業が2000年調査では7社（8.3％）であったのが，2007年調査では10社（16.4％）と

表5-7　多角化を行わなかった理由

（問）貴社では過去5年間に多角化をおこなわなかったということですが，その理由として最も当てはまるものひとつに○をおつけください。

	2000年		2007年	
	企業数(社)	比率(%)	企業数(社)	比率(%)
1．本業の成長が十分に期待できたから	7	8.3	10	16.4
2．本業による成長を志向したから	47	56.0	33	54.1
3．専門化による競争優位を指向したから	6	7.1	6	9.8
4．多角化事業の見直しが必要になったため	9	10.7	2	3.3
5．多角化の必要性は認識しているが，条件が整わなかったから	13	15.5	10	16.4
6．その他	2	2.4	0	0.0
合計	84	100.0	61	100.0
欠損値	5		1	

若干増加している。2000年に入り，多角化事業の見直しが一段落し，選択と集中を進めた結果，本業が力をつけてきたため，多角化の必要性が若干低下しているともいえる。

では，多角化を行った企業はどのような分野へ進出したのであろうか。それをみたのが次の表5-8である。これによると，多角化を行った企業の進出分野は，既存事業との関連でみると「技術，ならびに市場関連分野」への進出が2000年調査，2007年調査ともに多く，2000年で26社（32.5%），2007年で15社（31.3%）である。それに続いて2000年調査では，「技術関連分野」が21社（26.3%）と多くなっているが，2007年調査では，技術関連分野への多角化は9社（18.8%）と少なくなっている。それに対して「市場関連分野」が16社（33.3%）と多くなっている。一方で2000年調査では「市場関連分野」は11社（13.8%）と少なくなっており，1990年代後半と2000年代前半では技術関連型多角化と市場関連型多角化の重要性が逆転している。ただ何らかの関連がある分野への進出が支配的であり，垂直統合や非関連分野への多角化が少ないという傾向には変化はない。日本においては関連型多角化が

表5-8 過去5年間の多角化のタイプ

（問）次のリストは，既存事業との関連で多角化事業を分類したものです。過去5年間の貴社の多角化事業は主にどのタイプにあたりますか。最も主要なものひとつに〇をおつけください。

	2000年		2007年	
	企業数(社)	比率(%)	企業数(社)	比率(%)
1．原材料，部品等の川上分野	4	5.0	2	4.2
2．2次加工・流通などの川下分野	7	8.8	2	4.2
3．技術，ならびに市場関連分野	26	32.5	15	31.3
4．技術関連分野	21	26.3	9	18.8
5．市場関連分野	11	13.8	16	33.3
6．非関連分野	8	10.0	1	2.1
7．副産物，連産品分野	3	3.8	3	6.3
合計	80	100.2	48	100.0
欠損値	2		1	

主流であるという過去の研究[4]とも整合的である。ただ関連型多角化の中身が若干変化してきているといえる。

　前節の全社戦略の動向と本節の多角化戦略の動向を合わせると，バブル崩壊後の時期の日本企業の戦略動向として次のようなことを示すことができる。

　1990年代後半は「選択と集中」が議論され始めた時期であり，その時期に既存主力事業への投資を維持あるいは拡大しながら，事業数は維持あるいは減少させる「本業強化型の事業集中」が確かに進んでいた。しかしながら，事業集中の戦略だけであったかといえばそうではなく，多角化も積極的に行われていた時代であったといえる。そのような多角化は，これまでの多角化とは少し様相が異なっていた。これまで日本企業の多角化戦略は関連型の多角化が中心であった。その点では大きな変化はないが，関連の仕方が，技術関連型から，市場関連型へと変わってきたのである。

　関連の程度についてはこれまでいくつかの研究が行われている。Rumelt（1974）にはじまる研究から，吉原他（1981）の日本企業の研究でも関連のタイプについては研究が進められた。そこでは資源のつながり方が重視され，集約型と拡散型の違いとして議論された。また他の研究でも，関連の程度や関連の在り方により，企業の業績が異なることが示された。本書においても関連の程度についてはある程度議論をした。特にここでは市場関連型と技術関連型に注目し，日本企業の動向を明らかにした。それによると，これまで日本企業は関連型の中でも技術関連型の多角化が中心であったが，それが市場関連型に移行してきたことが示された。

　これまで日本企業の強みは，技術の内部開発による関連型の多角化によるシナジーの達成であるといわれていた。このシナジーは事前シナジー，事後シナジー，あるいは事業立ち上げのシナジー，事業運営のシナジーに分類できる（加護野，2004）。市場関連型の多角化は，事業の立ち上げが容易であるが，その事業で競争優位を獲得することは容易ではない。その点で事業運営のシナジーは達成しにくい。一方で，技術関連型のシナジーは事業を立ち上げることは難しいが，うまく立ち上げることができれば，技術的な強みを持っているためにシナジーを達成することが容易である。

これまで日本企業は，M&A は行わず内部開発に積極的に取り組み，経営資源の蓄積に努めてきた。その蓄積が日本企業の競争優位の源泉になっているといわれてきた。ただ，日本企業は積極的な製品開発を行いながら，収益力の点でアメリカ企業に劣ること，その原因が戦略のなさであることも指摘されている（三品，2004）。日本企業は環境が良好なときには，「共通して認識された合意しやすい選択肢，いわゆる『流れにつく』選択肢に落ち着」（三品，2004）[5]き，競合企業が同質的競争を繰り返すことになり，収益力を低下させることが指摘されている。

　逆に，環境が厳しい状況では，日本企業は様子見の状態に陥り，無為無策で業績を悪化させる場合があること，実際に日本企業は1990年代を通して優良企業のリストから落ちていったことが指摘されている（三品，2004）[6]。これは日本企業が戦略変化をためらい，業績を悪化させていったことを示している。

　一方で，そのような動きに変化もみられる。2008年の新聞記事に，パナソニックの大坪社長の，次のような発言が掲載された。

　「『苦しい時であるからこそ成長に向けて思い切った手を打つべきだ』。七日，パナソニック（旧・松下電器産業）と三洋電機が開いた資本・業務提携会見で，パナソニックの大坪文雄社長は語気を強めた。主力のデジタル製品の収益環境が厳しい今こそ，成長が期待できる電池事業を強化する。」[7]

　一部の企業は，逆風下でも，積極的に行動を起こそうとしているし，これまでにはない，積極的な M&A 戦略もとられるようになってきた。本章の分析で明らかになった市場関連分野重視の多角化傾向も，積極的に環境対応していこうという日本企業の動きのあらわれといえる。

　M&A の動きと合わせて，日本企業の経営戦略の西欧化が進んでいる可能性がある。ただ，このようなこの現象が，日本企業にとって，良いことなのか悪いことなのかは慎重な検討を必要とする。

　そこで，日本企業の一般的な競争戦略の特徴を明らかにし，日本企業の特

徴と今後の戦略の在り方を議論してみよう。日本企業の競争戦略にはどのような特徴があるのであろうか。

第4節　日本企業の競争戦略の動向

ここでは，多角化戦略以外の戦略の特徴をみてみよう。質問票調査では，企業の競争戦略の特色を測定するために，8つの文章を提示し，企業への当てはまりの程度を5段階（「1．全くちがう」から「3．どちらともいえない」をはさんで「5．全くそのとおり」）で尋ねている。

質問の文章は次の8つである[8]。

(1)　コスト削減による低価格製品の提供をめざす。
(2)　競合他社にない特徴のある製品・サービスの提供をめざす。
(3)　少数の重点市場セグメントに自社の経営資源を集中する。
(4)　市場規模の拡大をはかり業界リーダーとしての立場を維持する。
(5)　競合他社に同一市場で正面から対決し，市場占有率の拡大をねらう。
(6)　新製品，新市場開発のリスクを回避し，フォロワーの利益を追求する。
(7)　競合企業が採算が取れず扱わないような分野，あるいは気がつかないような分野に経営資源を集中させる。
(8)　自社に有利な市場セグメントを見つけ，競合他社との共存を目指す。

ここでは競争戦略の枠組みとして，基本的にはPorter（1980）の競争戦略の枠組みを用いている。Porter（1980）の枠組みではコストリーダーシップ戦略，差別化戦略，集中戦略の3つが基本戦略として提示され，それらの戦略の同時追求は困難であることが述べられている。それは，スタック・イン・ザ・ミドルと呼ばれ，低業績の原因とされている。3つの基本戦略をうまく実行するには，それぞれ違った能力が要求されるため，どの戦略を成功させるにも，それを第1の目標として忍耐強く取り組みまなければならないのである（Porter, 1980）[9]。

しかしながら、今日の現実の企業組織をみた場合には、これらの戦略はある程度同時追求がなされるべきものであるといえる。差別化戦略といえどもコストを無視することはできない。またコストだけでは競争優位を獲得できない。そこで、本研究では、これらの戦略の濃淡、強弱を把握するという目的で、それぞれの項目が、どの程度当てはまるかという観点から、「全くその通り」から「全くちがう」までの5点尺度で尋ねている。

　同時に競争戦略に関する質問項目では経営資源論に基づき、資源の集中がどのような領域で行われるかを尋ねている。競争戦略の本質は競争を避けることであるが（伊丹・加護野、2003）、ここではそれだけでなく正面対決戦略も想定しながら質問項目を策定した。

　これらの8つの質問の回答は、次の3つの次元に集約された。ひとつ目の次元は、「経営資源の蓄積・展開に関する次元」で、いかに資源を特定の分野へ集中するかを測っている。これは、「(3)　少数の重点市場セグメントに自社の経営資源を集中する。」と「(7)　競合企業が採算が取れず扱わないような分野、あるいは気がつかないような分野に経営資源を集中させる。」の2つの質問からなる。

　2つ目は、「対決型競争志向次元」であり、競争相手と正面から対決するか、あるいはニッチをみつけるなどして対決を避けるかという企業の対応をみようとしたものである。これは、「(4)　市場規模の拡大をはかり、業界リーダーとしての立場を維持する。」、「(5)　競合他社に同一市場で正面から対決し、市場占有率の拡大をねらう。」、「(8)　自社に有利な市場セグメントを見つけ、競合他社との共存を目指す。（逆転尺度）」の3つの質問で構成される。

　3つ目は、「革新志向次元」であり、積極的な新製品・新技術の開発リスクをどの程度負うかを測定しようとしたもので、「(1)　コスト削減による低価格製品の提供を目指す。（逆転尺度）」、「(2)　競合他社にない特徴のある製品・サービスの提供を目指す。」、「(6)　新製品、新市場開発のリスクを回避し、フォロワーの利益を追求する。（逆転尺度）」の3つの質問からなる。

　まず2000年調査の時点の競争戦略の実態をみてみよう。上記の質問の回答を次元ごとに集約し、業種別の平均値を出したものが、表5-9である。各

表5-9 競争戦略の産業別特徴（2000年調査）

	変数	平均	n	平均からの乖離	標準偏差	最小値	最大値
全体	資源展開の集中度	3.08	168	0.00	0.73	1.00	5.00
	対決型競争志向	3.40	168	0.00	0.70	1.33	5.00
	革新志向	3.32	167	0.00	0.62	1.67	5.00
素材型産業	資源展開の集中度	3.06	79	−0.02	0.69	1.50	5.00
	対決型競争志向	3.31	79	−0.09	0.72	1.67	5.00
	革新志向	3.41	79	0.09	0.62	1.67	5.00
加工型産業	資源展開の集中度	3.10	89	0.02	0.78	1.00	5.00
	対決型競争志向	3.48	89	0.08	0.67	1.33	5.00
	革新志向	3.24	88	−0.08	0.61	1.67	5.00
食品	資源展開の集中度	3.00	10	−0.08	0.58	2.50	4.00
	対決型競争志向	3.73	10	0.33	0.70	2.67	4.67
	革新志向	3.67	10	0.35	0.65	3.00	5.00
繊維・パルプ・紙	資源展開の集中度	3.10	10	0.02	0.81	2.00	4.50
	対決型競争志向	3.27	10	−0.13	0.78	2.33	4.67
	革新志向	3.70	10	0.38	0.40	3.00	4.33
化学工業・医薬品	資源展開の集中度	3.18	30	0.10	0.75	1.50	5.00
	対決型競争志向	3.31	30	−0.09	0.62	1.67	4.33
	革新志向	3.42	30	0.10	0.62	1.67	5.00
石油・ゴム・窯業	資源展開の集中度	3.19	8	0.11	0.46	2.50	4.00
	対決型競争志向	2.92	8	−0.48	0.77	2.00	4.33
	革新志向	3.33	8	0.01	0.71	2.67	5.00
鉄鋼業・非鉄金属金属製品	資源展開の集中度	2.86	21	−0.22	0.65	2.00	4.50
	対決型競争志向	3.29	21	−0.12	0.79	1.67	5.00
	革新志向	3.14	21	−0.18	0.61	1.67	4.33
機械	資源展開の集中度	3.11	27	0.03	0.92	1.00	5.00
	対決型競争志向	3.65	27	0.25	0.68	2.33	5.00
	革新志向	3.28	27	−0.04	0.65	2.33	5.00

電気機器	資源展開の集中度	3.12	25	0.04	0.65	2.00	5.00
	対決型競争志向	3.45	25	0.05	0.57	1.67	4.33
	革新志向	3.19	25	−0.13	0.50	2.33	4.33
造船・自動車	資源展開の集中度	2.71	17	−0.37	0.73	1.50	4.50
	対決型競争志向	3.49	17	0.09	0.79	2.00	4.67
	革新志向	3.22	17	−0.10	0.76	1.67	5.00
精密機器	資源展開の集中度	3.30	10	0.22	0.67	2.00	4.50
	対決型競争志向	3.07	10	−0.33	0.75	1.33	3.67
	革新志向	3.00	9	−0.32	0.47	2.33	3.67
その他製造業	資源展開の集中度	3.45	10	0.37	0.69	2.50	4.50
	対決型競争志向	3.47	10	0.07	0.50	2.67	4.33
	革新志向	3.53	10	0.21	0.59	2.67	4.33

指標は値が高いほどその傾向が強いことを示している（逆転尺度の質問項目はその値を逆転させている）。

これによると最も資源の集中度が高いのが「その他製造業（3.45）」であり，次が「精密機器（3.30）」である。逆に，資源の拡散が大きいのは「鉄鋼業・非鉄金属・金属製品（2.86）」である。この資源集中度は産業の成長性に関連しているものと思われる。成熟産業においては，重点分野が絞り込めていないのかもしれない。

次に対決型競争志向が強いのは，「食品（3.73）」，「機械（3.65）」であり，対決型競争志向が弱いのは「石油・ゴム・窯業（2.92）」，「精密機器（3.07）」である。

最後に革新志向が強いのは「食品（3.67）」，「繊維・パルプ・紙（3.70）」であり，逆に弱いのは「精密機器（3.00）」である。精密機器業界のような技術革新が絶えず要求されるような業種で革新志向が弱いのは注目に値する。この理由として考えられることは，ひとつにはこの質問の回答が回答者の主観によるため，他の業種との比較を困難にしているという点である。もうひとつは日本の製造業の特徴である基礎研究よりも応用研究を重視するという特徴が，この業界で顕著に表れたという可能性である。このことは今後

表 5-10 競争戦略の産業別特徴（2007年調査）

	変数	平均	n	平均からの乖離	標準偏差	最小値	最大値
全体	資源展開の集中度	3.05	109	0.00	0.77	1.00	4.50
	対決型競争志向	3.42	109	0.00	0.66	1.67	5.00
	革新志向	3.83	109	0.00	0.50	2.33	5.00
食料品	資源展開の集中度	3.14	7	0.10	0.94	2.00	4.00
	対決型競争志向	3.57	7	0.15	0.69	2.33	4.33
	革新志向	3.67	7	−0.16	0.43	3.00	4.00
繊維製品	資源展開の集中度	3.25	8	0.20	0.76	2.00	4.50
	対決型競争志向	3.38	8	−0.05	0.38	3.00	4.00
	革新志向	3.54	8	−0.28	0.50	3.00	4.33
パルプ・紙	資源展開の集中度	1.00	1	−2.05	−	1.00	1.00
	対決型競争志向	3.33	1	−0.09	−	3.33	3.33
	革新志向	3.67	1	−0.16	−	3.67	3.67
化学	資源展開の集中度	3.17	18	0.12	0.75	1.50	4.50
	対決型競争志向	3.52	18	0.10	0.60	2.33	4.33
	革新志向	3.94	18	0.12	0.50	3.33	5.00
石油・石炭製品	資源展開の集中度	2.25	2	−0.80	0.35	2.00	2.50
	対決型競争志向	2.83	2	−0.59	0.71	2.33	3.33
	革新志向	3.83	2	0.01	0.71	3.33	4.33
ゴム製品	資源展開の集中度	3.25	2	0.20	0.35	3.00	3.50
	対決型競争志向	2.67	2	−0.76	0.94	2.00	3.33
	革新志向	3.67	2	−0.16	0.00	3.67	3.67
ガラス・土石製品	資源展開の集中度	3.40	5	0.35	0.42	3.00	4.00
	対決型競争志向	3.27	5	−0.16	0.55	2.67	4.00
	革新志向	4.13	5	0.31	0.61	3.33	5.00
鉄鋼	資源展開の集中度	2.75	2	−0.30	0.35	2.50	3.00
	対決型競争志向	3.00	2	−0.42	0.94	2.33	3.67
	革新志向	4.33	2	0.51	0.47	4.00	4.67

非鉄金属	資源展開の集中度	2.25	2	−0.80	1.06	1.50	3.00
	対決型競争志向	4.17	2	0.74	0.71	3.67	4.67
	革新志向	3.50	2	−0.33	0.71	3.00	4.00
金属製品	資源展開の集中度	2.50	6	−0.55	0.45	2.00	3.00
	対決型競争志向	3.78	6	0.36	0.66	3.33	5.00
	革新志向	3.72	6	−0.10	0.57	2.67	4.33
機械	資源展開の集中度	2.88	12	−0.17	0.88	1.50	4.50
	対決型競争志向	3.64	12	0.22	0.74	1.67	4.67
	革新志向	3.75	12	−0.08	0.53	3.00	4.67
電気機器	資源展開の集中度	3.32	25	0.27	0.61	2.50	4.50
	対決型競争志向	3.27	25	−0.16	0.69	2.00	4.67
	革新志向	3.87	25	0.04	0.52	2.33	4.67
輸送用機器	資源展開の集中度	2.67	9	−0.38	0.66	1.50	3.50
	対決型競争志向	3.48	9	0.06	0.53	2.67	4.00
	革新志向	3.81	9	−0.01	0.29	3.33	4.33
精密機器	資源展開の集中度	4.00	1	0.95	−	4.00	4.00
	対決型競争志向	3.33	1	−0.09	−	3.33	3.33
	革新志向	4.00	1	0.17	−	4.00	4.00
その他製品	資源展開の集中度	3.06	9	0.01	0.95	1.00	4.50
	対決型競争志向	3.33	9	−0.09	0.83	2.33	4.67
	革新志向	3.85	9	0.03	0.56	3.00	4.33

の国際比較研究で明らかにしていきたい。

　次に2007年の調査をみてみよう。2000年調査と同様の質問項目に対する2007年調査の結果を業種別に集計し，平均値を出したものが表5-10である。2000年調査と2007年調査では業種の分類方法が若干異なっている。

　これによると，最も資源展開の集中度が高いのは「精密機器（4.00）」であり，次が「ガラス・土石製品（窯業）（3.40）」である。精密機器は2000年調査でも資源展開の集中度が高かった。この業界は幅広く事業を行うのではなく，特定の分野へ資源の集中を行わなければならないという特性を持つ。

第5章　日本企業の戦略動向と組織改革

これに対し,「パルプ・紙 (1.00)」や「石油・石炭製品 (2.25)」,「非鉄金属 (2.25)」などの素材産業,あるいは装置産業は,資源の拡散が大きいという結果となった。これらの産業は,成熟産業であるがゆえに重点的な市場セグメントが存在しない,逆にいうとそれをみつけるために幅広く資源を配分する必要がある産業といえる。また,そのようなことが可能となるような,資源の汎用性が高い産業であるといえる。

次に対決型競争志向についてみると,「非鉄金属 (4.17)」が最も高い値を示し,「金属製品 (3.78)」,「機械 (3.64)」が続いており対決型競争志向が強かった。逆に対決型競争志向が弱かったのは,「ゴム製品 (2.67)」,「石油・石炭製品 (2.83)」であった。同じ素材型産業であるが,対決志向が異なるのは面白い発見である。これは,その業界のリーダー企業の存在が大きく影響を及ぼしていると考えられる。ゴム製品ではブリヂストン,石油・石炭製品では新日本石油といった飛び抜けて大きい業界のリーダーが,その業界の秩序を維持している。それに対して,対決競争志向が強い業界では,同程度の規模の企業が多数存在し,厳しい競争が展開されている。この点では,Porter (1980) が示した競争要因の分析は妥当性を持っているといえる。

最後に革新志向が強いのは「鉄鋼 (4.33)」,「ガラス・土石製品 (窯業) (4.13)」,「精密機器 (4.00)」であり,これらと反対に弱いのは「非鉄金属 (3.50),」「繊維製品 (3.54)」であった。「電気機器 (3.87)」や「輸送用機器 (3.81)」など,革新的と考えられている業界ではなく,素材産業で革新志向が高いことは興味深い傾向である。ひとつにはこれらの素材産業は成熟産業であり,革新が求められているという,いわば現状よりも希望をあらわしている側面があるのかもしれない。ただ新素材の領域で他社にない新しい,かつユニークな製品を提供するという革新的な競争がこの業界で進んでいることも事実である。これは第4章で示した成熟産業におけるイノベーションの可能性を示唆している。

第5節　日本企業の最近の組織構造

では次に，質問票のデータを利用して，日本企業がどのような組織構造をとっているかをみてみよう。表 5-11 は質問票調査による組織構造の分布である。これによると2000年時点で日本企業が採用していた組織構造は，職能別組織と事業部制組織が約50社（約30％）ずつであり，この２つが当時の日本企業の主要な組織構造であったといえる。しかし階層構造を持った事業部制組織を採用している企業（28社）を事業部制組織構造とあわせると，事業部制組織は約80社となり，日本における最も一般的な組織構造となる。ただ職能別組織と事業部制の混合形態という，いわば日本独特の組織形態も多くみられる。

2007年の調査でも，この傾向に大きな変化はなく，職能別組織構造，事業部制組織構造が主要な組織構造である。また階層構造をもった事業部制（いわゆる事業本部制）や混合形態も少なからず存在する。

2007年の調査結果で特徴的なことは，2000年調査ではほとんどみられなかったマトリックス制組織構造や純粋持株会社を採用する企業が少し出てき

表 5-11　組織構造の分布

	2000年		2007年	
	企業数(社)	比率(%)	企業数(社)	比率(%)
1．職能別組織	50	28.4	33	30.0
2．事業部制組織	51	29.0	33	30.0
3．階層構造をもった事業部制組織（事業部と事業本部がある場合など）	28	15.9	12	10.9
4．職能別組織と事業部制組織の混合形態（一部事業部制を持った職能別組織）	39	22.2	21	19.1
5．マトリックス制	1	0.6	5	4.5
6．純粋持株会社	1	0.6	6	5.5
7．その他	6	3.4	0	0.0
合計	176	100.0	110	100.0

たことである。日本企業の組織構造はこの点からは，ますます多様性を増してきているといえる。

　このような日本企業の組織構造の多様性，あるいは特殊性はこれまでの研究でも示されている。加護野（1993）によると，日本企業の多くは事業部制であるが，その内容は欧米の事業部制とは異なったものであり，製造と製品開発に特化した事業部と販売やマーケティングに特化した事業部が存在する一種の混合形態が多い。加護野（1993）はこのような組織構造を「職能別事業部制」と呼び，内部市場による競争の存在を指摘している。我々のサンプルでも，混合形態が非常に多かった（39社，22.2%）。本調査における混合形態のすべてが，加護野（1993）のいう職能別事業部制というわけではないが，教科書的な事業部制ばかりではないということは注意を要することであろう。

　一方，マトリックス制を採用している企業は非常に少ない。職能別組織と事業部制組織の混合形態と，これも一種の混合形態であるマトリックス制との間には，どのような本質的な違いがあるのだろうか。

　岸田（1985）によるとマトリックス制組織は「通常の垂直的階層の上に水

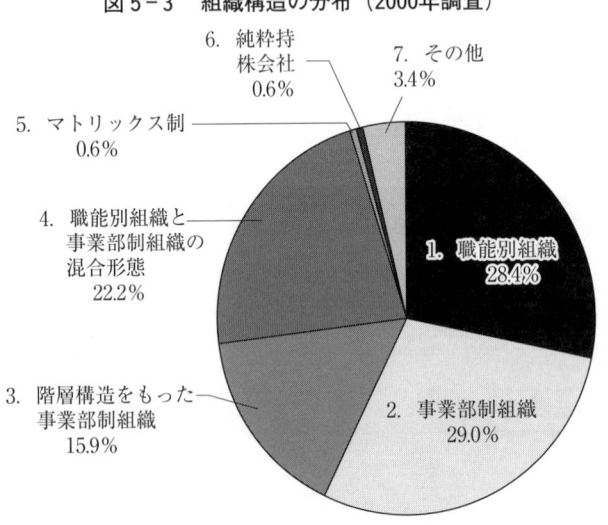

図5-3　組織構造の分布（2000年調査）

1. 職能別組織 28.4%
2. 事業部制組織 29.0%
3. 階層構造をもった事業部制組織 15.9%
4. 職能別組織と事業部制組織の混合形態 22.2%
5. マトリックス制 0.6%
6. 純粋持株会社 0.6%
7. その他 3.4%

平的な影響力，コミュニケーションを重ね合わせたものであり，メンバーは単一のグループではなく二重（多重）の作業グループに属するので二重の影響力に従う役割が含まれ，部門間にまたがる水平的な関係を通じての調整が強調される」（岸田，1985)[10]ような組織であり，しかも「この水平的なコミュニケーション・チャネルが公式なものとして認められている」（岸田，1985)[11]組織である。

たとえば垂直的な組織として職能別組織が存在し，その上に製品別事業部という水平的な影響力，コミュニケーションが重ねられるような，2つの軸によって編成される組織である。これはある部門に，2人のボスができてしまうということが最大の弱点であるといわれている。命令の一元性の原則に反するため，コミュニケーションにコストがかかるのである。マトリックスのマネジャー間でコンフリクトが生じた場合，トップ・マネジメントはその裁定のためのコストを支払わなければならない。また二重の命令系統は，それだけで管理コストがかさみ，間接費が膨張する（岸田，1985)[12]。

このように，この組織形態は上司の命令によってコンフリクトを調整しようとするシステムであるのに対し，職能別事業部制は内部市場による競争に

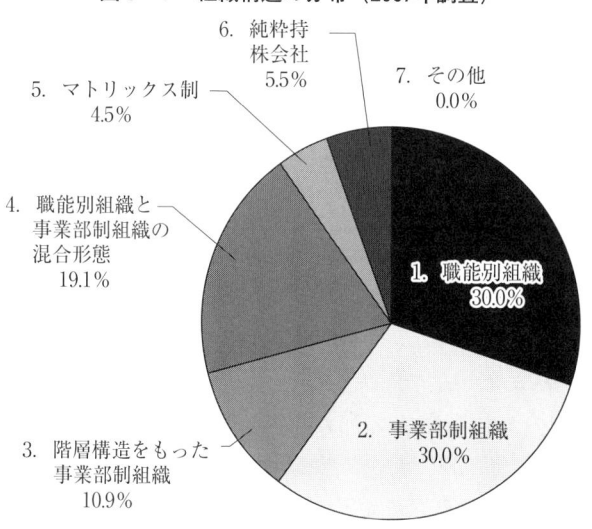

図5-4　組織構造の分布（2007年調査）

6. 純粋持株会社　5.5%
7. その他　0.0%
5. マトリックス制　4.5%
4. 職能別組織と事業部制組織の混合形態　19.1%
1. 職能別組織　30.0%
2. 事業部制組織　30.0%
3. 階層構造をもった事業部制組織　10.9%

第5章　日本企業の戦略動向と組織改革

よって調整しようとするシステムである。職能別事業部制の事業部は企業内取引において，ある程度自由に競争を行うことができる。場合によっては他企業の事業部門との取引も可能である。これが本質的に重要な違いであると考えられる。トップ・マネジメントの調整機能には限界があるので，大規模組織においてマトリックス制組織は十分機能しない状況が起こりうる。企業が危機的な状況に陥った場合には，スケープゴートとしてこのマトリックス組織があげられることになる。これがこの組織形態が少ない理由である。

それに対して，純粋持株会社は，そのような調整を完全に市場に任せる組織だといえるが，2000年の調査時点では純粋持株会社形態を採用している企業はほとんどなかった[13]。日本企業は組織と市場の中間的な調整機能を選択しているといえる。

さらに何らかの事業部門制を採用している企業に，その分割基準を聞いたところ，製品別に事業部門を分割しているところが84社（68.3％）で一般的であるが，混合形態を採用している企業も21社（17.1％）存在し，企業が複雑な事業環境に対応していることを示している。混合形態の内容をみると製品別と地域別の混合形態が7社（11.4％），製品別と職能別の混合形態が14社（5.7％）となっていた。中間的調整機能を重視しながら，混合形態などの工夫で環境対応を行っているが，あまりに複雑な組織構造は，極端に調整コストが増し，非効率になるといえる。

第6節　経営環境と戦略と組織構造

日本企業は事業部制をとりながら，単純な市場による調整によらず，その調整方法を工夫していることがわかったが，それらは戦略とどのような関係にあるのだろうか。次に，先の日本企業の戦略動向で得られた全社戦略の方向性に関する結果を利用し，日本企業の戦略と組織構造がどのような関係にあるか探ってみよう。

過去5年間の全社戦略の方向性と，第3章第4節で示したWilliamson（1975）を修正した，Hill（1988）やMarkides（1995）に基づく内部コントロールからみた組織構造の分類とのクロス集計表が表5-12（2000年）と表

5-13（2007年）である。

　これによると2000年の調査では，多角化を推進してきた企業では，集権的多数事業部型（CM型）が一番多くなっている（42.1%）。また単一型（U

表5-12　全社戦略の方向性と組織構造の関係（2000年）

(社)

全社戦略＼組織構造	多数事業部型（M型）	集権的多数事業部型（CM型）	過渡的多数事業部型（T型）	事業部制と職能別の混合形態（X型）	単一型（U型）	合計
事業集中（事業数減少）	2 (3.6)	17 (30.9)	15 (27.3)	12 (21.8)	9 (16.4)	55 (100.0)
維持	1 (1.4)	18 (24.7)	11 (15.1)	15 (20.6)	28 (38.4)	73 (100.0)
多角化（事業数増加）	0 (0.0)	16 (42.1)	5 (13.2)	5 (13.2)	12 (31.6)	38 (100.0)
合計	3 (1.8)	51 (30.7)	31 (18.7)	32 (19.3)	49 (29.5)	166 (100.0)

注：1．不明企業10社。
　　2．カッコ内は比率%。
　　3．$x^2 = 13.758$：10%有意。

表5-13　全社戦略の方向性と組織構造の関係（2007年）

(社)

全社戦略＼組織構造	多数事業部型（M型）	集権的多数事業部型（CM型）	過渡的多数事業部型（T型）	事業部制と職能別の混合形態（X型）	単一型（U型）	特殊会社型（H型）	合計
事業集中（事業数減少）	1 (2.8)	8 (22.2)	13 (36.1)	4 (11.1)	9 (25.0)	1 (2.8)	36 (100.0)
維持	0 (0.0)	15 (28.9)	9 (17.3)	10 (19.2)	18 (34.6)	0 (0.0)	73 (100.0)
多角化（事業数増加）	1 (5.6)	3 (16.7)	7 (38.9)	1 (5.6)	6 (33.3)	0 (0.0)	38 (100.0)
合計	2 (1.9)	26 (24.5)	29 (27.4)	15 (14.2)	33 (31.1)	1 (0.9)	106 (100.0)

注：1．不明企業5社。
　　2．カッコ内は比率%。
　　3．Fisherの正確検定による有意確率＝0.219。

型）がその次に多い（31.6％）のは興味深い。これは現時点で多角化を進めている企業は，まだ十分な多角化のレベルに達しておらず，比較的若い企業であることからきていると考えられる。そのような企業は事業部制への十分な組織改革がまだ行われていないのかもしれない。

　一方，事業集中を行っている企業でも集権的多数事業部型（CM型）が一番多い（30.9％）。ただ他の戦略をとっている企業と比較して，過渡的な多数事業部型（T型）も多くなっている（27.3％）。この過渡的な多数事業部型（T型）の分類は過去3年間の組織変更を基準にしているので，最近の事業集中の大きな流れが，組織改革を引き起こしていると考えられる。もちろんここでは多角化や事業集中が，どの程度の大きさで推進されたかは確認できないが，多角化戦略が即，事業部制の採用につながるというわけではないようである。多角化企業でも組織構造の多様性は存在するのである[14]。

　このような傾向は2007年の調査でも大きな変化はないが，多角化を推進した企業で，過渡的な多数事業部型（T型）が多くなっている（38.9％）。このような傾向は，企業の多角化戦略が事業部制への改革を引き起こすというChandler（1962）の研究と整合的である。

　最後に，経営環境と組織の問題を検討しよう。吉原他（1981）では，事業部制は不安定な環境に直面する企業でより多く採用され，職能別組織は安定的な環境下にある企業でより多く採用されることが明らかにされている。このことを2000年に行われた，第1回「組織革新実態調査」のデータで確認しよう。

　企業の経営環境の特徴を明らかにするために，野中（1974），加護野（1980），加護野他（1983），浅田（1993）の研究を参考にした。環境変数は複雑性（異質性）と不確実性（不安定性）という2つの大きな次元に分けられる。加護野（1980）によると「不確実性とは組織が直面する不確定要因がとりうる状態の多様性あるいは不確定要因に関する情報のあいまいさをさす次元であり，複雑性とは，不確定要因の数あるいは不確定要因の間の異質性または独立性の大きさをさす次元」（加護野，1980）[15]である。複雑性はさらに「情報源の数」，「情報量」という2つの下位次元からなり，不確実性は「情報信頼性」，「情報フィードバックの時間幅（製品市場変動性）」という2

表 5-14 組織構造による環境変数の比較

環境概念	下位次元	質問の意味	質問項目	総平均 161社	職能別組織 49社	事業別組織 112社	t値	M+CM型 52社	T型 29社	X型 31社	U型 49社	F値
市場環境	複雑性（異質性）	情報源の数	市場異質性	(1) 貴社の製品市場はどの程度の多様性を持っていますか。	3.21	3.04	3.28	3.056**	3.26	3.40	3.22	3.04	3.930**
			技術異質性（逆転尺度）	(2) 貴社の製品の生産技術面での共通性はどの程度ですか。	2.91	2.62	3.04	3.811**	3.07	3.13	2.90	3.04	5.590**
			地理的異質性	(3) 貴社の生産活動はどの程度の地理的広がりをもっていますか。	2.83	2.47	2.99	2.463*	3.23	3.10	2.48	2.62	4.650**
				(4) 貴社の販売活動はどの程度の地理的広がりをもっていますか。	2.51	2.20	2.64	3.085**	2.75	2.55	2.55	2.47	3.700**
			素材異質性	(5) 貴社の製品の原材料や部品の共通性はどの程度ですか。	3.29	3.08	3.38	1.491	3.13	3.79	3.40	2.20	2.930*
			流通経路異質性（逆転尺度）	(6) 顧客に到達するための流通経路の多様性はどの程度ですか。	3.03	2.69	3.17	2.108*	2.89	3.62	3.23	3.08	3.530*
					3.55	3.47	3.58	0.526	3.37	3.97	3.58	2.69	1.590
					2.78	2.55	2.88	1.932	3.19	2.59	2.61	3.47	4.900**
		情報量	技術データ配備の必要性	(7) 顧客に製品の詳細な技術データを提供する必要があります。	2.78	2.35	2.97	3.152**	3.02	2.93	2.94	2.55	3.320*
			顧客の製品知識	(8) 貴社を使用する顧客の製品知識はどの程度ですか。	3.51	3.46	3.53	0.722	3.45	3.67	3.54	2.35	1.000
					3.51	3.61	3.46	-0.739	3.35	3.45	3.68	3.46	0.700
			販売促進手段の多様性	(9) 貴社の主要な販売促進手段はどの程度多様化しておりますか。	3.82	3.82	3.82	0.037	3.87	3.79	3.77	3.61	0.100
					3.19	2.94	3.30	2.045*	3.14	3.76	3.16	3.82	4.030**
	不確実性（不安定性）	売手集中度	(10) 貴社の製品市場の売り手集中度はどの程度ですか。	3.40	3.37	3.41	0.474	3.43	3.50	3.28	2.94	1.350
					4.00	3.98	4.01	0.229	4.06	4.07	3.87	3.37	0.500
		製品市場競争度	(11) 貴社の製品市場は一般にどの程度競争的ですか。	3.73	3.71	3.73	0.105	3.81	3.83	3.52	3.98	0.680
					4.27	4.25	4.29	0.317	4.31	4.31	4.23	3.71	0.120
		技術変化率	(12) 貴社の市場における新製品の開発頻度はどの程度ですか。	2.79	2.76	2.81	0.604	2.80	2.94	2.68	4.25	1.770
					3.18	3.15	3.19	0.230	3.17	3.59	3.03	2.76	1.150
				(13) 貴社の市場における新技術の開発頻度はどの程度ですか。	3.24	3.27	3.23	-0.201	3.15	3.41	2.97	3.15	1.920
					3.11	3.04	3.14	0.650	3.19	3.24	2.52	3.27	0.680
		需要の安定性（逆転尺度）	(14) 貴社の製品に対する需要は安定していますか。	2.62	2.49	2.67	1.388	2.69	2.79	3.03	3.04	1.340
		需要の予測性	(15) 貴社の製品市場における需要は正確に予測できますか。	2.73	2.67	2.75	0.639	2.71	2.79	2.97	2.49	0.240
		成果フィードバックの時間幅（逆転尺度）	(16) 貴社の製品市場における成果は、どの程度の期間で測れますか。	2.26	2.33	2.23	-0.638	2.27	2.28	2.77	2.67	0.340
規模			資産	11.19	10.68	11.41	3.228**	11.17	11.65	2.13	2.33	4.610**
			売上高	10.98	10.49	11.20	2.980**	10.99	11.35	11.61	10.68	3.680**
			従業員	7.10	6.70	7.28	2.869**	7.13	7.43	11.40	10.49	3.290*
											7.40	6.7	

注：***0.1%有意，**1%有意，*5%有意。

第5章　日本企業の戦略動向と組織改革　139

つの下位次元からなる（野中，1974）。

　これらの質問から得られる回答を各企業の環境の特徴とし，組織構造別に平均値を求め，t検定，あるいは分散分析を行った。それが表5-14である。各質問項目の値はその値が高いほど，複雑性，あるいは不確実性の程度が高いことを示している。これによると，組織構造間で複雑性が有意に異なることが示されている。事業部制と職能別組織という大枠でみると，複雑性の中では「市場異質性」，「技術異質性」，「（生産活動の）地理的異質性」，「流通経路異質性」，さらにそれらをまとめた「情報源の数」において，事業部制組織が高い値を示している。また「販売促進手段の多様性」も大きくなっている。

　さらにWilliamson（1975）の分類でみると，「市場異質性」や「技術異質性」，「素材異質性」や「流通経路異質性」は，多数事業部型（M型）と集権的多数事業部型（CM型）を集約したグループで高くなっており，地理的異質性は過渡的多数事業部型（T型）が高くなっている。複雑性の増大が事業部制の採用をうながすと同時に，市場のグローバル化が組織改革を起こす大きな要因になっていることが伺える。

　一方，「情報量」や「不確実性」に関しては，組織構造間で有意な差は存在しなかった。事業部制を採用している企業の環境は複雑ではあるが不確実ではないといえる。

　ここからどのような示唆が得られるであろうか。まず，どのような業界においても環境の変化のスピードが速くなり，不確実性が高まっているといえる。このような環境の不確実性（不安定性）に対して，事業部制が特に有効であるとはいえない。あるいは，他の組織構造によっても不確実性に対応できる可能性があるといえる。事業部制組織は複雑性（異質性）には対応できるが不確実性（不安定性）には対応できないのかもしれない。逆に事業部制組織でなくても，不確実性には対応できるのかもしれない。それは，事業部制組織を採用している企業の企業規模とも関係しているであろう。事業部制組織の規模はどのような指標でみても大きいことがわかる。その中でも，過渡的多数事業部型（T型）と混合型（X型）の規模が特に大きい。大規模であるがゆえに変化に対して柔軟に対応することができないのである。大規模

企業の組織構造として事業部制組織は一定の成果を上げているが，規模の拡大と環境の変化に対して，企業は組織改革を行っていかなければならない。

第 7 節　小括

　この章では，日本企業の戦略動向を質問票調査の結果をもとにみてきた。それをまとめると，2000年以前の大きな流れとして，「選択と集中」という傾向があることは間違いではなかった。ただデータを詳しくみると，この時期に「選択と集中」が一律に行われたというわけではないことも明らかとなった。

　そのような傾向が今後どうなるかを予想した2000年時点における「今後」の予想でも，過去5年間と比べ集中化と多角化の二極化が起こることが予想された。

　しかしながら実際には2007年調査による過去5年の結果によると，事業数を維持しながら既存主力事業への投資を強化する傾向が最も強く，過去に予想されたほど事業の集中は進んでいないことがわかった。2007年時点の今後の予想では，既存主力事業への投資を拡大しながら，積極的に新規事業へ進出しようとする動きがあることもわかった。

　日本企業は多角化を行いながら，事業の「選択と集中」を進めていることがわかったが，そのような多角化は，これまでの多角化と少し違うものであることも明らかとなった。これまでの多角化戦略は技術関連型が中心であった。しかしながら現在，それに変化が起こっている。関連型であるという点で大きな変化はないが，その関連の仕方が，技術関連型から，市場関連型へと変化してきているのである。これは日本企業の欧米化ともいえるが，その欧米化傾向の是非は更なる検討が必要である。この点については第7章で成果との関連で議論する。

　多角化企業の組織構造としては事業部制組織が一般的だが，日本においては職能別組織も依然として重要な地位を占めている。組織構造と多角化戦略の関係をみると，「組織は戦略に従う」という Chandler（1962）の命題は一般的には支持されるが，日本的な混合型（X型）組織構造も多くみられ，国

による多様性も確認された。さらに，事業集中や規模の拡大，環境の変化が組織改革につながることも示唆された。組織構造は戦略に影響されるだけではなく，外部環境の変化に直接的に影響を受けて変化するのである。これらの結果は組織構造の普遍的な変化ではなく，組織変化の多様性を示している。戦略変化とその成功の結果，規模の増大が起こり，組織変化が起こるが，それは国によって異なったパターンを示す。組織構造は戦略をはじめ，外部環境の変化，文化的要因など様々な要因に影響を受け変化する可能性がある。企業が環境の変化にあわせて戦略を変化させ，組織を変化させていくことは一般的な企業行動だが，組織変化の道筋は多様性を持っているといえる。

注
1）伊丹＋一橋 MBA 戦略ワークショップ（2002），第6章。
2）質問票の詳細は付録 C 質問票 C-1，C-2を参照。
3）都留・電機連合総合研究センター編（2004），p.1。
4）吉原他（1981），上野（1997）など。
5）三品（2004），p.48。
6）三品（2004），p.48。
7）日本経済新聞2008年11月12日付記事。
8）付録 C 質問票 C-1問40，C-2問20を参照。
9）Porter（1980），邦訳 p.63。
10）岸田（1985），p.297。
11）岸田（1985），p.297。
12）岸田（1985），pp.310-311。
13）「純粋持株会社」と回答した1社はその組織構造採用年度を1994年としているが，純粋持株会社が解禁されたのは1997年であり，また当該企業が純粋持株会社になったという公表資料も得られておらず，直接確認に対しても返答を得られなかった。そのため何らかの回答ミスの可能性がある。入手可能な情報により判断すると職能別組織構造と考えられるので，次節以降の分析では，この企業は職能別組織に分類して分析を進めた。また「その他」6社のうちわけは，具体的な記述や組織図から判断して職能別2社，混合形態4社に分類した。
14）全社戦略の方向性と組織構造の間に，統計的に有意な関係が存在するかどうかを検定する場合，度数が少ないセルがあるため，χ^2（カイ二乗）検定は有効ではない。この場合 Fisher の直接検定が考えられるが，コンピュータの制約により，分析が行えなかった。
15）加護野（1980），p.107。

第6章
経営戦略と組織構造の日英比較

第1節　はじめに

　1990年以降，多くの日本企業はその組織構造を変化させようとしてきている。たとえば，ソニーは「カンパニー制」と呼ばれる持株会社によく似た組織構造に変更している。その後，またその組織を変化させたが，この傾向はアメリカやヨーロッパの企業とは異なる，日本企業独特の分権化といえるだろう。1995年にKono and Cleggによって行われた調査では，多角化企業の半分は事業部制であることが明らかになっているが，「製品部門の多くはいくつかの分権化された重要な機能を欠いていたり強力な本社を持っているので，十分に成熟した部門ではない」事業部となっている（Kono and Clegg, 2001）[1]。彼らは，それを混成組織（hybrid structure）と呼んでいる。

　アメリカでは多くの企業が事業部制組織構造を採用しており，事業部門は分権化されているので，部門は十分に発達しているといわれている。Rumelt（1974）は，「1949年から1969年の間に，製品別事業部組織を持つ大手500社の割合は，1年当り500社のうち14社という一定のペースで20.3％から75.9％増加している」というデータを示し，「この結果は，予期できないほど劇的であった」と述べている（Rumelt, 1974）[2]。

　またFligstein（1990）も，事業部制の最近のデータを示している。彼の研究によると，1979年に100社の大企業のうち86％が事業部制をとっていた。しかしながら，そのような企業の多くは，1980年代に多数事業部型（M型）組織から集権的多数事業部型（CM型）組織へとシフトしている（Markides,

1995)[3]。

　同様にイギリスにおいても多くの企業が事業部制を持つ傾向にある。Channon (1973) は，1950年から1970年の20年間の大きな変化を示している。Channon (1973) によると1950年には，イギリスの大企業のうち13%が事業部制を持つにすぎなかったが，1970年までにはその割合は72%にも増加した。また Hill の研究によると，1985年には，57%が事業部制であり，それらは中央集権的な事業部の形も含んでいる (Hill, 1988)。彼は，異なる分類体系を用いたので，事業部制組織の割合は Channon のそれよりも小さく見積られているが，イギリス企業の多くが事業部制を採用していることは明らかである。

　本章では，第3章で紹介した日英で行った質問票調査の結果を利用し，経営戦略と組織構造に関して日英比較を行う[4]。特に日本とイギリスの多角化大企業の事業部制に注目し比較を行う。本章の目的は，日本とイギリスの経営戦略と組織構造の違いを明らかにし，それらの違いが生まれる原因を，経営成果との関係で議論することである。

第2節　組織構造の比較

1．事業部制組織の採用状況

　組織構造の比較を行うために，はじめに，事業部制を採用しているかどうかを尋ねた。その結果が表6-1である。イギリスでは多くの企業 (87.0%) が事業部制を採用している。一方，日本企業で事業部制を採用しているの

表6-1　事業部制組織を採用している企業の数

事業部制組織	イギリス		日本			
	2001年		2000年		2007年	
	企業数(社)	比率(%)	企業数(社)	比率(%)	企業数(社)	比率(%)
採用	60	87.0	123	70.3	71	64.5
非採用	9	13.0	52	29.7	39	35.5
合計	69	100.0	175*	100.0	110**	100.0

注：*不明1社，**不明1社。

は，イギリスより少なく，2000年で70.3%，2007年で64.5%となっている。

2．事業部門分割基準

表6-2は，事業部制を採用している企業を対象にして，組織を部門に分ける主な基準を示したものである。事業部制の主な基準となるものは，両国とも「製品あるいは製品グループ」（イギリス，52.6%；日本2000年，68.3%；日本2007年，62.0%）であったが，イギリスでは，「地域別部門」を採用している企業も多い（17.5%）。これはイギリス企業のグローバル化を示唆しているのかもしれない。

3．事業部門の自律性

次に，事業部門の自律性として，事業部間の製品やサービスの内部取引と事業部長の権限について尋ねた。イギリスでは，77.6%の企業が製品とサービスの内部取引のための社内振替価格制度があるとしているのに対し，日本企業は2000年で63.0%，2007年では52.9%に減少している。イギリスでは内部取引のための制度が整っていることを示している（表6-3）。

事業部長の忌避宣言権の有無をみたものが表6-4である。これによると事業部長が価格あるいはその他の条件に満足しなければ，約65%のイギリス企業の事業部長が内部取引を拒否することができる。これに対し，日本企業

表6-2 事業部門の分割基準

分割基準	イギリス		日本			
	2001年		2000年		2007年	
	企業数(社)	比率(%)	企業数(社)	比率(%)	企業数(社)	比率(%)
製品別	30	52.6	84	68.3	44	62.0
地域別	10	17.5	6	4.9	3	4.2
職能別（例えば製造事業部，販売事業部）	5	8.8	10	8.1	9	12.7
混合形態（上記のうち2つの組合せ）	11	19.3	21	17.1	12	16.9
その他	1	1.8	2	1.6	3	4.2
合計	57*	100.0	123	100.0	71	100.0

注：*不明3社。

表6-3　製品やサービスの社内振替価格制度の有無

社内振替制度	イギリス		日本			
	2001年		2000年		2007年	
	企業数(社)	比率(%)	企業数(社)	比率(%)	企業数(社)	比率(%)
有	45	77.6	75	63.0	37	52.9
無	13	22.4	44	37.0	33	47.1
合計	58*	100.0	119**	100.0	70***	100.0

注：*不明2社，**不明4社，***不明1社．

表6-4　事業部長の忌避宣言権の有無

事業部長の忌避宣言権	イギリス		日本			
	2001年		2000年		2007年	
	企業数(社)	比率(%)	企業数(社)	比率(%)	企業数(社)	比率(%)
有	37	64.9	56	49.1	21	30.0
無	20	35.1	58	50.9	49	70.0
合計	57*	100.0	114**	100.0	70***	100.0

注：*不明3社，**不明9社，***不明1社．

の事業部長にとって，内部取引を拒否することは難しいといえる。事業部長が忌避宣言権を持っている日本企業は，2000年で49.1%，2007年で30.0%である。これらの結果は，イギリス企業の事業部が日本企業のそれよりも強い権限を持っていることを意味している。

　以上の事業部門別の自律性の調査により明らかになったことは，イギリス企業の事業部門の自律性の高さである。イギリス企業は日本企業に比べ，事業部門にかなり高い自律性を持たせている。次に本社による管理の観点からそれを検討しよう。

4．本社による部門管理

　ここでは，本社による部門管理をみてみよう。これは企業の分権化の問題であり，事業部に対する本社のコントロールの問題である。先に示したWilliamson（1975）による分類手法を修正したHill（1988），Markides

表6-5 内部統制からみた組織構造の比較

組織形態	イギリス				アメリカ		日本			
	1985[a]		2001		1989[b]		2000		2007	
	企業数(社)	比率(%)	企業数(社)	比率(%)	企業数(社)	比率(%)	企業数(社)	比率(%)	企業数(社)	比率(%)
多数事業部型(M型)	51	35.2	3	4.5	53	41.1	3	1.7	2	1.9
集権的多数事業部型(CM型)	31	21.4	17	25.8	27	20.9	52	30.1	26	24.5
持株会社型(H型)	34	23.4	0	0.0	19	14.7	0	0.0	1	0.9
過渡的多数事業部型(T型)	23	15.9	32	48.5	10	7.8	31	17.9	29	27.4
事業部制と職能別の混合形態(X型)	–	–	5	7.6	6	4.6	34	19.7	15	14.2
単一型(U型)	6	4.1	9	13.6	14	10.8	53	30.6	33	31.1
不明	11		3		3		3		5	
合計	156	100.0	66	100.0	132	100.0	176	100.0	111	100.0

出所：a．Hill（1988），p.75より。
　　　b．Markides（1995），p.141より。
　　　そのほかはオリジナル調査をもとにしている。

（1995）の分類手法を利用する。Markides（1995）は，内部統制のあり方によって企業の組織構造を6つのカテゴリーに分類している。彼の分析スキームは第3章で述べたとおりである。この方法でサンプル企業を分類した結果が次の表6-5である。表6-5には参考のために同様の方法で行われたイギリス企業とアメリカ企業の研究結果も掲載されている[5]。

この表によると，2001年のイギリス企業は，過渡的多数事業部型（T型）企業が最も多い（48.5％）。Markides（1995）の分類手法をもとにした本調査では，「過去3年間に組織変更を行った」企業を過渡的多数事業部型（T型）と分類している。イギリス企業は調査時点の3年間（1999年から2001年）で組織構造を大きく変化させていることがわかる。またイギリス企業の4.5％が，多数事業部型（M型）の組織構造をとっている[6]。単一型（U型）の組織構造をとっている企業もそれほど多くない。

これとは対照的に，日本では単一型（U型）が支配的な構造である。日本企業では単一型（U型）と集権的多数事業部型（CM型）が最も多く，それぞれ約30％存在する。全般的に非常に集権的ではあるけれども，事業部制と職能別の混合形態（X型）の企業も多い。事業部制と職能別の混合形態が日

本企業に多いことはすでに示したが，それは欧米の企業と比較すると際立った特徴であることがわかる。日本企業は工夫された組織構造を採用し，環境変化に柔軟に対応することにより，競争優位を獲得してきた。過渡的多数事業部型（T型）企業はイギリスほど多くなく，2000年で31社（17.9％）であったのも，現在の組織が環境適合を果たしているひとつの証拠といえる。

ただこれらの組織が，今後の環境にも適合的かは議論の分かれるところであろう。先の表6-1によると事業部制組織構造を持っている企業は約半数であったが，ここでみた内部統制の観点からも多数事業部型（M型）と呼べるものは3社（1.7％）にすぎない。事業部制組織構造の形はとっているが，実質的には分権化はそれほど進んでいないといえる。事業部制という形態をとっていながら本社が広範囲の業務に関与するという集権的多数事業部型（CM型）は，日本企業に特徴的な組織形態である。日本企業の本社組織は大きいといわれるが，そのこととも整合的である。日本企業の内部コントロール・システムは非常に集権的であるといえる。職能別組織と事業部制組織の混合形態である事業部制と職能別の混合形態（X型）も多く存在し，このデータは先の加護野（1993）の議論を支持しているといえる。

第3節　多角化戦略

次に戦略の比較をみてみよう。ここでは，経営戦略について2つの質問を行った。多角化戦略についてと競争戦略についてである。表6-6は，過去5年間に新規事業へ参入した企業の数を表したものである。イギリスでは，サンプル企業の約70％が新規事業に参入しており，その数は多い。それに対して日本企業では，サンプルの48.0％しか新規事業に参入していない。これらのデータが示すところにより，イギリス企業が過去5年間では日本企業よりも多角化に対して積極的であったことがうかがえる。日本における多角化の傾向は，2007年になっても大きな変化はない。

表6-7は，多角化企業にとっての最も重要な事業は何かを示している。多くの企業は，「技術，ならびに市場関連分野への多角化」が最も重要であると考えている。特に，イギリス企業は市場関連型を重視している。それに

対して日本企業は2000年段階ではどちらかというと技術関連型（26.3%）を重視する傾向があった。それが2007年では逆転し，市場関連型多角化を重視傾向が強まった（33.3%）。日本企業の戦略が欧米化したことがうかがえる。

また注目すべき点は，多くのイギリス企業が川下への垂直統合を重要とみなしている点である。このことは市場関連型多角化を重視するという点とも整合的である。イギリス企業はマーケット志向であり，顧客に近い企業へのアプローチを積極的に行っているといえる。一方日本企業は，垂直統合をみると川上，川下は同程度である。

表6-6　新規事業への進出（多角化）

新規事業への進出	イギリス		日本			
	2001年		2000年		2007年	
	企業数(社)	比率(%)	企業数(社)	比率(%)	企業数(社)	比率(%)
有	48	69.6	82	48.0	49	44.1
無	21	30.4	89	52.0	62	55.9
合計	69	100.0	171	100.0	111	100.0

表6-7　多角化のタイプ

	イギリス		日本			
	2001年		2000年		2007年	
	企業数(社)	比率(%)	企業数(社)	比率(%)	企業数(社)	比率(%)
川上への垂直統合	0	0.0	4	5.0	2	4.2
川下への垂直統合	12	29.3	7	8.8	2	4.2
技術関連型多角化	4	9.8	21	26.3	9	18.8
市場関連型多角化	11	26.8	11	13.8	16	33.3
技術・市場関連型多角化	14	34.2	26	32.5	15	31.3
非関連型多角化	0	0.0	8	10.0	1	2.1
副次部門への多角化	0	0.0	3	3.8	3	6.3
合計	41*	100.0	80**	100.0	48***	100.0

注：*不明7社，**不明2社，***不明1社。

第4節 競争戦略

ここでは，企業の競争戦略の特徴について調査した。競争戦略については表6-8に示した8つの質問を行っている。これにより，集中戦略，対決戦略，革新戦略という3つの合成指標を作った[7]。これらの指標は，2つあるいは3つの質問の平均である。集中戦略指標は，質問(3)と質問(7)の平均，対決戦略指標は，質問(4)，質問(5)，質問(8)（逆転尺度）の平均，革新戦略指標は，質問(1)（逆転尺度）と質問(6)（逆転尺度）の平均である。これらの指標が高ければ，各々の特徴が強いことを示している。

表6-9はイギリスと日本の企業の競争戦略の特徴をあらわしたものである。これによると，日本企業はイギリス企業よりも対決的であることがわかる。

表6-8 競争戦略についての質問項目

(1) コスト削減による低価格製品の提供をめざす。
(2) 競合他社にない特徴のある製品・サービスの提供をめざす。
(3) 少数の重点市場セグメントに自社の経営資源を集中する。
(4) 市場規模の拡大をはかり業界リーダーとしての立場を維持する。
(5) 競合他社に同一市場で正面から対決し，市場占有率の拡大をねらう。
(6) 新製品，新市場開発のリスクを回避し，フォロワーの利益を追求する。
(7) 競合企業が採算が取れず扱わないような分野，あるいは気がつかないような分野に経営資源を集中させる。
(8) 自社に有利な市場セグメントを見つけ，競合他社との共存を目指す。

表6-9 競争戦略の特徴

	イギリス	日本	
	2001年	2000年	2007年
企業数(社)	68	168	109
集中戦略	3.09	3.08	3.05
対決戦略	2.91	3.40	3.42
革新戦略	3.46	3.32	3.83

第5節　小括

　本章では，イギリス企業と日本企業の経営戦略と組織構造の比較を行った。多くのイギリス企業が事業部制を採用し，日本企業と比べて各部門が強い権限を持っていることがわかった。一方，イギリス企業に比較して多くの日本企業が単一型（U型）の組織構造を持っていることも明らかとなった。また多くのイギリス企業はその組織構造を変化させていることも特徴的であった。具体的には集権的な内部統制機能を持った本社組織を備えた集権的多数事業部型（CM型）の増加である。もっとも，変革の途上である企業が多く，このような組織形態がイギリス企業に定着しているというわけではない。ただ，分類基準による微妙な変動も存在し，変革途上の企業（T型）が特に多くなっている可能性もあり，組織構造の詳細な分析が必要であるが，イギリス企業は匿名の回答が多く，分類基準の開発・修正と合わせて，今後の課題である。

　戦略に関しては，イギリスの企業は過去5年間で日本企業よりも積極的に新規事業に参入していた。また，その進出先はイギリス企業と日本企業で若干異なっていた。イギリス企業は，主に市場関連型多角化を重視しているのに対して，日本企業は，技術関連型多角化を重視していた。しかしながらその傾向は変化しており，2007年では日本企業も市場関連型を重視するようになった。欧米化が進んでいるといえる。

　また具体的な競争戦略に関しては，イギリス企業は日本企業よりも革新戦略をとっており，日本企業はイギリス企業よりも競争者に対して対決的であることが明らかとなった。

　本章では日本企業がイギリス企業よりも集権的であることが確認できた。イギリス企業の事業部門は日本と比較して，強い自律性を持っている。

　これらの違いが生まれる理由のひとつは，企業の発展プロセスにあると考えられる。イギリス企業は，合併と買収によって成長することが多い。そのような成長のプロセスが，事業部門の自律性に影響を与えていると考えられるが，それでこれらの違いのすべてを説明することはできない。たとえば，日本企業とイギリス企業の文化の違いや制度の違いなど，検討されるべき課

題は多いが，今回の質問票調査ではそれら企業文化に関する項目は入れていない。国の文化も含めた分析は今後の課題である。

注
1) Kono and Clegg（2001），p. 227。
2) Rumelt（1974），p. 65。
3) Markides（1995），p. 152。
4) 質問票の詳細は付録Cを参照。
5) 本調査では質問の内容を日本の状況に合わせて変更しているので，厳密な意味での比較はできないが，参考としてHill（1988），Markides（1995）の結果を示しておく。また，この分類は第3章で示したように，分類基準の値の設定により，分類される企業数が異なってくる。たとえば，本社による業務統制指標の値を2以上とするか，あるいは2より大きいとするかの違いだけでも，CM型に分類される企業の数が変わってくるので，それらが厳密に示されていない以上，厳密な比較はできない。
6) M型が他の調査よりも大幅に少ないのは，多くがT型に分類されてしまったためと思われる。ここでは比較のためにMarkides（1995）の分類基準を用いているが，分類基準の再検討が必要である。
7) 競争戦略の分析枠組みについては第5章第4節を参照。イギリス調査の英文の質問項目は付録C質問票C-3, 8を参照。

第7章
多角化戦略と経営成果

第1節　はじめに

　ここでは多角化戦略と経営成果の関係の分析を行う。Rumelt（1974）をはじめ，多角化に関する多くの研究が，関連型多角化の優位性を示してきたが[1]，多角化戦略と経営成果の関係についての完全な結論が得られているとはいいがたい。日本企業でも過度の多角化は業績が悪いことが示されているが，実証研究の蓄積はこれまでに示したように，それほど多いとはいえない[2]。日本においても，多角化戦略と経営成果の関係についての完全な結論は得られていない。

　多角化と成果の関係に関して結論が出ていない理由のひとつとして，多角化の分類の難しさがあげられるが[3]，それに加え，成果の決定要因が戦略だけではないということもあげられる。多角化戦略は経営成果にとって重要な要因ではあるが，それだけではなく多角化戦略と他の要因との適合関係を考慮する必要がある。第2章では多角化戦略と組織構造の適合関係の重要性について議論したが，ここでは多角化戦略と他の戦略要因との組み合わせ，適合関係を議論しよう。

　本章では，日本企業の組織革新に関する質問票調査のデータを利用して，まず多角化戦略と経営成果の関係を検証する。多角化の有無と経営成果の関係，組織改革と経営成果の関係を大まかにみた後，多角化戦略と「選択と集中」との適合関係が成果に及ぼす影響を検討する。多角化戦略と「選択と集中」は一見すると正反対の戦略的意思決定と思われるが，「選択と集中」が

即,専業化,あるいは非多角化を意味するのではないことは第4章で議論した。また第5章でも全社戦略の方向性として,多角化と「選択と集中」を議論し,事業数の増減と既存主力事業への投資という2つの次元でそれをとらえようとしてきた。ここでもその枠組みを使い,経営成果との関係を議論する。多角化と事業集中の2つの次元と経営成果の関係を検証するために,二元配置分散分析が行われる。それぞれの次元が単独でどのように経営成果に影響を及ぼすかと同時に,2つの次元の交互作用についての分析が行われる。分類変数として用いられるのは「事業数の増減」と「既存主力事業への投資」の質問項目であり,2000年調査,2007年調査とも,調査時点からみて過去5年の全社戦略の方向性を尋ねた質問を利用した。

　ここでの成果変数は公表財務データである。2000年調査の分析では調査時点以降の5年間(2001年〜2005年)の財務データを利用し,2007年調査の調査結果の分析には2007年の調査時点以前の5年間(2003年〜2007年)の財務データが用いられた。2000年調査の分析は戦略の結果としての成果との関係の分析であり,2007年調査の分析は業績の結果としての戦略の分析といえる。もちろんそれぞれの因果関係はあくまで類推であり,因果関係をより明確にするには事例研究が必要となってくる。

　ここで用いられた成果変数は売上高成長率(GSL),株主資本利益率(ROE),売上高営業利益率(ROS1),売上高経常利益率(ROS2)である[4]。

第2節　多角化戦略と経営成果

　はじめに,多角化の有無(新規事業への進出)と経営成果の関係についてみてみよう。質問票調査では,過去5年間に多角化を行ったかどうか(新規事業への進出の有無)を尋ねている。もし行わなかったのであればそれはなぜか,また,もし行ったのであれば既存事業との関連でどのような分野へ進出したのかも併せてきいている。

　第5章でみたように,2000年調査では,過去5年間に多角化した企業と多角化しなかった企業はほぼ半数ずつであり,171社中82社(48%)が過去5

表7-1　多角化の有無と経営成果

(%)

多角化有無 \ 経営成果	売上高成長率 (GSL)		株主資本利益率 (ROE)		売上高営業利益率 (ROS1)		売上高経常利益率 (ROS2)	
	平均値	t値	平均値	t値	平均値	t値	平均値	t値
有	5.55 (47社)	0.330	6.18 (48社)	−1.076	4.88 (48社)	−2.321*	4.75 (48社)	−2.322*
無	5.14 (57社)		7.56 (62社)		6.83 (62社)		6.73 (62社)	

注：1．各項目下段は企業数。
　　2．*5%。

年間に新規事業分野への多角化を行っており，89社（52％）が多角化を行っていなかった。また，2007年の調査では，過去5年間に多角化を行った企業は111社中49社（44.1％）であり，既存事業との関連で進出した分野は，「市場関連分野」が最も多く16社（33.3％）であった。

　そのような多角化は果たして成果に結びついているのであろうか。2007年時点の多角化と，過去5年間の成果の関係をt検定でみたのが表7-1である。これによると多角化を行った企業は売上高営業利益率と売上高経常利益率で有意に低い結果となっている。この期間，多角化は好業績をもたらさなかったといえる。

　ただ，調査時点は2007年であり，ここでの質問は2007年より過去5年間の多角化を尋ねたものである。また財務データは2003年から2007年のデータであり，調査時点の2007年より過去5年であり，これは多角化を行ってきた期間と重なる。その点を考えると，多角化が業績を悪化させたというよりも，過去5年間の業績悪化が多角化を招いたと考えることもできる。

　菊谷・齋藤（2006）では「本業成長性の高い企業が事業撤退を行い，逆に本業成長性の低い企業が新規事業への進出を行うという，積極的な企業戦略がみられる」（菊谷・齋藤，2006）[5]ことが示されているが，ここでは低い成長率ではなく低い収益性が多角化行動を引き起こすことが示された。本業成長率ではなく，本業の収益率が低い企業が新規事業への進出に向かっているのである。これは余剰資源の有効活用よりも，負の目標ギャップが大きいこ

とが，多角化を引き起こす，より大きな誘因であることを示唆している。

経済学で多角化の根拠とされる余剰資源の有効活用は，実はそれほど一般的な状況とはいえないのかもしれない。多角化の能力よりも必要性の方が多角化の誘因としては大きいといえる。企業は少しぐらいの余剰資源があるからといって，積極的な多角化戦略を行うのではなく，必要に迫られた場合に多角化を行うのである。これは計画におけるグレシャムの法則を考えると，合理的な説明であり，よほど企業家精神の旺盛な経営者でないと，余剰資源を利用するという理由だけで，リスクの高い多角化を行おうとはしないといえる。経済学における余剰資源の有効活用から達成される範囲の経済は，あくまで事後的に達成される経済性であり，それだけで多角化行動が引き起こされるわけではない。

質問票調査では組織改革の有無も尋ねている。調査時点の2007年から過去3年間の間に組織構造の変更を行ったかどうかであるが，111社中40社(36.0%)の企業が組織構造を変化させていた。それらの企業の業績をみたのが表7-2である。

組織構造を変化させた企業と組織構造を変化させなかった企業の間に，統計的に有意といえるほどの大きな差はないが，組織構造を変化させた企業群がどちらかというと成果が悪くなっている。ここでも質問が想定している期間（調査時点より過去3年）と財務データの期間（調査時点より過去5年）を考えると，組織改革が業績を悪化させたのではなく，業績悪化が組織改革

表7-2　組織改革と経営成果

(%)

経営成果 組織改革	売上高成長率 (GSL)		株主資本利益率 (ROE)		売上高営業利益率 (ROS1)		売上高経常利益率 (ROS2)	
	平均値	t値	平均値	t値	平均値	t値	平均値	t値
行った	5.22 (38社)	-0.131	6.72 (39社)	-0.247	5.27 (39社)	-1.174	4.95 (39社)	-1.506
行わなかった	5.39 (66社)		7.09 (71社)		6.37 (71社)		6.37 (71社)	

注：各項目下段は企業数。

を引き起こしたと考えるほうが合理的である。

ここでの分析は,組織構造の変化と成果の関係を単純にみたものであるが,業績の悪化が組織改革の原動力になっている可能性が示唆されている。では次に,多角化と事業集中という,一見すると正反対のようにみえる2つの戦略の交互作用についてみてみよう。

第3節　多角化戦略とコア事業への集中の交互作用

第5章で示した全社戦略の方向性により,経営成果がどのように変わってくるのかを,分散分析によってみてみよう。まず2000年調査の結果と経営成果の関係である。「事業数の増減」と「既存主力事業への投資」を分類変数とした,財務データの二元配置分散分析の結果が表7-3である。

ここでは2000年の調査時点で事業数を増加させたか,維持したか,減少させたかによりサンプル企業をグループ分けし,それぞれのグループ間で財務成果に違いがあるか,また既存主力事業への投資を拡大したか,維持したか,縮小したかによりサンプル企業をグループ分けし,それぞれのグループ

表7-3　調査時点以降5年間の財務データの分散分析（2000年調査）

(%)

全社戦略の方向性		経営成果	売上高成長率 (GSL)	株主資本利益率 (ROE)	売上高営業利益率 (ROS1)	売上高経常利益率 (ROS2)
事業数の増減		減少	1.80	−0.93	4.24	3.67
		維持	0.38	−1.77	4.73	4.59
		増加	2.16	1.63	4.55	4.31
	F値		0.86	0.50	0.08	0.36
既存主力事業への投資		縮小	−2.47	−12.84	0.23	−0.66
		維持	0.72	−1.20	4.62	4.46
		拡大	2.81	2.50	5.25	4.88
	F値		3.25*	4.51*	7.69**	8.02**
交互作用	F値		2.41[a]	2.97*	2.32[a]	2.77*
総平均			1.26	−0.72	4.52	4.22

注：[a] 10％, * 5％, ** 1％。

間で財務成果に違いがあるかをみようとしている。さらに2つの変数の間の交互作用もみようとしている。交互作用とは，それぞれが組み合わさったときに，単独では得られないような効果が生じることである。

ここで財務データは，2000年調査による調査時点以降の5年間（2001年～2005年）のデータである。表7-3をみると，2000年時点における「事業数の増減」はその後の財務成果の違いを生み出していはいないが，「既存主力事業への投資」の違いにより，その後の成果に違いが出てきていることがわかる。既存主力事業を拡大してきた企業が成長率，利益率とも高くなっている。さらに，「事業数の増減」の主効果は有意ではないが，「既存主力事業への投資」との交互作用は各成果変数で有意となっている。この交互作用の意味は後に詳しく考察する。

次に，2007年調査による調査結果を分類変数とした財務データの二元配置分散分析をみてみよう。その結果が表7-4である。分類変数は2000年調査と同様である。財務データは調査時点（2007年）より過去5年間（2003年～2007年）のデータである。表7-4によると，2007年の時点における「事業数の増減」は過去5年の財務成果と関係がないが，「既存主力事業への投資」

表7-4 過去5年の財務データの分散分析（2007年調査）

(%)

全社戦略の方向性		経営成果	売上高成長率 (GSL)	株主資本利益率 (ROE)	売上高営業利益率 (ROS1)	売上高経常利益率 (ROS2)
事業数の増減	減少 維持 増加		3.94 6.95 8.74	7.26 6.39 7.87	6.07 6.04 5.68	5.69 5.97 5.94
	F値		2.35	0.56	0.08	0.01
既存主力事業への投資	縮小 維持 拡大		1.16 4.67 7.80	3.56 5.44 8.31	4.05 4.56 7.13	3.86 4.16 7.22
	F値		2.79[a]	3.33*	4.49*	6.08**
交互作用	F値		0.69	0.81	0.83	0.65
総平均			5.32	6.96	5.98	5.87

注：[a] 10%，* 5%，** 1%。

の違いと，過去5年間の成果に関係があることがわかる。既存事業を拡大してきた企業が成長率，利益率とも高くなっており，統計的にも有意である。この場合は，交互作用は有意でない。

　これまでに既存主力事業への投資を拡大してきた企業は，収益性，成長性ともに好業績を達成している。特に売上高成長率の開きが大きいが，有意確率は低い。売上高成長率は事業数の増減によっても大きく変わってくる。事業数を増加させた企業のほうが成長率は高くなっているが，統計的には有意でない。この結果から積極的な戦略，特に既存主力事業への積極的な投資が経営成果を高めることが示唆される。ただ調査時点と財務データの期間の関係を考慮すると，財務成果が戦略を規定するという因果関係のほうが有力であることが考えられる。

　そのように考えると，ここでの結果は次のように解釈できる。過去5年間の好業績が既存事業の拡大を可能とするという因果関係である。逆に業績の悪化が既存事業への投資を減少させ，事業構成の変化を目指して多角化を行うということが考えられるが，収益性と事業数の増減は特に関係はなさそうである。業績悪化に伴い既存主力事業への投資を縮小するものの，新たな成長事業をみつけられないでいるという状態であろうか。

　2000年調査によって，その後の成果をみた分析では，既存事業を拡大してきた企業が成長率，利益率とも高くなっていること，さらに，「事業数の増減」の主効果は有意ではないが，「既存主力事業への投資」との交互作用は各成果変数で有意となっていることが明らかとなった。2007年の調査では同様に既存主力事業への積極的な投資が成長率と収益率をともに向上させることが示されたが，2つの変数間に交互作用はみられなかった。

　そこで次に，その交互作用の意味を明らかにするために，第5章で用いた戦略タイプを利用し，交互作用の分析をしてみよう。交互作用をわかりやすく示したのが，表7-5～表7-12と，図7-1～図7-8である。

　これらの図表を分析すると，3つの点が明らかになってくる。ひとつ目は事業数の増減，つまり多角化戦略はそれ自体，経営成果に大きな影響を及ぼさないということである。

　2つ目は，多角化戦略よりもむしろ，既存主力事業をどれだけ強化するか

表7-5 財務成果(売上高成長率)の分散分析(2000年調査)

(%)

既存主力事業への投資＼事業数	減少	維持	増加	合計
縮小	縮小均衡型 6社(3.9) 3.38	本業縮小型 4社(2.6) −5.61	新事業移行型 3社(2.0) −9.99	13社(8.6) −2.47
維持	事業整理型 24社(15.8) 1.46	現状維持型 40社(26.3) 0.05	拡大多角化型 16社(10.5) 1.27	80社(52.6) 0.72
拡大	選択集中型 21社(13.8) 1.74	本業強化型 23社(15.1) 2.01	コア多角化型 15社(9.9) 5.55	59社(38.8) 2.81
合計	51社(33.6) 1.80	67社(44.1) 0.38	34社(22.4) 2.16	152社(100.0) 1.26
F値	事業数の増減 主力事業への投資 交互作用		0.86 3.25* 2.41[a]	

注:1.カッコ内は企業数の比率(%)。
　　2.各欄の下段は5年間の売上高成長率(GSL)(2001年~2005年)。
　　3.[a]10%,*5%。

図7-1 財務成果(売上高成長率)の分散分析(2000年調査)

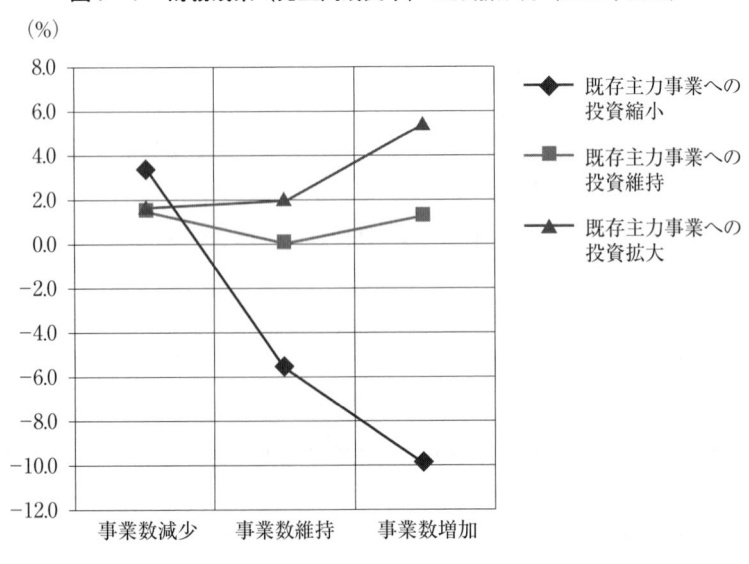

表7-6 財務成果（株主資本利益率）の分散分析（2000年調査）
(%)

事業数 既存主力 事業への投資	減少	維持	増加	合計
縮小	縮小均衡型 6社(3.7) 2.95	本業縮小型 4社(2.5) -27.20	新事業移行型 3社(1.9) -25.29	13社(8.0) -12.84
維持	事業整理型 26社(16.0) -4.87	現状維持型 43社(26.5) -0.95	拡大多角化型 18社(11.1) 3.48	87社(53.7) -1.20
拡大	選択集中型 21社(13.0) 2.84	本業強化型 25社(15.4) 0.88	コア多角化型 16社(9.9) 4.58	62社(38.3) 2.50
合計	53社(32.7) -0.93	72社(44.4) -1.77	37社(22.8) 1.63	162社(100.0) -0.72
F値	事業数の増減 主力事業への投資 交互作用	0.50 4.51* 2.97*		

注：1．カッコ内は企業数の比率（％）。
　　2．各欄の下段は株主資本利益率（ROE）の5年平均（2001年〜2005年）。
　　3．*5％。

図7-2 財務成果（株主資本利益率）の分散分析（2000年調査）

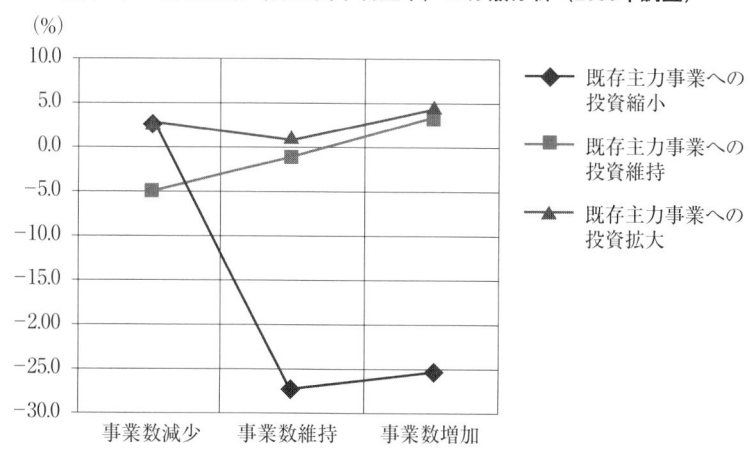

第7章 多角化戦略と経営成果

表7-7 財務成果（売上高営業利益率）の分散分析（2000年調査）
(％)

既存主力事業への投資 \ 事業数	減少	維持	増加	合計
縮小	縮小均衡型 6社(3.6) 2.45	本業縮小型 4社(2.4) 0.99	新事業移行型 3社(1.8) −5.24	13社(7.9) 0.23
維持	事業整理型 26社(15.8) 3.66	現状維持型 43社(26.1) 4.78	拡大多角化型 18社(10.9) 5.64	87社(52.7) 4.62
拡大	選択集中型 23社(13.9) 5.35	本業強化型 26社(15.8) 5.21	コア多角化型 16社(9.7) 5.15	65社(39.4) 5.25
合計	55社(33.3) 4.24	73社(44.2) 4.73	37社(22.4) 4.55	165社(100.0) 4.52
F値	事業数の増減 主力事業への投資 交互作用		0.08 7.69** 2.32[a]	

注：1．カッコ内は企業数の比率（％）。
　　2．各欄の下段は売上高営業利益率（ROS１）の5年平均（2001年〜2005年）。
　　3．[a] 10％，** 1％。

図7-3 財務成果（売上高営業利益率）の分散分析（2000年調査）

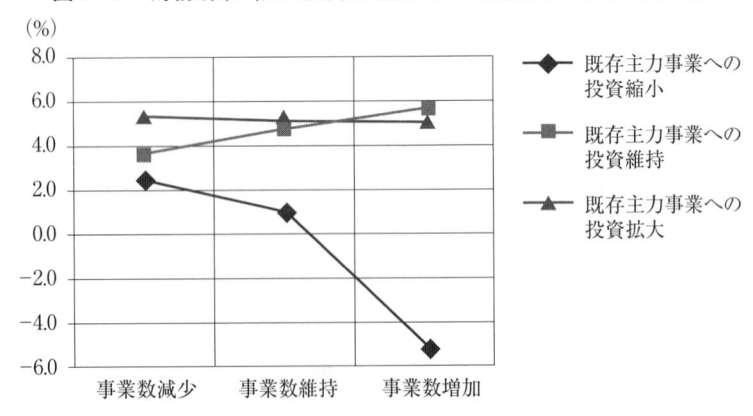

162　第Ⅱ部　多角化戦略と組織構造

表7-8 財務成果（売上高経常利益率）の分散分析（2000年調査）

(%)

既存主力事業への投資 \ 事業数	減少	維持	増加	合計
縮小	縮小均衡型 6社(3.6) 2.11	本業縮小型 4社(2.4) −0.26	新事業移行型 3社(1.8) −6.76	13社(7.9) −0.66
維持	事業整理型 26社(15.8) 3.04	現状維持型 43社(26.1) 4.80	拡大多角化型 18社(10.9) 5.68	87社(52.7) 4.46
拡大	選択集中型 23社(13.9) 4.78	本業強化型 26社(15.8) 4.98	コア多角化型 16社(9.7) 4.86	65社(39.4) 4.88
合計	55社(33.3) 3.67	73社(44.2) 4.59	37社(22.4) 4.31	165社(100.0) 4.22
F値	事業数の増減 主力事業への投資 交互作用		0.36 8.02** 2.77*	

注：1．カッコ内は企業数の比率（%）。
　　2．各欄の下段は売上高経常利益率（ROS 2）の5年平均（2001年〜2005年）。
　　3．* 5%，** 1%。

図7-4 財務成果（売上高経常利益率）の分散分析（2000年調査）

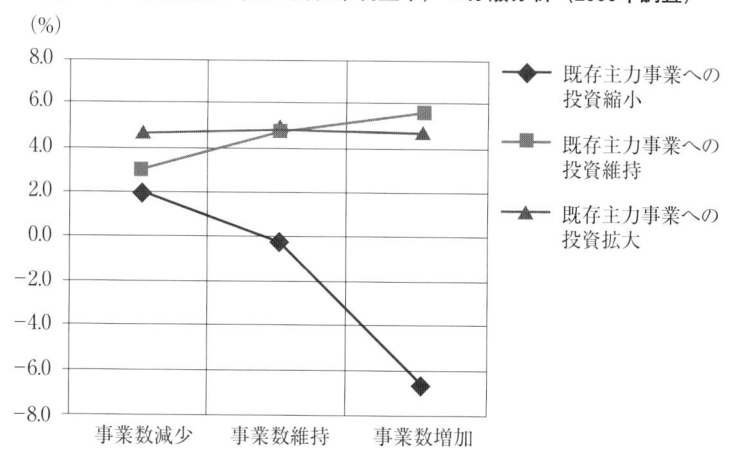

第7章　多角化戦略と経営成果

表7-9 財務成果（売上高成長率）の分散分析（2007年調査）

(%)

既存主力事業への投資＼事業数	減少	維持	増加	合計
縮小	縮小均衡型 4社(3.7) -1.19	本業縮小型 2社(1.8) 5.85	新事業移行型 0社(0.0) 0.00	6社(5.5) 1.16
維持	事業整理型 14社(12.8) 0.10	現状維持型 19社(17.4) 5.95	拡大多角化型 9社(8.3) 7.70	42社(38.5) 4.67
拡大	選択集中型 20社(18.3) 7.02	本業強化型 30社(27.5) 7.65	コア多角化型 11社(10.1) 9.59	61社(56.0) 7.80
合計	38社(34.9) 3.94	51社(46.8) 6.95	20社(18.3) 8.74	109社(100.0) 5.32
F値	事業数の増減 主力事業への投資 交互作用	2.35 2.79[a] 0.69		

注：1．カッコ内は企業数の比率（％）。
　　2．各欄の下段は5年間の売上高成長率（GSL）（2003年〜2007年）。
　　3．[a] 10％。

図7-5 財務成果（売上高成長率）の分散分析（2007年調査）

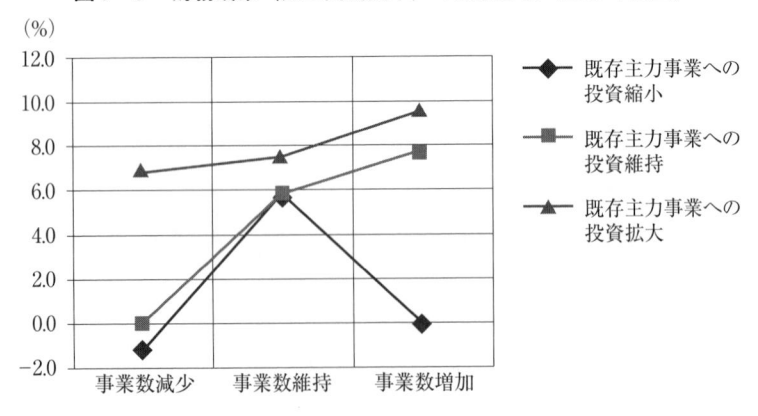

表7-10 財務成果（株主資本利益率）の分散分析（2007年調査）
(%)

既存主力事業への投資 \ 事業数	減少	維持	増加	合計
縮小	縮小均衡型 4社(3.6) 2.02	本業縮小型 2社(1.8) 6.63	新事業移行型 0社(0.0) 0.00	6社(5.5) 3.56
維持	事業整理型 14社(12.7) 4.86	現状維持型 19社(17.3) 5.18	拡大多角化型 9社(8.2) 6.89	42社(38.2) 5.44
拡大	選択集中型 20社(18.2) 9.99	本業強化型 31社(28.2) 7.11	コア多角化型 11社(10.0) 8.67	62社(56.4) 8.31
合計	38社(34.5) 7.26	52社(47.3) 6.39	20社(18.2) 7.87	110社(100.0) 6.96
F値	事業数の増減 主力事業への投資 交互作用	0.56 3.33* 0.81		

注：1．カッコ内は企業数の比率（％）。
2．各欄の下段は株主資本利益率（ROE）の5年平均（2003年～2007年）。
3．*5％。

図7-6 財務成果（株主資本利益率）の分散分析（2007年調査）

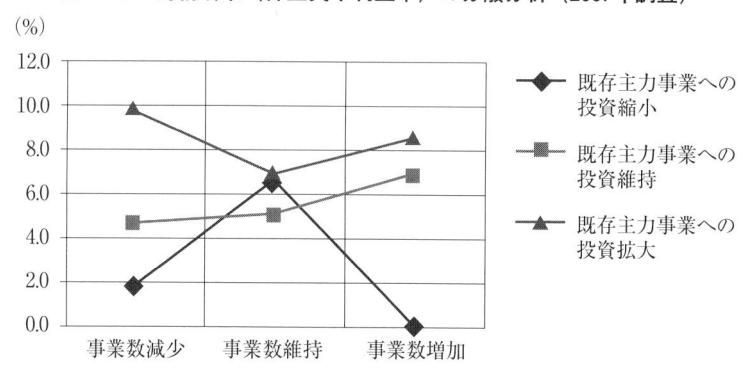

[グラフ：事業数減少・維持・増加を横軸、ROE(%)を縦軸とした折れ線グラフ。既存主力事業への投資縮小、維持、拡大の3系列を表示]

第7章 多角化戦略と経営成果

表7-11 財務成果（売上高営業利益率）の分散分析（2007年調査）
(%)

既存主力事業への投資 \ 事業数	減少	維持	増加	合計
縮小	縮小均衡型 4社(3.6) 2.81	本業縮小型 2社(1.8) 6.54	新事業移行型 0社(0.0) 0.00	6社(5.5) 4.05
維持	事業整理型 14社(12.7) 4.29	現状維持型 19社(17.3) 5.14	拡大多角化型 9社(8.2) 3.77	42社(38.2) 4.56
拡大	選択集中型 20社(18.2) 7.96	本業強化型 31社(28.2) 6.55	コア多角化型 11社(10.0) 7.25	62社(56.4) 7.13
合計	38社(34.5) 6.07	52社(47.3) 6.04	20社(18.2) 5.68	110社(100.0) 5.98
F値	事業数の増減 主力事業への投資 交互作用		0.08 4.49* 0.83	

注：1．カッコ内は企業数の比率（％）。
　　2．各欄の下段は売上高営業利益率（ROS1）の5年平均（2003年〜2007年）。
　　3．*5％。

図7-7 財務成果（売上高営業利益率）の分散分析（2007年調査）

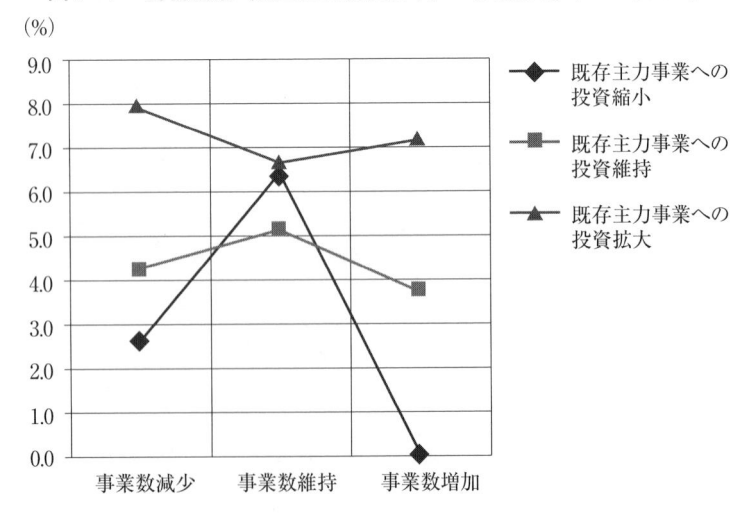

表7-12 財務成果（売上高経常利益率）の分散分析（2007年調査）
(%)

既存主力事業への投資 \ 事業数	減少	維持	増加	合計
縮小	縮小均衡型 4社(3.6) 2.65	本業縮小型 2社(1.8) 6.27	新事業移行型 0社(0.0) 0.00	6社(5.5) 3.86
維持	事業整理型 14社(12.7) 3.83	現状維持型 19社(17.3) 4.68	拡大多角化型 9社(8.2) 3.56	42社(38.2) 4.16
拡大	選択集中型 20社(18.2) 7.60	本業強化型 31社(28.2) 6.74	コア多角化型 11社(10.0) 7.89	62社(56.4) 7.22
合計	38社(34.5) 5.69	52社(47.3) 5.97	11社(10.0) 5.94	110社(100.0) 5.87
F値	事業数の増減 主力事業への投資 交互作用	0.01 6.08** 0.65		

注：1．カッコ内は企業数の比率（％）。
2．各欄の下段は売上高経常利益率（ROS2）の5年平均（2003年～2007年）。
3．**1％。

図7-8 財務成果（売上高経常利益率）の分散分析（2007年調査）

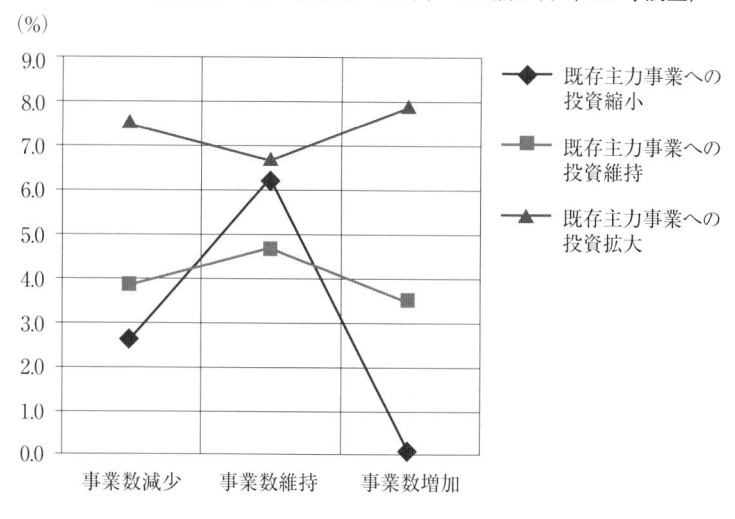

第7章 多角化戦略と経営成果

が経営成果に影響を及ぼしているということである。具体的には既存主力事業への投資を拡大させている企業は全般的に成果が高い。

3つ目は，多角化戦略それ自体は経営成果に直接影響はないものの，既存主力事業に対する戦略との組み合わせが大事であるということである。具体的には，既存主力事業への投資を縮小しながら，事業数を増加させる新規事業移行型は業績が良くない。既存事業の成熟，衰退に受け身で対応し，無理な事業数の拡大を図る企業の姿が浮かび上がる。

一方で，既存主力事業を強化しながら，かつ事業数を増加させる積極的な多角化戦略であるコア多角化型の業績が高くなっている。成長率，収益率ともにそのような傾向がみてとれるが，特に成長性に関して顕著である（表7-5，図7-1）。多角化をするだけでなく，そのやり方，他の戦略との関係が重要となってくることがわかる。

第4節　小括

これまでの節で，単なる多角化が好業績に結びついていないこと，かといって多角化をしないとよいかというと決してそうではなく，既存主力事業を強化しながら事業数を拡大する「コア多角化型」が好業績であることが示された。逆に既存主力事業への投資を縮小しながら多角化を展開する企業の低業績も示された。なぜこのような現象が起こるのであろうか。多角化とコア事業の関係について考えてみよう。

多角化研究のレビューでみたように，経済学において多角化の根拠は範囲の経済であった。範囲の経済は資源の共通利用により達成できるので，資源の共通利用が可能となるような関連性が重要になる。よって関連型多角化が好業績となる。しかしながら本章の分析によると，関連分野に多角化するだけでは好業績は達成されなかった。主力事業を強化しながらの多角化が好業績であることを範囲の経済では説明できない。なぜなら範囲の経済には個別の事業の競争優位が考慮に入れられていないからである。範囲の経済はあくまで節約の概念であり，節約を達成するための関連性が重要である。その事業が競合相手に対して，どの程度競争優位を獲得しているか，という個別事

業の強さは考察の対象となっていない。

　しかしながら，実際の企業活動を考えてみると，当然，既存事業の強さは新事業の競争優位に影響を与える。たとえばソニーの新製品が売れるのは，ソニーのこれまでの製品の強みがあるからであり，ソニーのブランドなどの情報的経営資源が既存事業で強力に構築されているからこそ，その有効活用ができるのである。既存主力事業に投資を行い，強い本業を持ちながらの多角化戦略が好業績なのはこのような理由による。ブランド活用などの関連性を考える際も，本業での強さが必要なのである。

　強い本業はコア事業と呼ばれることがある。コア事業というのはその企業の主力事業といえるような事業である。売上構成比が高いということに意味があるのではなく，その企業にとって主力といえるかどうかで判断される事業である（加護野，2004)[6]。それはトップの関与を生み出す前提条件であるところの関連性を持った事業である。関連性を節約につなげて議論するのではなく，トップ，あるいは本社からの戦略的関与のための必要条件としてとらえることが必要である。

　加護野（2004）はコア事業を持った企業が好業績につながる理由として，コア事業には集中的な資源配分が行われること，コア事業にはトップの関与が起こることを挙げている。しかしながら，それ以上に大事な指摘は，コア事業を持つ企業は全社戦略と事業戦略を融合させているという指摘である（加護野，2004)[7]。

　加護野（2004）ではコア事業を持つ企業の業績が良いということは，全社戦略と事業戦略という「2種類の戦略の融合に意味があるということを暗示している」（加護野，2004)[8]という指摘にとどまっているが，これは，多角化企業の存在意義にかかわる本質的に重要な問題である。コア事業を持った多角化企業の本社は，資源配分を行うだけでなく，本社の事業経験を活かして他の事業の事業戦略にも関与することで，好業績を達成できる。この関与が大事なのである。

　コア事業というのは大きさが問題なのではなく，主力ということが大事であった。それはあくまで他の事業との関係性についての問題である。量の問題ではなく，関連性の観点から主力といえる事業にはトップの関与が起こ

り，それが他の事業へ波及し，全社戦略と事業戦略の融合がおこるというダイナミズムである。

融合を起こすためには主力事業が他の事業との関連性において主力であると認識できる程度の関連性が必要であるが，ここで注意しなければならないのは，事業間に関連があるだけでトップの関与が起こるわけではないということである。また関連性から可能となる資源の共通利用による節約だけで好業績が達成されるのではないということである。

コスト削減という効率性だけなく，有効性が必要なことはすでに示したが，全社戦略と事業戦略の融合を起こすためには，トップの関与が起こるような主力事業を他の事業との関連性の観点から持つことが必要なのであり，事業間の関連性はあくまでそのための前提条件といえる。

そのような主力事業，あるいはコア事業を持つことで，トップの関与を起こすことができるが，それを行うのは企業の本社である。事業戦略にかかわらない本社があるとすれば，それは資本市場の資源配分機能を遂行しているにすぎない。それならば市場に任せたほうが効率的である。多角化企業に意義があるのは（多角化企業が競争優位を獲得するのは），市場には任せることのできない，戦略調整機能を本社が果たしている場合である。そこで，本社の戦略調整機能の重要性を次章以降で，データで示すことにしよう。

注
1) Christensen and Montgomery (1981), Rumelt (1982), Bettis and Mahajan (1985), Varadarajan and Ramanujam (1987), Markides and Williamson (1994) など。
2) 吉原他 (1981)，上野 (1991, 1997) など。産業組織論における研究では箱田 (1988) など。
3) 多角化指標については加護野 (1977) が詳しい。
4) 成果変数の計算式は付録Aを参照。
5) 菊谷・齋藤 (2006), p.25。
6) 加護野 (2004), p.6。
7) 加護野 (2004), p.8。
8) 加護野 (2004), p.8。

第Ⅲ部
本社の役割

第8章
多角化企業の本社の役割

第1節　はじめに

　この章以降では企業組織の本社部門（general headquarters）の一般的な特徴をみた後，本社の存在理由，ならびにその有効性についての実証研究を行う。ここでの第1の課題は，よくいわれる「小さな本社」が企業の存続・成長にとって本当に有効かどうかを戦略論および組織論の観点から明らかにすることである。それによって多角化企業の本社の意義が明らかになる。

　これまでの章で，多角化戦略が単に，その程度の違いにより成果が変わってくるという単純なものではないことが明らかとなった。第7章ではコア事業への集中を伴わない多角化は，低業績であることが示された。コア事業への集中を伴う多角化を組織構造の観点から考えることにより，本社組織の重要性が明らかとなる。なぜなら経営成果に結びつく事業ポートフォリオの組み替え，事業部への資源配分を行えるのは，本社だけだからである。

　本社のマネジメントによって，コア事業へ集中的な資源配分が行われながら，成長分野への新規事業開発を適切に行えた時に，企業業績は向上することを考えると，本社の役割の重要性が理解できる。経営成果は多角化の程度のみではなく，その内容によっても異なってくるのであり，その内容を決めるのが本社である。

　しかしながら，日本企業の本社は，その大きさが批判の対象となり，小さな本社が志向されてきた。本社の役割の重要性を考えた場合，小さな本社への動きははたして正しいのであろうか，大きな本社は本当に非効率なのであ

ろうか，という疑問が出てくる。このような疑問に答えるのが本章以降の目的である。

　1990年代に入り，一連の企業統治改革が行われた。終戦直後の1947年に制定された独占禁止法により永らく設立が禁止されていた純粋持株会社の設立が，1997年に解禁された。これにより，日本国内でも純粋持株会社の設立が可能となった。純粋持株会社のグループ本社は小さな本社の典型である。純粋持株会社のグループ本社が小さくなるのは，株式の保有のみにより事業の統治を行えばよいからである。このような企業統治改革の流れもあり，1990年代には，小さな本社論が盛んに議論されるようになった[1]。その皮切りとなったのは，1993年に発表された次のような『日経ビジネス』誌の特集記事である。この特集では，冒頭でつぎのような主張がなされている。

　「本社を小さくすれば会社は活性化する。無駄な仕事が排除され，社員が育ち，意思決定が速くなる──。産業界では今，本社間接部門で人員削減の嵐が吹き荒れる。だが，重要なのは人員ではなく，仕事の合理化であり，急場しのぎの策であれば失敗する。戦える集団に変える『小さな本社』は21世紀にも通用するこれからの経営手法だ」（『日経ビジネス』1993年1月11日号）[2]。

　ここでは小さな本社の本質が実は仕事の改革であり，単なる人員削減ではないことが示されているが，一般には人員削減を行い，規模を小さくした本社が好業績につながると受け取られていた。企業組織を設計する際に「小さな」本社あるいは「純粋な」本社は「理想的」なものであり，「大きな」本社を持つ企業は遅れているとの論調が産業界では支配的であった。本社に関する議論は，日本だけではなく，欧米でも行われていたが[3]，とりわけ日本の場合には，本社は大きすぎるから，業績向上のためには小さな本社にすることが何よりも大切だという主張が強かった。

　しかしながら，こうした主張に理論的，実証的根拠はなく，裏付けとなっていたのは，くり返して引用される少数の成功事例だけであった。しかも，それらが本当に成功事例といえるかどうかさえ疑わしかった。たとえば「小

さな本社」を持つ海外の成功事例として，最もよく言及されたのはアセア・ブラウン・ボベリ（ABB）社であるが，同社は1990年代後半から経営不振に苦しんでいる。小さな本社がその不振のすべての原因というわけではないが，小さな本社が本当に有効かどうかは，長期的かつ多くのデータにより，厳密に検証されなければならない。

　ここでは質問票調査により得られたデータを用い，そのことを検証しよう。まず本章で本社の定義，役割を確認し，日本企業の本社の特徴を戦略論の観点から Goold らの枠組みを用いて議論する。

　続く第9章では，日本企業の本社組織が本当に大きいのかどうかということをデータをもとに確認する。日本企業の本社は一般に大きいと指摘されてきたが，本当に大きいのであろうか。この章では日本企業の本社組織はやはり大きいこと，特にイギリス企業と比較して大きいことが示される。さらに，日本企業の本社はなぜ大きくなるのか，そのメカニズムを明らかにする。具体的には，日本企業の本社機能と，それが果たしている役割を見ることにより，そのことを考察する。

　次の第10章では本社の規模と経営成果との関連を検討する。そこでは「大きな本社」の意義・機能についての理論的な検討がなされ，本社が大きいということが，経営成果の点から，必ずしも深刻な問題ではないということが指摘される。

　これらの課題を検討するために，第3章研究方法の章で述べた，本社の役割に関する調査結果を利用する。この調査は英国のアッシュリッジ戦略経営研究所（Ashridge Strategic Management Centre）が主導し，日米英など主要各国の大企業における本社の役割を明らかにする目的で行われた，国際的な比較研究プロジェクトである。本書では，このプロジェクトの成果を利用する。

　こうした調査が実施されたのは，1990年代半ばであった。本社の役割の見なおしをふくめ，全社レベルにかかわる経営改革の成果が出るには時間がかかる。この研究では，当時の取り組みがいかなる成果を生み出したのかを，中長期の視点から検討する。こうした検討から浮かびあがってくるのは，「小さな本社」論は一種の「流行」であり，それが経営成果を高めたとは必

ずしもいえないという事実である。

　また，2000年前後から特に観察される本社を巡る動きとして，本社傘下の事業部門のうち，別法人とされている子会社・関係会社と本社との関係の変化がある。たとえば，1999年以降，ソニーはソニー・ミュージックエンタテイメントやアイワなど，上場子会社の完全子会社化や社内への吸収を進めた。2000年以降に松下電器産業（当時）も，松下通信工業（当時）など主要な上場子会社の完全子会社化・組織再編を実施した。その後，「兄弟会社」である松下電工（当時）の発行済み株式の保有比率を31.8%から半数超に引きあげ，同社を子会社とした。

　こうした動きの背景を理解するには，本社と事業部門間の距離を測る概念が必要である。そのような概念のひとつに「集権化」あるいは「分権化」という概念があるが，そのような「集権化 – 分権化」の概念だけでは上記のような企業行動を説明するには不十分である。単に事業部に権限を移譲するという分権化の概念だけでなく，子会社という組織の外部化にともなう「制度的独立性」の概念（Ueno, Yoshimura and Kagono, 1999）を導入する必要がある。ここ数年，しばしば観察されるのは，本社（親会社）の持株比率を高め，事業部門の独立性を低下させようとする動きである。このような動きは一種の「流行」となっている観がある。

　そこでこの研究では，制度的独立性の高低がもたらすメリット・デメリットを検討することで，このような動きが日本企業にとって正しいことなのかどうかを検証する。これが，ここでの第2の課題である。

第2節　本社の定義

　本社の議論を行うには，まず本社の定義を明確にしておかなければならないが，本社とは何かを一言で定義するのは難しい。企業組織の本社は企業組織の歩みの中で形成されるものであり[4]，各企業においてそれぞれ異なった構造・機能を持っているからである。しかしながら，各研究者の定義をみることによって，ある一定の共通項をみつけることもできる。そこでいくつかの定義をみてみよう。

河野（1985）[5]によると「本社組織とは，企業全体を統合し，スタッフ部門をもって専門的助言を与え，さらに新事業などの革新を立案し，推進する部門」と定義され，その機能として「（イ）組織全体の統合機能，（ロ）専門スタッフとしての助言機能，（ハ）革新的計画の立案機能」が指摘されている。Chandler（1991）は本社の基本的な機能として，企業家的機能（価値創造）と管理的機能（損失防止）の2つを指摘している。

ここでの主たる対象は，河野（1985）やChandler（1991）もその存在意義を認めている，複数事業を営む大企業である。多様なバリエーションは当然に存在するものの，そうした複数事業を営む大企業が採用する組織形態としては，事業部制が支配的である。これを前提として考えた場合，本社が遂行すべき機能，あるいは本社において集中的に遂行することによって効果があるような機能は，大きく分けて次の3つ，あるいは4つが考えられる（Goold and Campbell, 1988）。それは，ガバナンス機能，戦略調整機能，その裏返しにある資源配分機能，そしてサービス機能である。それぞれどのような機能なのかを次にみていこう。

まず事業単位を統治するガバナンス機能である。事業単位のガバナンス機能とは，本社傘下の様々な事業が適切に経営されるように，ある種の牽制を加えていく機能である。具体的には財務，決算経理，内部監査，人事のような機能を含む。

次に戦略調整機能とは，企業全体の長期的な発展のために様々な事業部門の計画や活動の枠組みを決定し，調整を行っていく機能である。具体的には経営企画，経済・産業・経営調査，財務，予算管理，人事，営業企画・統制などの機能である。

この戦略調整機能と一対となっているのが資源配分機能である。事業部門が戦略を遂行するにあたって必須の資源である「カネ」，「ヒト」を調達・配分する機能である。ガバナンス機能によって過去の業績がモニターされ，将来の戦略遂行に必要な資源を本社が握っていることで，戦略調整機能は実効性を持つ。

最後にサービス機能とは，各事業部門の共通したサービス機能を本社に集中し，規模の経済を発揮することによって，高品質で効率的なサービスの提

供を実現する機能である。この機能としては財務，税務，人事，教育・訓練，福利厚生，法務，広報，購買・社内物流，流通・社外物流，不動産等の有形資産管理，特許・知的所有権等の無形資産管理，情報システム，総務・庶務・秘書業務が挙げられる。

　本社の存在価値は，これら3つ，ないし4つの機能を傘下の事業部門に対して適切に発揮することである。本社にしか提供できない機能の提供が，本社の「付加価値」の源泉である (Goold and Campbell, 1988 ; Goold, Campbell and Alexander, 1994)。株式市場を超えるガバナンス機能の提供，企業外部のサービス供給業者が提供し得ないサービスの提供を本社は求められている。このような機能が提供できなければ，本社の存在価値はない。

　製品・サービス市場での顧客獲得を目的として，競合企業に対する競争優位性をいかに形成し，持続させるかについては，これまで数多くの研究が重ねられてきた。Porterの数多くの研究をはじめとして，事業レベルでの戦略論については相当の深化がある。

　しかしながら，本社レベルでの戦略論，特に本社による事業部門への価値提供についての研究はまだまだ少ないのが現状である。競争優位の実現のためには，その形成過程への全社レベルからの関与が重要であることはPorter (1987) も主張するところである。Porter (1987) は事業部門間での技能の移転や諸活動の共有化などが，優位性の実現に貢献しうると議論している。

　競争優位の形成・維持の重要性はしばしば指摘されるが，それへの本社の貢献を体系的・具体的なレベルにまで深めた研究は少ない。その数少ない研究のなかで我々が注目するのが，Gooldを中心とする研究グループによるものである。彼らは，本社の役割を考えていくために，ペアレンティング (parenting) 機能という概念を提唱している (Goold, Campbell and Alexander, 1994 ; Goold and Collis, 2005)。

　彼らによると，各事業部門は独自に競争戦略を策定，実行している。この過程に本社が適切に関与し，影響力を及ぼすことで，事業業績の改善が可能となることがある。このとき，当該本社にはペアレンティングの優位性があるとする。

　では，本社が適切に事業に関与し，影響力を及ぼすためにはどのようなこ

とが必要となるのであろうか。ペアレンティングの優位性が発揮されるのはどのようなときなのであろうか。それは「小さな本社」によって発揮できるのであろうか。これらのことを考えるために，まず日本企業の本社の特徴から明らかにしておこう。

第3節 日本企業の本社の特徴

　日本企業の本社は，欧米企業の本社と比較して，いくつかの特徴を持っている。第1に，日本企業の本社は規模が大きいことである。後の比較分析からもわかるように，日本企業の本社は実際に大きい。なぜそうなるのかについては，後に詳しく検討を行う。

　第2の特徴は，日本企業は傘下にある事業を，社内の事業部門と社外の関係会社・子会社に分けて管理していることである。英米の企業では，社内の事業と社外の事業は統一的なやり方で管理・調整されている。それに対して，日本企業は，社内の事業と社外の事業とで，管理・調整の仕方を区別している。例外もあるが，一般的には，社内の事業に対しては，ガバナンスと戦略調整の双方に関してかなり強い機能を果たしている。一方社外の事業に関しては，ガバナンス機能のみを果たしている場合が多い。

　第3の特徴は，人事機能を本社に集中しているケースが多いことである。欧米でも，事業部門のトップクラスの人事は本社のトップ・マネジメントに集中しているケースが多いが，日本企業では，部長クラスさらには課長クラスの人事権が本社に集中している場合が多い。

　第4の特徴は，社内の事業部門の業績が売上高利益率で評価されることが多いことである。欧米では，事業部門の評価は，投資利益率で評価されることが圧倒的に多い。些細な違いのようにみえるかもしれないが，投資効率に対する考え方が大きく異なってしまうのである。この点に関しては，日本でも変更の動きが出てきている。カンパニー制を採用した企業の多くは，投資利益率で事業部門（カンパニー）の業績評価を行うようになっている。

第4節　日本企業の本社のタイプ

　分析を行うにあたり，アッシュリッジ戦略経営研究所の枠組みをもとに，日本の本社のタイプ分けを行っておこう。このタイプ分けのために，質問票の問10「本社と社内の事業グループ・事業単位との関係」についての項目が用いられた[6]。この質問項目の中で，アッシュリッジ戦略経営研究所の枠組みに関連する質問，すなわち計画による統制に関する質問と，財務統制に関する質問を用い，因子分析を行い，2つの因子を抽出した。質問の形式は，各項目に関して本社の影響の大小を4点尺度できいたものである。分析にはこの質問に対して回答のあった198社のデータが使用された。因子分析の結果，導出された因子負荷量は表8-1の通りである。

　因子分析の結果は当初の予想通り，計画による統制に関する質問と，財務統制に関する質問項目に分かれた。第1因子は利益目標の達成と業績評価に関する質問項目の因子得点が高く，この因子は財務成果による管理の因子と名付けられた。第2因子は設備投資や予算，計画に本社が強く関与することを示しており，計画による管理の因子と名付けられた。

　この2つの因子の符号に注目し，それによって対象企業を図8-1のように4つのセルに分けて，企業の本社のマネジメント・スタイルを判断し，分

表8-1　マネジメント・スタイルの因子分析

第1因子（財務成果による管理の因子）	因子負荷量
(18)　利益目標の達成と事業責任者の給与との関係	(0.871)
(19)　利益目標の達成と事業責任者のボーナスとの関係	(0.856)
(20)　利益目標の達成と事業責任者の配置転換との関係	(0.785)
(21)　業績評価に際して公式の評価基準が用いられる程度	(0.686)
第2因子（計画による管理の因子）	因子負荷量
(2)　主要な設備投資	(0.818)
(3)　予算案と財務目標の設定	(0.782)
(1)　中長期経営計画の策定	(0.780)
(4)　個別事業計画	(0.767)

注：1．各因子の番号は質問票の番号であり，文章は質問内容である。
　　2．詳細は付録C質問票C-4問10を参照。

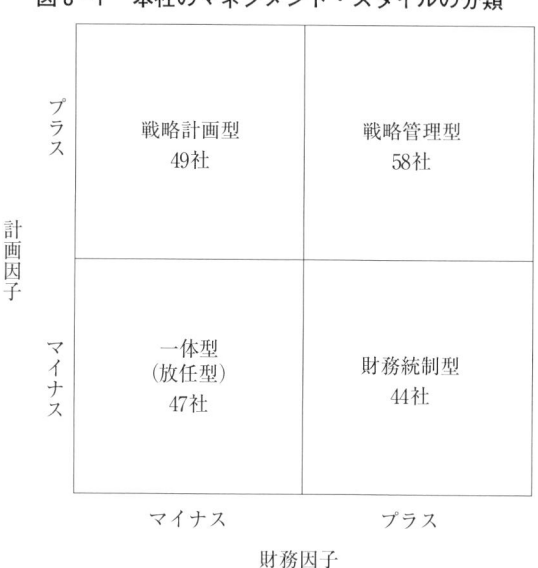

図8-1　本社のマネジメント・スタイルの分類

	財務因子 マイナス	財務因子 プラス
計画因子 プラス	戦略計画型 49社	戦略管理型 58社
計画因子 マイナス	一体型 （放任型） 47社	財務統制型 44社

類した。各セルに入る企業数は図に示すとおりである。この分類はこれ以降の分析において，適宜使用される。

第5節　小括

　本章では，日本企業の本社の問題が議論されるようになった背景を説明し，本社の定義を明らかにした。さらに本社がガバナンス機能，戦略調整機能，その裏返しの資源配分機能，サービス機能を持っていることを示し，日本企業の本社組織が持っている特徴を示した。そこでは日本企業が大きな本社を持っているとともに，その組織編成原理が欧米企業と異なっていることが示された。そのような本社組織の違いを明確に理解するための枠組みを「本社のマネジメント・スタイルの分類」として示した。これはGooldらの理論的な検討とともに，日本企業の質問票調査によっても導かれる合理的な分類であることが示された。この分類は次章以降の分析でも使用される。

注

1) 実務レベルの議論として日経ビジネス編（1993），日本経営者団体連盟広報部編（1996），樋口（1995）などがあげられる。もっとも，小さな本社ではなく，本社の機能に関する議論は1980年代から行われている。たとえば『組織科学』(Vol. 19, No. 3, 1985) で「企業組織の中枢機能」という特集が組まれ，菊池（1985），宮川・和田（1985），河野（1985），奥村（1985）などの論文が掲載されている。
2) 『日経ビジネス』1993年1月11日号, p. 10。
3) 欧米での議論としてChandler（1991），Campbell, Goold and Alexander（1995）などがあげられる。
4) 本社組織の形成過程については，Chandler（1962, 1990）を参照。複数職能を単一企業で遂行する際の調整手段として，そもそも本社組織が必要となり，その後，事業部制の採用によって，本社は全社的戦略機能に重点を移したことが論じられている。
5) 河野（1985），p. 15。
6) 質問の詳細については付録C 質問票C-4を参照。

第9章
本社の規模とその決定要因

第1節　はじめに

　ここでは質問票調査の結果をもとに，日本企業の本社規模の確認を行う。一般的に，欧米と比べると日本企業の本社は大きいといわれているが，このことを最初に確かめておこう。

　ここでは2つの調査を利用する。ひとつは我々が1996年に日本で行った調査であり[1]，もうひとつは先に述べたGooldを中心とするイギリスのアッシュリッジ戦略経営研究所（Ashridge Strategic Management Centre）が1992年にイギリスで行った調査である[2]。この調査では本社が遂行している機能の数，本社スタッフの数などが調べられている。このアッシュリッジの調査結果と日本企業の調査結果を比較し，日本企業の本社の特徴を探ることにしよう。これら2つの質問票調査により得られたデータをもとに，日本企業の本社の大きさをまず検討し，次章で成果との関係を議論する。

第2節　日本企業の本社規模

1．本社機能の観点から

　日本企業の本社は大きいのかどうかという問題を，日英比較によって検討しよう。まず単純に本社スタッフ数の比較を行ってみよう。それが表9-1である。

　表9-1によると，イギリス企業の本社スタッフ数の中央値は82人で，日

本企業の中央値は225人である。およそ3倍の違いである。単純に日本企業の本社組織はイギリス企業と比較して大きいといえる。

ではその中身をみていこう。企業の本社が担当している機能数を日英で比較した度数分布表が，表9-2である。この表では本社の遂行する機能数を数え，5つの階級を作り，その階級に含まれる企業の数とその比率が示されている。

表9-2によると，イギリス企業では11から15の機能を本社が担当している企業が最も多く，日本では16から20の機能を本社が担当している企業が最も多い。またイギリスでは6から10の機能しか本社が担当していない企業が

表9-1　日英企業の本社スタッフ数比較

(人)

イギリス企業			日本企業		
第1四分位数	中央値	第3四分位数	第1四分位数	中央値	第3四分位数
30	82	181	147	225	361

表9-2　日英企業の本社の機能数比較

		本社の機能数					
		1-5	6-10	11-15	16-20	21-25	計
イギリス	事業部制		20 (22.0%)	39 (42.9%)	29 (31.9%)	3 (3.3%)	91 (100.0%)
	職業別組織			3 (42.9%)	2 (28.6%)	2 (28.6%)	7 (100.0%)
	全体		20 (20.4%)	42 (42.9%)	31 (31.6%)	5 (5.1%)	98 (100.0%)
日本	事業部制			17 (11.5%)	81 (54.7%)	50 (33.8%)	148 (100.0%)
	職業別組織	1 (1.7%)		7 (11.9%)	35 (59.3%)	16 (27.1%)	59 (100.0%)
	全体	1 (0.5%)		24 (11.6%)	116 (56.0%)	66 (31.9%)	207 (100.0%)

20社（約20％）もあるのに対して，日本企業ではそのような企業はない。このような結果から，日本企業の本社はイギリス企業の本社よりも平均的に多くの機能を担当していることがわかる。

　このことは何を意味するのであろうか。日本企業の本社が多くの機能を担当しているということは，日英において単に本社の大きさが違うというだけでなく，本社が異なった性格を持ち，違う役割をはたしているということを示している。

　では，どのように違うのか。具体的にどのような機能に違いが現れているかをみることによって，このことを考えてみたい。本社の機能別に，その機能を担当している企業の比率をみたのが図9-1と図9-2である。

　図9-1がイギリス，図9-2が日本の結果である。これをみるとイギリスでは，多事業企業において本社が担当する機能はかなり少ない。多事業企業は本社機能のスリム化が非常に進んでいるといえる。専業企業では比較的多くの機能を担当しているものの，それでも「総務」，「人事」機能を担当している企業が少ないのは特徴的である。

　日本では専業企業，多事業企業に関係なく，多くの機能を担当している。多事業企業が専業企業に比べて特に低いのは「営業企画」ぐらいである。そのほかは，多事業企業でも多くの機能を担当しており，特にイギリスでは低くなっている「人事」，「総務」の機能を，日本の本社は非常に高い比率で担当している。

　イギリスの企業，特に多事業企業が多くの機能で低い値を示しているのは，コングロマリットや持株会社といった形態が多く，各機能を各事業に任せていることが考えられる。それに対して日本企業は人事権をはじめとして，多くの機能を本社に集中させている。一般的に指摘されている，日本企業の本社の大きさが，データによって明らかにされた。

　日英の違いは，本社機能担当比率を頻度順に並べた図9-3からも明らかである。これとイギリスの頻度順のグラフ（図9-1）を比べると，イギリスでは「法務」の順位が高く「人事」が低い。イギリスでは人事機能を持たない本社はあるが，法務機能を持たない本社は少ないということを示している。逆に日本では「人事」が高くて，「法務」が低い。法務機能を持たない

図9－1　機能担当比率（イギリス）頻度順

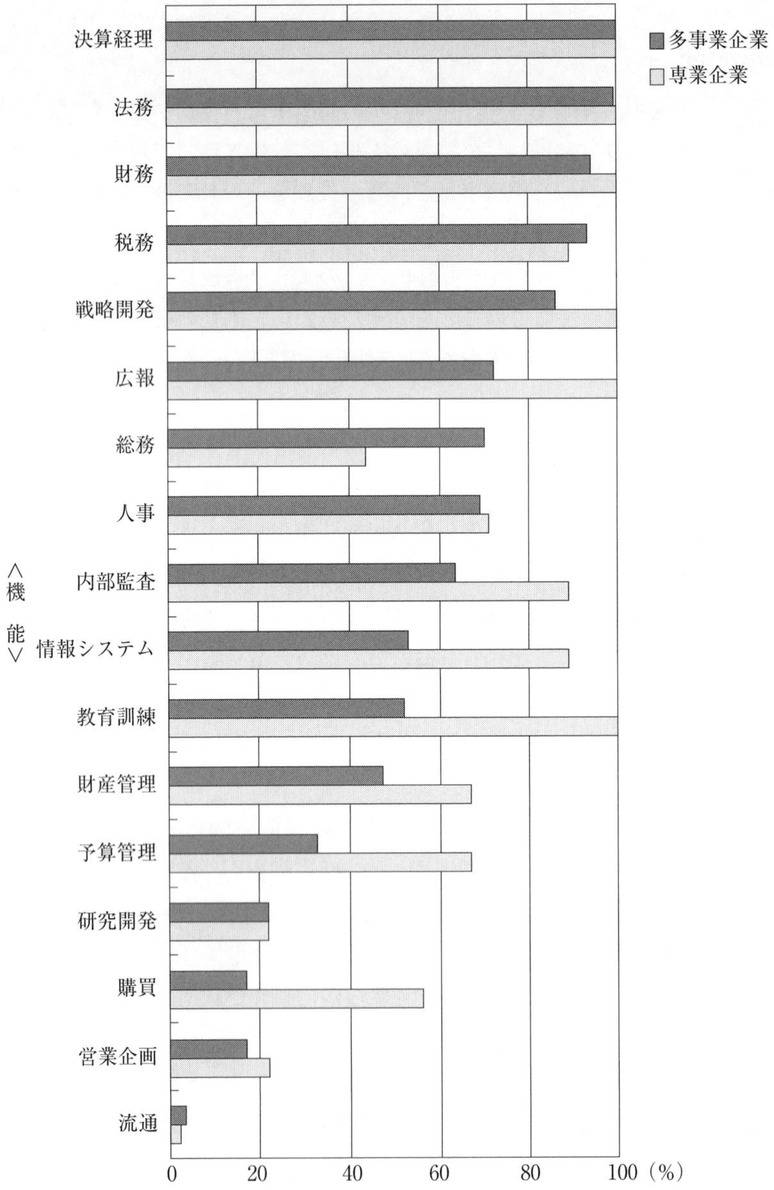
決算経理
法務
財務
税務
戦略開発
広報
総務
人事
内部監査
情報システム
教育訓練
財産管理
予算管理
研究開発
購買
営業企画
流通
〈機能〉
0
20
40
60
80
100（%）
多事業企業
専業企業

注：多事業企業の頻度順で並べている。

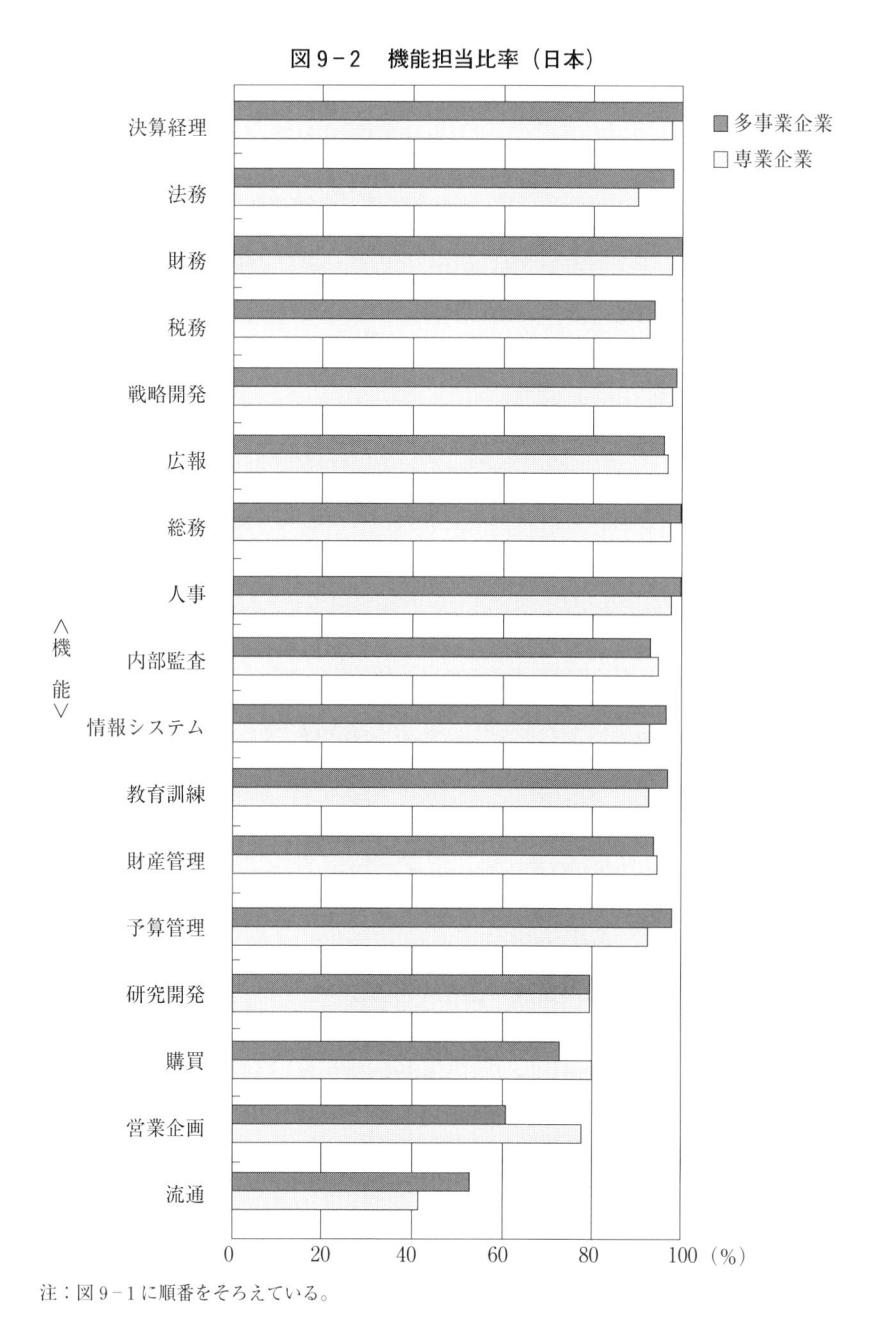

図 9-2 機能担当比率（日本）

■ 多事業企業
□ 専業企業

〈機能〉
- 決算経理
- 法務
- 財務
- 税務
- 戦略開発
- 広報
- 総務
- 人事
- 内部監査
- 情報システム
- 教育訓練
- 財産管理
- 予算管理
- 研究開発
- 購買
- 営業企画
- 流通

注：図 9-1 に順番をそろえている。

第 9 章　本社の規模とその決定要因

図9-3 機能担当比率（日本）頻度順

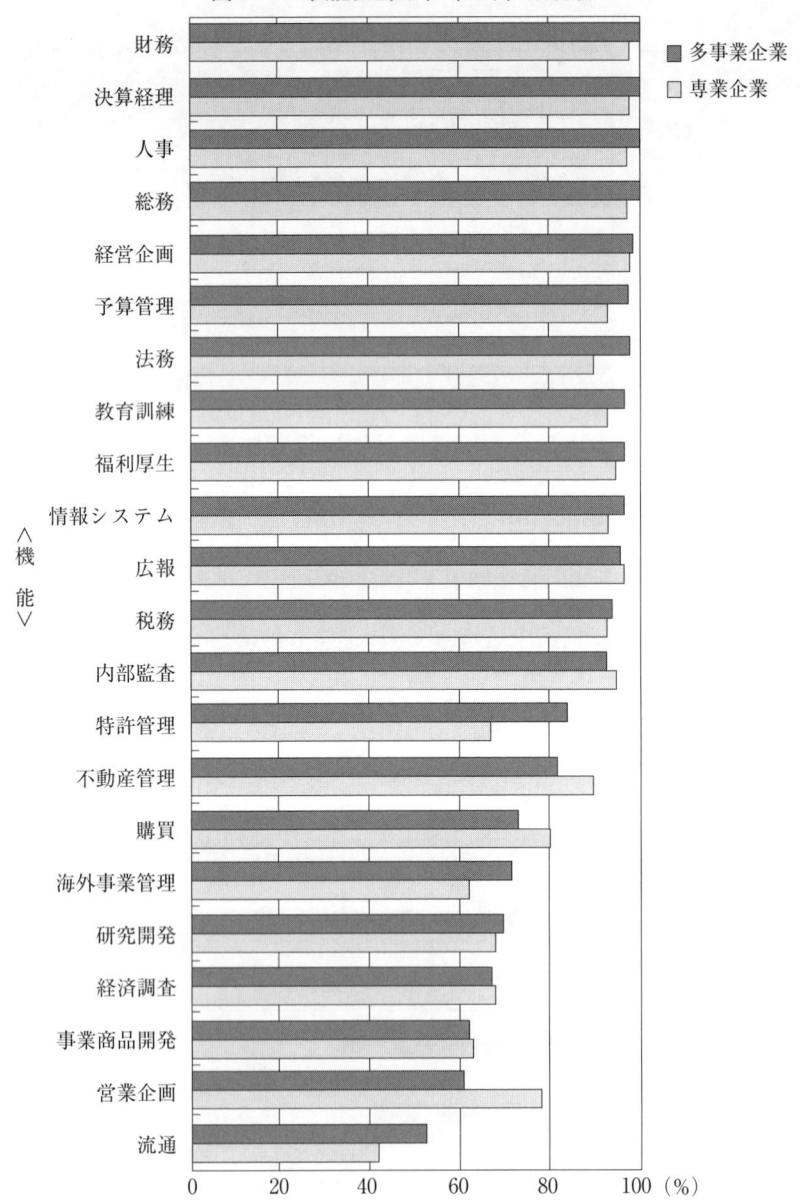

■ 多事業企業
□ 専業企業

〈機能〉
- 財務
- 決算経理
- 人事
- 総務
- 経営企画
- 予算管理
- 法務
- 教育訓練
- 福利厚生
- 情報システム
- 広報
- 税務
- 内部監査
- 特許管理
- 不動産管理
- 購買
- 海外事業管理
- 研究開発
- 経済調査
- 事業商品開発
- 営業企画
- 流通

注：多事業企業の頻度順に並べている。

本社はあるが，人事機能を持たない本社はほとんどないといってよい。日本企業がいかに人事機能を重視し，本社に人事権を集中させているかがよくわかる。日本企業にとって組織運営上，人事機能は非常に重要なものとなっている。

また，イギリスでは特に低い「研究開発」や「営業企画」も日本では高い比率である。研究開発機能を本社内にとどめておくことによって，日本企業はモノづくりを重視している姿勢を内外に示しているといえる。日本で比較的低い値を示しているのは「購買」，「流通」といった機能である。このようなサービス的な機能については，子会社形態をとったり，外部へ委託したりする可能性が高いといえる。日本企業の本社組織の構築に関しても，やはり論理がある。

2．日本企業の本社機能はなぜ多いのか

ではなぜ日本企業の本社は担当している機能が多いのか。それを探るひとつの手段として，各機能の担当情況が規模，産業（製造業か非製造業か），組織構造といった企業の属性によってどのように変わるかをみてみよう。それによって日本企業の本社の担当機能数の増加が，どのような要因によって引き起こされているかがわかる。

まず第1に規模による違いである。サンプル企業を従業員数が1万人を超えるか，それ以下かで2つのグループに分け，2つのグループ間の差異を検討した。それが図9-4である。規模別にみると，大規模企業は総じて本社機能が多い。常識的に考えて，本社の大きさは規模によって規定される部分が多く，規模が大きいと担当機能も必然的に多くなると考えられ，これは納得できる結果である。

では，具体的にどのような機能が規模の大小によって本社に担当されたり，されなかったりするのであろうか。図9-4によると，特に大企業の方が多いのは「経済調査」，「購買」，「不動産管理」，「特許管理」である。企業規模の大きさは，経営資源の多さをも同時に意味する。大企業は多くの経営資源を持っているために，これらの機能を専門に行う部署，本社スタッフが必要になってくるのであろう。

図9-4 規模別機能分布（日本）

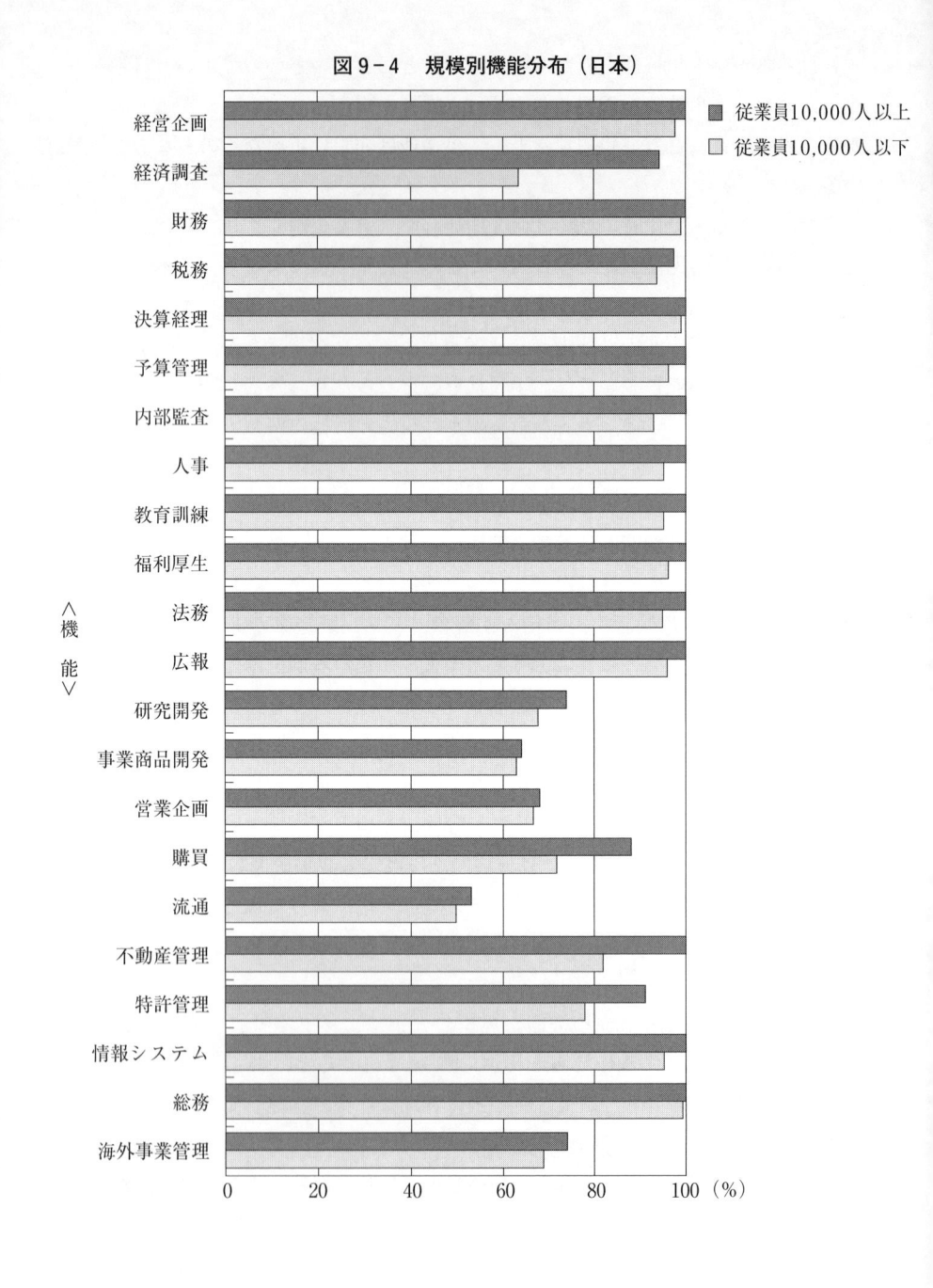

■ 従業員10,000人以上
□ 従業員10,000人以下

〈機能〉

- 経営企画
- 経済調査
- 財務
- 税務
- 決算経理
- 予算管理
- 内部監査
- 人事
- 教育訓練
- 福利厚生
- 法務
- 広報
- 研究開発
- 事業商品開発
- 営業企画
- 購買
- 流通
- 不動産管理
- 特許管理
- 情報システム
- 総務
- 海外事業管理

190　第Ⅲ部　本社の役割

逆に従業員1万人以下の企業は，これらの機能が明確に区分されていないことが多い。担当していないのではないが，質問票の回答には表われてこない可能性もある。ただ「経済調査」のような現場の経営に直接的に関係しないような機能，あるいはある程度の能力，資源が要求されるような機能は，中規模以下の企業では実行そのものが困難になってくると思われる。

次に製造業か非製造業かの違いによって，担当機能の違いをみてみたのが図9-5である。製造業とは食品，化学，金属，機械，電機・精密機器，輸送用機械であり，非製造業は建設，卸売業，小売業，通信・輸送・サービスである。製造業と非製造業の2つに分けるのは，多少乱暴かもしれない。製造業と一口にいっても，その特性は産業間でかなり異なる。ただこのような大まかな区分でみても，納得できる，興味深い特徴はいくつかある。

これによると，製造業の本社は「研究開発」，「購買・社内物流」，「流通・社外物流」，「特許管理」機能を担当していることが多い。一方「営業企画」は少ない。製造業が研究開発機能を本社に取り入れ，それに対して，非製造業が取り入れていないのは，製造業の技術重視のあらわれであり，納得のいく結果である。これらの機能は，やはり産業特性が大きく関わってくるところであると考えられる。また非製造業で扱うのは物財ではなくサービスであり，顧客に受け入れられるために必要となる機能は，ものを作るという研究開発機能ではなく，サービスを提案するという営業企画機能である。製造業では基本的にはいいものを作れば売れる，ということがあるのかもしれない。つまり製造業ではものづくりが重視されているといえる。このような業界特性が本社機能を規定している部分は多いと考えられる。

次に，組織構造による違いである（図9-6）。これによると，マトリックス制組織構造を採用している企業の本社は「経済調査」機能を担当している場合が多い。また組織が複雑になるほど，「海外事業管理」は多く，「営業企画」は少なくなる。

これはマトリックス制をとっているから「海外事業管理」を本社が担当するのではなく，「海外事業管理」を本社が担当している企業，つまり海外事業を多く持っている企業が，組織構造として事業部制やマトリックス制をとることが多いからであると考えられる。組織構造が本社の機能を規定してい

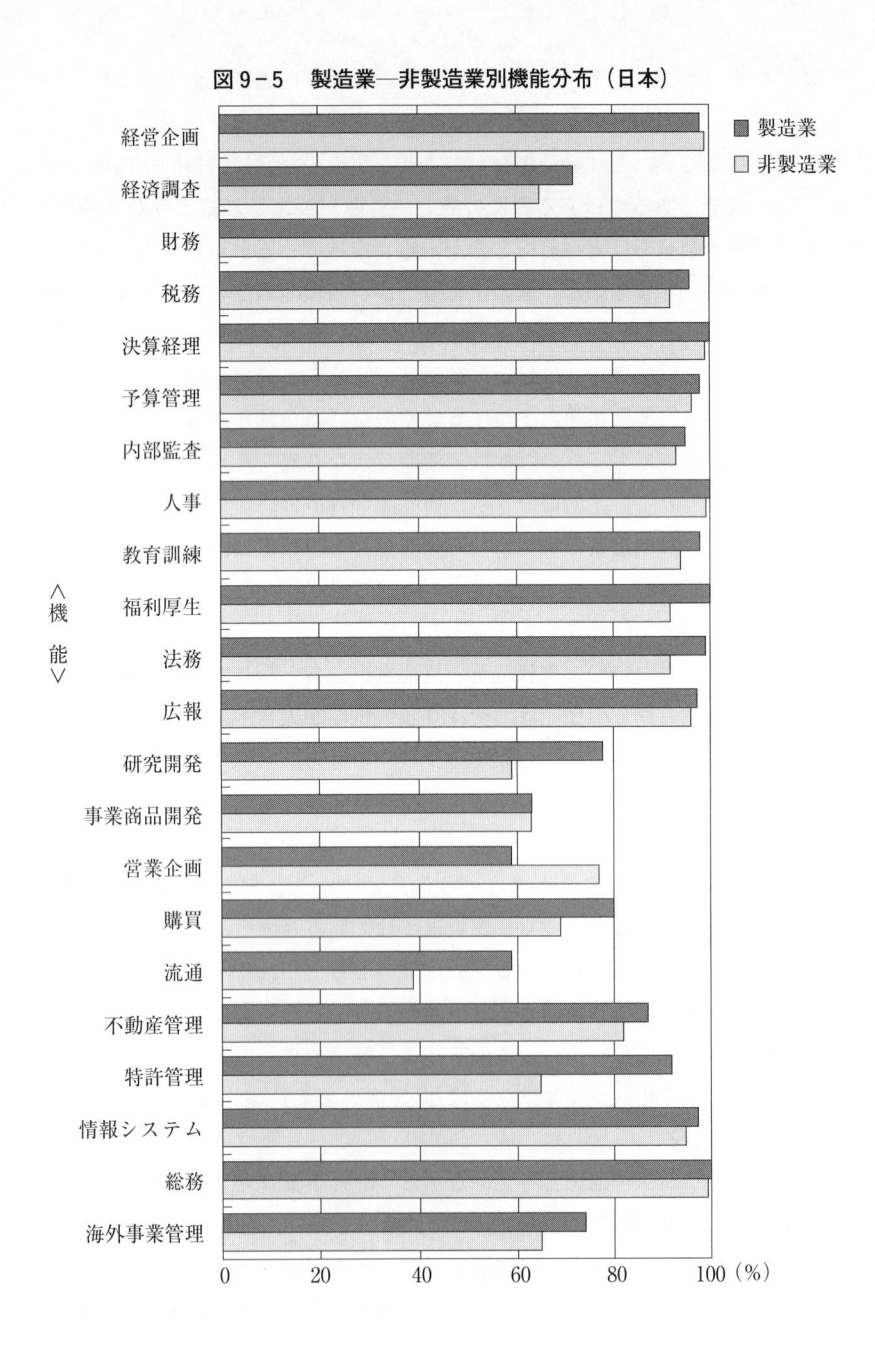

図9-5 製造業―非製造業別機能分布（日本）

〈機能〉

- 経営企画
- 経済調査
- 財務
- 税務
- 決算経理
- 予算管理
- 内部監査
- 人事
- 教育訓練
- 福利厚生
- 法務
- 広報
- 研究開発
- 事業商品開発
- 営業企画
- 購買
- 流通
- 不動産管理
- 特許管理
- 情報システム
- 総務
- 海外事業管理

■ 製造業
□ 非製造業

図9-6 組織構造別機能分布（日本）

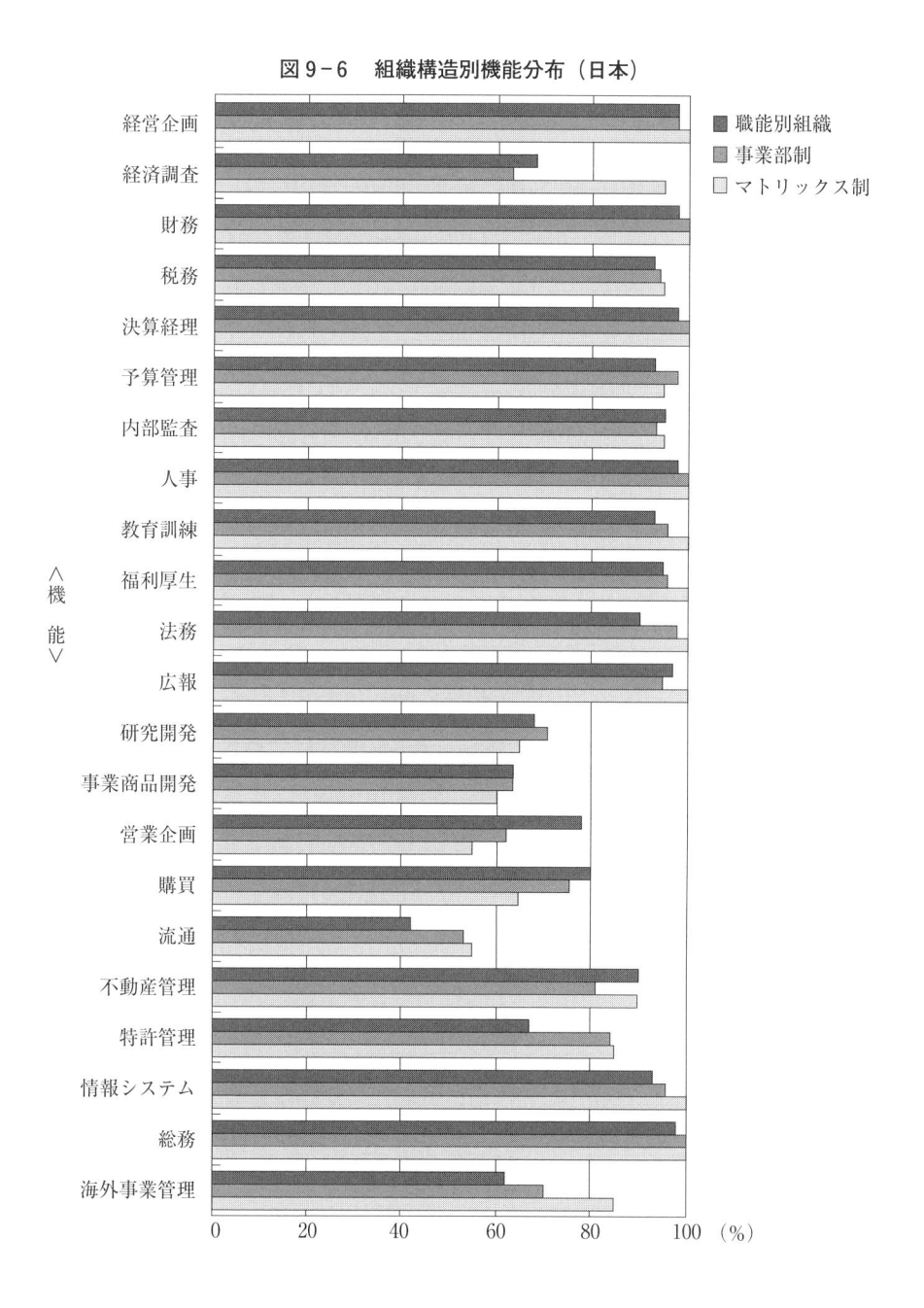

■ 職能別組織
■ 事業部制
□ マトリックス制

〈機能〉
- 経営企画
- 経済調査
- 財務
- 税務
- 決算経理
- 予算管理
- 内部監査
- 人事
- 教育訓練
- 福利厚生
- 法務
- 広報
- 研究開発
- 事業商品開発
- 営業企画
- 購買
- 流通
- 不動産管理
- 特許管理
- 情報システム
- 総務
- 海外事業管理

（％）

第9章　本社の規模とその決定要因

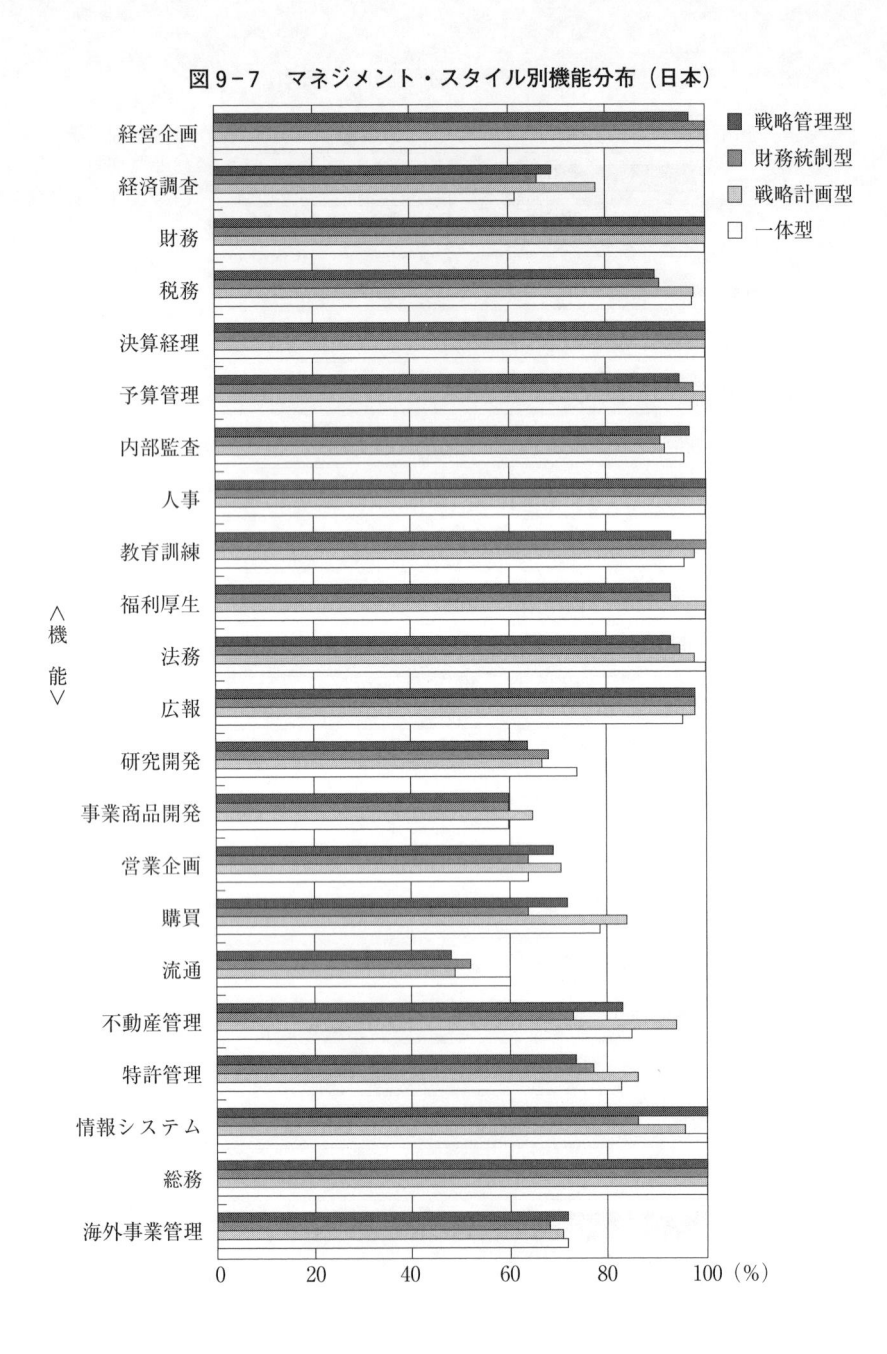

図9-7 マネジメント・スタイル別機能分布（日本）

■ 戦略管理型
■ 財務統制型
□ 戦略計画型
□ 一体型

〈機能〉

経営企画
経済調査
財務
税務
決算経理
予算管理
内部監査
人事
教育訓練
福利厚生
法務
広報
研究開発
事業商品開発
営業企画
購買
流通
不動産管理
特許管理
情報システム
総務
海外事業管理

るのではなく，事業の展開形態が，組織構造を規定していると考えられる。一方，職能別組織構造を採用する企業は，「営業企画」を本社内におき，集権的な管理体制を維持している。

次にマネジメント・スタイルの違いである（図9-7）。これは第8章で述べた戦略管理型，財務統制型，戦略計画型，一体型（放任型）による違いである。図9-7によると戦略計画型が「経済調査」機能を持ち，分析を重視している姿がうかがえる。財務統制型は「購買」，「不動産管理」，「情報システム」といったサービス機能を減らし，欧米型に近いといえるであろう。このことは，本社がどのような機能を担当するかは，マネジメント・スタイルといった要因にも影響を受けるということを示している。

以上のことから，日本企業の本社機能については，次のようにまとめられる。日本は全般的に多くの機能を本社が担当している。特に日本企業にとって人事機能は重要であり，ほとんどすべての企業の本社部門にその機能を担当するスタッフがいる。ここから日本企業の人事機能の集中化がうかがえる。また，研究開発機能の集中化は，技術，工学，ものづくりという機能が，日本企業にとっていかに重要かを示している。またこのことは，本社が現業に近い位置にあるともいえるであろう。

また，いくつかの機能に関しては本社が担当していない場合もあったが，どのような機能が本社の担当外になるかは，企業の属性（規模，業種，組織構造，マネジメント・スタイル）によって異なってくることが明らかとなった。本社機能の追加，削減といった再構築を考える場合には，企業の属性をも考慮した改革が必要であるといえる。

第3節　本社スタッフ数の比較

これまでにみたように，日本企業の本社は多くの機能を担当していた。ではその機能に従事する本社スタッフ数はどうであろうか。日本企業は，イギリスの企業に比べて本社スタッフ数が多いのであろう。また多いとすれば，どのような機能の本社スタッフ数が多いのであろうか。

この点についても，アッシュリッジ戦略経営研究所の結果との比較分析に

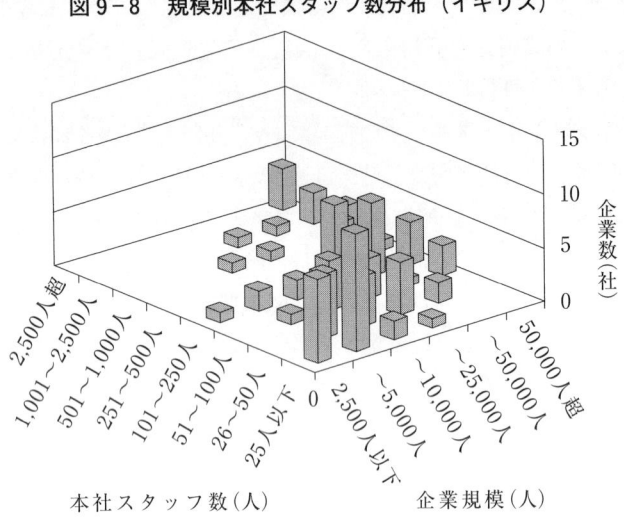

図9-8　規模別本社スタッフ数分布（イギリス）

より検討を行う。本章のはじめに，単純な本社スタッフ数の比較を行ったが，ここでは企業規模の違いを考慮に入れて比較してみよう。

まず，本社スタッフの合計が，企業の規模によって，どのように分布しているかをみてみよう。多事業企業について，企業規模と本社スタッフ数によるクラス分けを行い，各クラスの度数分布をみたのが図9-8と図9-9である。

図9-8はアッシュリッジ戦略経営研究所によるイギリス企業の結果を，図9-9は日本企業の結果を表している。これによると，日本企業はイギリス企業と比べて相対的に企業規模が小さいので，単純な比較はできないものの，全体的に本社のスタッフ数は左側にシフトしている。すなわち，日本企業はイギリスの企業に比べて，多くの本社スタッフを抱えていることがわかる。

このような本社スタッフ数の違いは，どのような機能の本社スタッフ数の違いから生まれるのであろうか。次に，各機能の本社スタッフ数の違いを検討してみよう。

イギリスの企業を調べたアッシュリッジ戦略経営研究所の結果が表9-3

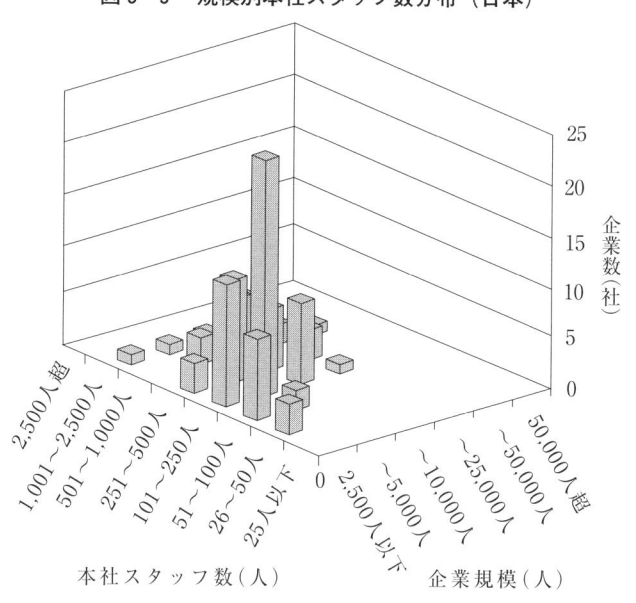

図9-9 規模別本社スタッフ数分布（日本）

であり，日本企業を調べた我々の結果が表9-4である。日英で，質問項目が若干異なるため，質問項目の調整を行っている。比較のためにイギリスにおける「戦略開発」機能は，日本では「経営企画」と「経済調査」を足したものを，イギリスの「研究開発」機能は日本では「研究開発」と「事業商品開発」を足したものを，イギリスの「財産管理」は日本では「不動産管理」と「特許管理」を足したものを比較した。

　日英企業で本社スタッフ数は，どのように異なっているのであろうか。日本企業は具体的にどのような機能を重視しているのであろうか。各機能を担当している本社スタッフ数の比較をしてみよう。

　表9-3と表9-4は，各機能を担当する本社スタッフ数の順にデータを配列した場合の中央値と四分位数を示した表である。それによると日本企業はイギリス企業に比べ，ほとんどの機能において本社スタッフ数が多いことがわかる。特に人事機能のスタッフや研究開発機能の本社スタッフが多い。またイギリス企業は，第1四分位数に位置する企業では，多くの機能で，1人

表9-3 機能別本社スタッフ数（イギリス）

(人)

	多事業企業			専業企業		
	第1四分位数	中央値	第3四分位数	第1四分位数	中央値	第3四分位数
財務	1	3	6	3	7	41
税務	1	3	7	3	7	15
決算経理	4	10	17	8	27	168
予算管理	2	6	32	11	22	77
財務合計	8	17	38	29	100	294
人事	2	2	5	−	2	−
教育訓練	2	4	12	4	19	38
その他，福利厚生	2	4	9	−	11	−
人事合計	5	15	32	26	75	209
法務	2	7	15	13	30	40
広報	2	5	14	6	20	39
戦略開発	2	4	10	7	20	36
内部監査	3	8	17	10	30	57
営業企画	2	6	14	−	−	−
研究開発	−	10	72			
流通	−	49	−			
購買	2	4	34	−	93	−
財産管理	2	4	11	10	208	1533
情報システム	2	13	50	122	258	1564
総務	4	10	22	−	82	−
総計	30	82	181	223	1124	2569

注：各項目の合計はその機能の合計に関して四分位数と中央値を計算しているため，各項目の合計とは一致しない。

や2人の担当者しかいない。日本ではそのような企業は少数である。イギリスでは1人あるいは2人である特定の機能を担当している企業も少なくないが，日本企業ではそのような企業はまれである。少なくとも5，6人で担当している。

さらに詳しく，機能別のスタッフ数を見てみよう。表9-3，表9-4によると，日本がイギリスに比べて特に多いのは，「財務」，「営業企画」，「研究

表9-4　機能別本社スタッフ数（日本）

(人)

	多事業企業				専業企業			
	第1四分位数	中央値	第3四分位数	平均	第1四分位数	中央値	第3四分位数	平均
財務	5	9	13	14	5	8	13	12
税務	2	3	6	5	2	4	7	6
決算経理	6	10	15	14	6	10	18	17
予算管理	3	5	7	6	2	5	10	8
財務合計	20	29	40	39	16	30	52	42
人事	7	12	20	18	6	11	23	22
教育訓練	3	5	8	10	3	6	20	15
その他，福利厚生	3	6	11	10	3	7	14	15
人事合計	11	17	29	27	9	17	48	36
法務	2	5	8	7	2	4	8	7
広報	3	5	10	7	3	8	14	12
戦略開発(経営企画＋経済調査)	7	9	16	14	8	18	49	32
内部監査	3	4	6	5	2	4	9	8
営業企画	6	17	31	39	9	21	55	107
研究開発(研究開発＋事業商品開発)	10	35	118	128	17	33	70	107
流通	7	15	38	32	7	14	19	15
購買	7	19	32	36	7	18	44	40
財産管理(不動産管理＋特許管理)	7	12	23	19	4	8	17	20
情報システム	15	29	51	43	16	31	69	53
総務	12	19	30	25	10	15	37	50
(以下日本の調査のみの項目)								
経営企画	4	6	10	8	5	7	22	16
経済調査	1	3	4	5	3	5	14	13
事業商品開発	5	21	62	92	6	15	20	25
不動産管理	1	3	5	5	2	6	9	8
特許管理	2	8	19	13	2	3	8	12
海外事業管理	4	8	15	14	5	14	30	25
総計	147	225	361	385	156	269	431	472

注：各項目の合計はその機能の合計に関して四分位数と中央値を計算しているため，各項目の合計とは一致しない。

開発」,「情報システム」などである。なぜこれらの機能のスタッフが特に多いのであろうか。

　日本では「研究開発」については，現業の研究開発スタッフも本社スタッフとして数えられている場合が多い。そのためにイギリスと単純に比較することはできず，この結果だけをもって確かなことはいえない。ただ人数が多いということと，さらに現業の研究開発スタッフも本社スタッフの中に含めるということの両方で，日本企業がいかに研究開発機能を重要視しているかがうかがえる。これは先にも述べたように，おそらくは日本企業のものづくりへのこだわりが大きく影響していると考えられる。さらには，日英間の工学技術に対する評価の違いといったことも考えられる。日本では工学技術に対する評価が欧米と比べて高いといわれている。

　ただ本社機能を果たすスタッフ数の分析という観点からは，現業の研究開発スタッフ，事業商品開発スタッフを含めるのは適切ではない場合もあるかもしれない。ただサンプル数に比べてそのような企業は数が限られており，分析結果は大きくは変わらないが，以後の分析では，研究開発と事業開発のスタッフを本社スタッフに含めた場合と除いた場合の分析を適宜使い分けることにする。

　もうひとつの大きな違いが日本企業の情報システム・スタッフの多さである。これは，情報システムの構築に対する日本企業の前向きな姿勢のあらわれといえるかもしれないが，おそらくは日本企業の情報システムの立ち後れからくるものであろう。情報システムのようなものは一度構築すると，あとは日々の運用・維持と定期的な更新であり，それにはそんなに多くのスタッフを必要とするわけではない。日本企業はまだまだ情報システムの構築段階であり，そのために多くのスタッフを抱えていることが予想される。

　以上のスタッフ数の日英比較から，日本企業は全般的に多くの本社スタッフを抱えていることがわかった。それらのスタッフはイギリス企業のスタッフ数の絶対値からみて，おそらくは最低限必要な人数を大きく上回っているものと思われる。それは日本企業の人材育成の方法，さらには日本の労働市場の未発達といった構造的な問題にまで関係してくるものと考えられる。いいかえると，ある機能を担当する人材の育成をその企業独自で行うか，外部

に委託するかということに関係しているのである。

　日本企業では，業務の遂行と並行して教育・訓練を行うという，いわゆるOJT（On-the-Job Training）が盛んである。これに対して欧米では，スペシャリストを育てるのが一般的であり，労働市場も発達し，外部からの人材獲得が容易である。よって，現在必要なスタッフだけをそろえておけばよい。

　それに対して，日本では労働市場は未発達で，人材の多くはゼネラリストとして育っており，従業員が身につけた技術は，その企業でしか通用しない。よって外部からの人材獲得が困難であり，自前で人材育成を行わなくてはならない。日本ではOJTにみられるように，仕事をしながら人材の育成を行っており，そのため必要以上のスタッフを抱えることになるのである。この表に現れた結果はこのような日英の労働市場，ならびに人事政策に大きくかかわっているといえる。

第4節　本社規模の決定要因の枠組み

　本節では日本企業の本社規模，特に本社のスタッフ数がどのような要因によって決定されるか，そしてその本社の規模の決定要因を考えた場合，適正な規模はどのように決定されるべきかを検討する。

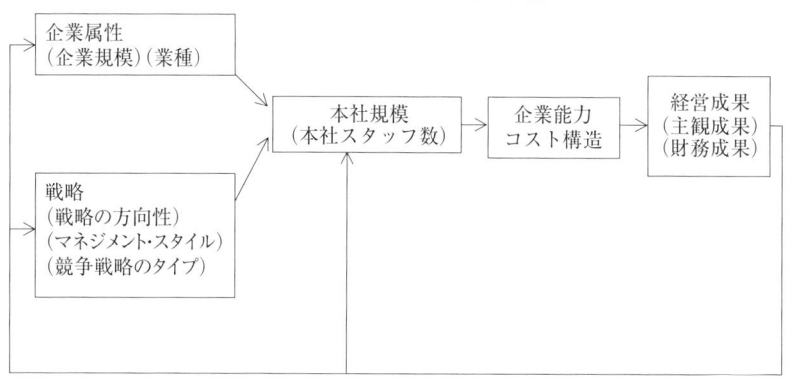

図9-10　本社規模と成果の関係

```
┌─────────────┐
│ 企業属性      │
│（企業規模）（業種）│──┐
└─────────────┘  │
                  ▼
        ┌──────────┐   ┌──────────┐   ┌──────────┐
        │ 本社規模   │──▶│ 企業能力  │──▶│ 経営成果   │
        │（本社スタッフ数）│   │ コスト構造│   │（主観成果） │
        └──────────┘   └──────────┘   │（財務成果） │
                  ▲                    └──────────┘
┌─────────────┐  │
│ 戦略         │──┘
│（戦略の方向性）│
│（マネジメント・スタイル）│
│（競争戦略のタイプ）│
└─────────────┘
```

ここでの基本的な仮説は，企業の属性や戦略が，本社の規模を規定し，本社の規模が企業の能力，コスト構造に影響を与え，最終的に企業の成果に影響を与えるというものである（図9-10）。もちろん企業の成果によって，本社規模が見直されたり，経営戦略が見直されたり，より長期的には企業属性が見直される場合もある。そのような方向の作用は，図ではフィードバックの矢印で描かれている。

　この章で用いられる変数は，図9-10にもあるように，本社規模として本社スタッフ数を，企業の属性として企業規模（単体従業員数，グループ従業員数，売上高）と業種（製造業‐非製造業）を，戦略変数として戦略の方向性とマネジメント・スタイル，競争戦略のタイプを，経営成果として主観的成果と客観的成果（財務成果）を用いる[3]。

　戦略変数は各質問項目の因子分析の結果である。全社的な戦略の方向性の因子分析の結果，ひとつの因子を抽出した。因子負荷量は以下の表9-5の通りであり，この因子は積極戦略因子と名付けられた。

　マネジメント・スタイルは第8章で述べた通り，財務統制因子と，計画統

表9-5　戦略の方向性の因子分析

第1因子（積極戦略因子）	因子負荷量
新規事業への進出	0.826
事業の増減	0.738
主力事業の投資	0.519

表9-6　競争戦略の因子分析

	因子負荷量
第1因子（フォロワー戦略因子）	
（6）自社に有利な市場セグメントを見つけ，競合他社との共存を目指す	0.834
（7）新製品，新市場開発のリスクを回避しフォロワーの利益を追求する	0.609
（3）特定の市場に自社の資源を集中する	0.549
第2因子（リーダー戦略因子）	
（4）業界リーダーとして立場を維持する	0.786
（5）競合他社に同一市場で正面から対決する	0.571
（2）競合他社にないユニークな製品の提供を目指す	0.526

注：カッコ内の番号は質問票の番号である。付録C質問票C-4参照。

制因子の2つの因子が抽出された[4]。

競争戦略からは2つの因子が抽出された。因子負荷量は以下の表9-6の通りで，それぞれフォロワー戦略因子とリーダー戦略因子と名付けられた。

成果変数としては質問票による主観成果と客観的な財務成果を用いた。主観的成果変数は成果に関する質問項目の問59の単純平均を求め，その平均値より大きいか小さいかで好業績企業と低業績企業に分けた。以上の変数間の関係をみることで，適正な本社規模を探りたい。

第5節　本社規模の決定要因

前節でみたように，OJTによる教育システムが日本企業の本社を大きくしている可能性は考えられるが，本社の規模を規定している最も大きな要因は，やはり企業規模であろう。企業規模と本社の大きさは前章の比較分析でも，若干示されていたが，企業規模は本社規模の決定要因として最も大きなものと考えられる。企業はその規模の拡大に応じて，本社機能を拡大し，本社スタッフをそろえる必要があるからである。

本社の規模を決定する要因として考えられるのは，そのほかにも業種や戦略がある。本社の規模は産業によっても異なってくるであろうし，企業の戦略，方針によっても異なってくることが考えられる。ここではそれらの変数間の関係をみてみよう。

まず機能別スタッフ数と企業規模の関係をみてみよう。本研究では，本社

表9-7　機能の分類

ガバナンス機能 　財務，決算経理，内部監査，人事
戦略調整機能 　経営企画，経済・産業・経営調査，財務，予算管理，人事，営業企画・統制，（研究開発，事業・商品開発）
サービス機能 　財務，税務，人事，教育・訓練，福利厚生，法務，広報，（研究開発），購買・社内物流，流通・社外物流，不動産等の有形資産管理，特許・知的所有権等の無形資産管理，情報システム，総務・庶務・秘書

表9-8 変数間の相関

	(1)	(2)	(3)	(4)	(5)	(6)	(7)	(8)	(9)	(10)	(11)	(12)	(13)	(14)
(1) 全スタッフ対数	1.000													
(2) 全スタッフ対数（研究開発・事業商品開発除く）	0.946	1.000												
(3) ガバナンス・スタッフ対数	0.722	0.806	1.000											
(4) 戦略スタッフ対数	0.942	0.819	0.626	1.000										
(5) 戦略スタッフ対数（研究開発・事業商品開発除く）	0.821	0.893	0.803	0.786	1.000									
(6) サービス・スタッフ対数	0.975	0.926	0.712	0.893	0.754	1.000								
(7) 従業員対数	0.737	0.784	0.657	0.632	0.684	0.747	1.000							
(8) グループ従業員対数	0.674	0.736	0.626	0.568	0.648	0.686	0.907	1.000						
(9) 売上高対数	0.588	0.676	0.707	0.522	0.694	0.579	0.662	0.661	1.000					
(10) 財務統制因子	-0.016	-0.019	0.068	0.010	0.020	-0.055	-0.046	-0.074	0.047	1.000				
(11) 計画統制因子	-0.099	-0.038	0.010	-0.098	0.037	-0.095	-0.040	-0.110	0.058	0.001	1.000			
(12) 積極戦略因子	0.159	0.177	0.201	0.135	0.158	0.157	0.111	0.064	0.139	0.093	0.064	1.000		
(13) フォロワー戦略因子	-0.084	-0.109	-0.036	-0.063	-0.084	-0.076	-0.096	-0.077	-0.135	0.039	-0.007	-0.070	1.000	
(14) リーダー戦略因子	0.183	0.159	0.138	0.142	0.057	0.201	0.055	-0.030	-0.028	0.001	-0.040	0.067	-0.002	1.000

の機能をガバナンス機能，戦略調整機能，サービス機能の3つと考えている[5]。そこで質問票の各機能をこの3つの機能に集約し，各機能別のスタッフ数の分析を行った。なお3つの機能に入るのは表9-7の通りである。

研究開発機能と事業商品開発機能については現業スタッフがカウントされている場合が多く，戦略調整機能を果たしている場合と果たしていない場合が考えられるので，戦略調整機能に含める場合と含めない場合の2通りの分析を行った。これらの変数間の相関が表9-8である。これによるとやはり各機能のスタッフ数と企業規模とは正の相関が高く，規模が大きくなるほど全スタッフ数（ガバナンス・スタッフ，戦略スタッフ，サービス・スタッフの合計）や各機能のスタッフ数は多くなるといえる。

そのほかには，積極戦略因子，リーダー戦略因子が全スタッフ数，各機能のスタッフ数と正の相関がある。積極戦略をとる企業，リーダー戦略をとる企業ほど，本社スタッフ数が多く必要であるといえる。

変数間の相関をみると，企業規模，特に従業員数と本社のスタッフ数は正の相関が非常に高かった。そこで2つの変数の関係をもう少し詳しくみてみ

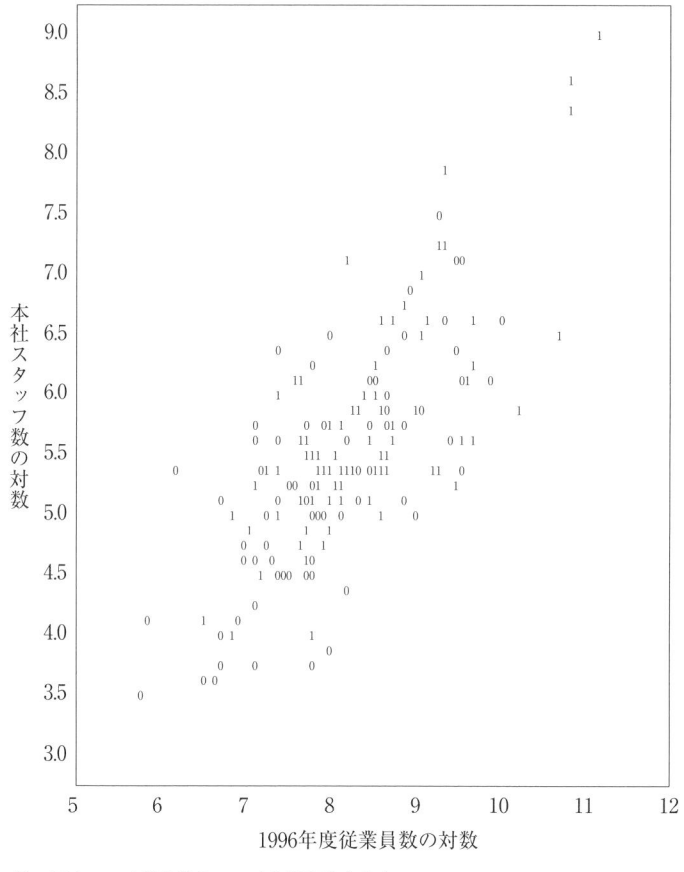

図9-11　従業員と本社スタッフの散布図

（縦軸：本社スタッフ数の対数、横軸：1996年度従業員数の対数）

注：図中の1は製造業を，0は非製造業を表す。

よう。この2変数の散布図が図9-11である。図中の記号1は製造業を，0は非製造業を示す。これによると企業規模と本社の大きさの間には線形関係があり，正の相関が高いのがよくわかる。ただ業種による違いはそれほどみられない。また本社各機能別のスタッフ数もそれぞれ規模と線形関係があり，正の相関が高かった。

さらに，本社の機能を詳細にみていくと，本社機能の違いにより，規模拡大の影響の受け方が違うことがわかる。

第9章　本社の規模とその決定要因　205

表9-9　全従業員数と本社スタッフ数の回帰分析の結果

（1）本社全スタッフ対数＝－0.365＋0.717×従業員対数	決定係数0.52
（2）本社全スタッフ対数＝－0.108＋0.656×従業員対数 （研究開発・事業開発含まず）	決定係数0.59
（3）ガバナンス・スタッフ対数＝－0.287＋0.482×従業員対数	決定係数0.40
（4）戦略スタッフ対数＝－1.628＋0.757×従業員対数	決定係数0.38
（5）戦略スタッフ対数＝－0.798＋0.581×従業員対数 （研究開発・事業開発含まず）	決定係数0.43
（6）サービス・スタッフ対数＝－0.954＋0.744×従業員対数	決定係数0.54
（7）サービス・スタッフ対数＝－0.623＋0.676×従業員対数 （研究開発含まず）	決定係数0.59

図9-12　従業員数とスタッフ数の回帰直線

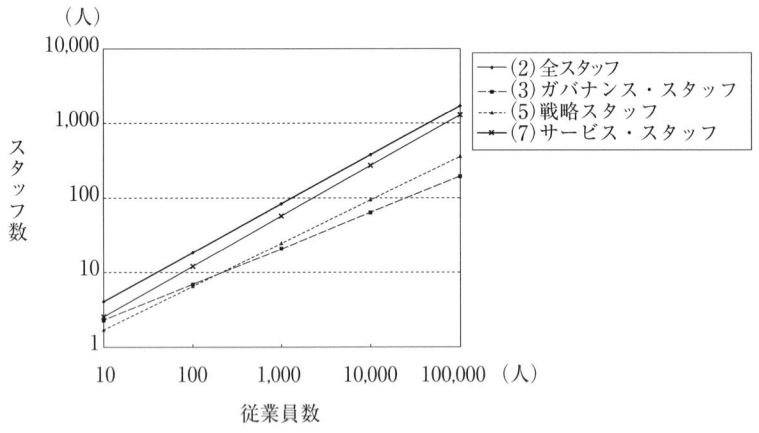

そこで次に本社の全スタッフ数（対数）と本社の各機能別スタッフ数（対数）を被説明変数にし，企業規模（従業員対数）を説明変数にして回帰分析を行った。これによって，ある規模（従業員数）だと，どの程度のスタッフ数が適正かが予測できる。回帰分析の結果は表9-9の通りである。

これらの回帰直線のうち，研究開発と事業開発のスタッフを除いたもの，つまり表9-9中の（2）（3）（5）（7）を図に示したのが図9-12である。

ここで注目すべきは各機能別の回帰係数が異なり，直線の傾きは違うということである。ガバナンス機能は戦略機能や，サービス機能に比較して回帰

表 9-10　本社スタッフ数早見表

全従業員(人)	全スタッフ数		ガバナンス機能		戦略機能(R&D 含む)		戦略機能(R&D 含まず)		サービス機能	
	スタッフ数(人)	スタッフ比率(%)	スタッフ数(人)	スタッフ比率(%)	スタッフ数(人)	スタッフ比率(%)	スタッフ数(人)	スタッフ比率(%)	スタッフ数(人)	スタッフ比率(%)
100	18	18.4	7	6.9	6	6.4	7	6.5	12	12.1
1,000	83	8.3	21	2.1	37	3.7	25	2.5	57	5.7
2,000	131	6.6	29	1.5	62	3.1	37	1.9	91	4.6
3,000	171	5.7	36	1.2	84	2.8	47	1.6	120	4.0
4,000	207	5.2	41	1.0	105	2.6	56	1.4	146	3.7
5,000	240	4.8	46	0.9	124	2.5	63	1.3	170	3.4
6,000	270	4.5	50	0.8	142	2.4	71	1.2	192	3.2
7,000	299	4.3	54	0.8	160	2.3	77	1.1	213	3.0
8,000	326	4.1	57	0.7	177	2.2	83	1.0	233	2.9
9,000	352	3.9	60	0.7	193	2.1	89	1.0	253	2.8
10,000	378	3.8	64	0.6	209	2.1	95	0.9	271	2.7
20,000	595	3.0	89	0.4	354	1.8	142	0.7	433	2.2
30,000	776	2.6	108	0.4	481	1.6	180	0.6	570	1.9
40,000	938	2.3	124	0.3	598	1.5	212	0.5	693	1.7
50,000	1,085	2.2	138	0.3	708	1.4	242	0.5	805	1.6
60,000	1,223	2.0	151	0.3	813	1.4	269	0.4	911	1.5
70,000	1,354	1.9	162	0.2	913	1.3	294	0.4	1,011	1.4
80,000	1,477	1.8	173	0.2	1,011	1.3	318	0.4	1,106	1.4
90,000	1,596	1.8	183	0.2	1,105	1.2	340	0.4	1,198	1.3
100,000	1,710	1.7	193	0.2	1,197	1.2	362	0.4	1,287	1.3

直線の傾きは小さい。つまり規模が大きくなっても，サービス・スタッフほどにはガバナンス・スタッフは増やす必要はないといえる。規模の増大による，本社の大きさは特に，戦略調整機能，サービス機能によって規定される部分が多い。このことはガバナンス・スタッフ，戦略スタッフ，サービス・スタッフの順で規模の経済がよく働くということを意味している。ガバナンス機能はシステムによって支えられる部分が多く，あるガバナンス・システムができあがっていれば，規模の増大はそれほど影響しないと考えられる。一方で，サービス機能には，人事機能や福利厚生，教育・訓練，購買，流通等，ある一定の機能を提供するためには，どうしても人手が必要になってくる機能が多く含まれている。そのために規模の経済が働きにくいといえる。

この回帰分析によってある企業規模であった場合の，各機能の一般的な本社スタッフ数を割り出せる。その参考数値を表9-10に示しておく。表9-10によると，たとえば単体の全従業員数が5000人の企業は研究開発を除いた全本社スタッフ数が約240人，全従業員に占める本社スタッフ比率が4.8％程必要であることがわかる。

　このように本社のスタッフは規模により，多くが決定された。ただ相関分析でみたように，他の戦略要因とも若干の相関はあった。このことは本社のスタッフは規模のみで決まるものではないことを示している。この問題は本社スタッフを機能別に考えた場合，より重要である。特に戦略調整機能などは，どのような戦略をとるかによって，大きく異なってくると予想されるし，ガバナンス機能に従事する本社スタッフは，どのようなマネジメント・スタイルをとるかによって大きく変わってくると思われる。

　たとえば積極戦略をとる企業は戦略スタッフが多くなることが予想されるし，財務統制型の企業は当然，財務機能を担当する本社スタッフが多いことが予想される。

　そこで，次に戦略要因を説明変数に入れて多重回帰分析を行った。規模変数は一番相関の高かった全従業員数を用いた。戦略変数は戦略の方向性，マネジメント・スタイルと競争戦略のタイプであるが，ここではマネジメント・スタイルの因子得点と本社のスタッフ規模との相関が低かったので，マネジメント・スタイルとしては先にあげた4つのグループをダミー変数として利用した（戦略管理型である場合は戦略管理型ダミー変数が1，財務統制型の場合は財務統制型ダミーが1，戦略計画型である場合は戦略計画型ダミーが1をとり，一体型の場合はすべてのダミーが0である）。そのほかには相関の高かった積極戦略因子と競争戦略の第2因子であるリーダー戦略因子を説明変数に用いた。

　この重回帰分析の結果が，表9-11である。それによるとどの機能にも企業規模は有意にきいており，規模が大きくなるとスタッフ数が増えるのは，戦略要因を考慮に入れても，今までと同様である。

　規模以外の変数で統計的に有意なものは，リーダー戦略因子である。リーダー戦略は豊富な経営資源を生かして，差別的な製品を作り，正面対決に

表9-11　スタッフ数の重回帰分析

	全スタッフ数 (R&D 含まず)	ガバナンス機能	戦略機能 (R&D 含まず)	サービス機能 (R&D 含む)
定数	0.43 (1.1)	−0.26 (−0.6)	−0.50 (−1.0)	−0.32 (−0.7)
企業規模 (全従業員)	0.60*** (13.0)	0.47*** (8.9)	0.54*** (9.7)	0.68*** (11.9)
積極戦略因子	0.04 (1.0)	0.07 (1.4)	0.03 (0.6)	0.03 (0.6)
リーダー戦略因子	0.13** (3.2)	0.07 (1.4)	0.06 (1.2)	0.19*** (3.8)
戦略管理型 ダミー	−0.10 (−1.0)	0.14 (1.2)	0.07 (0.5)	−0.24[a] (−1.9)
財務管理型 ダミー	−0.13 (−1.0)	−0.05 (−0.4)	−0.04 (−0.3)	−0.18 (−1.3)
戦略計画型 ダミー	−0.17 (−1.6)	−0.10 (−0.8)	−0.14 (−1.1)	−0.22 (−1.6)
自由度修正済み 決定係数	0.59	0.39	0.41	0.57

注：1．カッコ内はt値。
　　2．有意水準　***0.1%，**1%，[a]10%。

よって業界のリーダーになろうとするような戦略である。このような企業は常に激しい競争にさらされており，その競争を勝ち抜くために，有効な戦略を構築したり，戦略調整機能を担当するスタッフが，多く必要になってくると考えられる。また規模も大きく複数の事業を統括するガバナンス機能も重要であり，それをサポートするサービス・スタッフも必要となってくる。

　予想通り，リーダー戦略は全スタッフ数に有意になっており，リーダー戦略であるほど，本社全スタッフ数は多くなる。本社が，積極的な事業展開，事業創造機能を担当しているのである。しかしながら戦略機能に対しては有意ではない。この因子がきいてくるのはサービス機能に対してである。リーダー戦略であるほどサービス機能を担当する本社スタッフが多い。つまりリーダー戦略をとる企業は，直接戦略的に各事業に介入するという方法をと

らず，サービス機能で各事業をサポートしていると考えられる。

また回帰係数は有意ではなかったが，企業の積極的な戦略とスタッフ数にも，正の相関があった。積極戦略因子は戦略スタッフよりも，ガバナンス・スタッフやサービス・スタッフと正の相関が高い（表9-8）。回帰係数は有意ではないが，t値はガバナンス機能とサービス機能についてはそこそこ高い値を示しており，回帰係数も正になっている。このことは積極的な事業展開を行う企業では，本社の各事業展開への関与形態は，ガバナンス機能やサービス機能といった間接的な関与形態であり，戦略的に介入するというような方法をとっていないことを示している。

以上のように，マネジメント・スタイルや戦略といった変数も，企業規模に加えて，本社の規模を決める要因であるといって良い。ただそのような変数はその効果が限定的であり，ある一定の機能のスタッフ数に影響を与えるものであった。

第6節　小括

本章では，本社の規模とその決定要因についてみてきた。日本企業の本社は，その機能数，本社スタッフ数ともにイギリス企業に比べて大きいものであった。特に日本企業は人事機能と研究開発機能を重視しており，それらの本社スタッフは多くなる。このような日本企業の大きさを決定している最も大きな要因は企業規模であることが確認された。企業規模が大きくなると本社スタッフは全般的に増えることが明らかになったが，それは特にサービス・スタッフで顕著な傾向であり，ガバナンス・スタッフはそれほど多くはならなかった。

また企業の戦略も本社規模を規定する重要な要因であることが明らかとなった。企業の戦略は本社が担当する機能として現れる。リーダー戦略をとるほどサービス・スタッフを多く抱えるようになり，本社の規模が大きくなっていることが明らかとなった。経営資源が豊富なリーダー企業がとる戦略が，戦略調整機能をサポートするサービス・スタッフの数を増やしているのである。

日本企業は直接的な事業介入ではなく，間接的な事業への関与を通して戦略を実現しているといえる。このような本社スタッフの充実が日本企業の強みと密接に関連していると思われる。このことは不用意な人員削減が，企業の業績に影響を及ぼすことを示唆している。そこで次に本社の規模と経営成果の関係（適正規模の維持の必要性）をみてみよう。

注
1）第3章第4節1参照。
2）第3章第4節2参照。
3）(1)スタッフ数＝質問票C-4の問21(3)による人数，(2)単体従業員数＝1996年度の従業員数，(3)グループ従業員数＝質問票C-4の問2によるグループ企業の従業員数，(4)売上高＝1995年度の売上高，(5)戦略の方向性＝質問票C-4の問41の因子分析，(6)マネジメント・スタイル＝質問票C-4の問10(1)～(4)，(18)～(22)の因子分析，(7)競争戦略の因子＝質問票C-4の問54の因子分析，(8)成果変数＝質問票C-4による主観的な成果，問59の因子分析，(9)財務データによる客観的なデータ＝使用総資本事業利益率の1990年度～1994年度までの5年間の平均と売上高経常利益率の1990年度～1994年度までの5年間の平均である。
4）第8章，表8-1「マネジメント・スタイルの因子分析」参照。
5）ここでは戦略調整機能の裏返しである，資源配分機能は同じ機能として省略している。

第10章
本社の規模と経営成果

第1節　本社の規模と経営成果の関係

　第9章で，日本企業の本社は，イギリス企業の本社に比べて大きいことが示された。またそのような大きな本社の多くは，企業規模によって規定されることが，またサービス部門の拡大がリーダー戦略をとることから起こっていることも示された。

　そのような大きな本社は，有効に機能しているのであろうか。そこでまず本社スタッフ変数と成果変数の散布図，ならびに相関分析によって，単純に本社スタッフ数と成果にどのような関係があるかをみてみよう。

　まず各変数間の散布図をみてみよう。横軸に本社スタッフ数の対数，縦軸に使用総資本事業利益率をとったのが図10－1，同じく縦軸に売上高経常利益率をとったのが図10－2である。

　また横軸を全従業員に占めるスタッフ比率にしたのが図10－3，図10－4である。これによると本社スタッフ数の対数と財務成果の関係，ならびにスタッフ比率と財務成果の関係をみた限りでは，本社規模と成果の間には線形関係は認められない。この結果は，よくいわれている小さな本社が，必ずしも良い結果をもたらすとは限らないということ，また逆に，大きな本社が必ずしも成果にとって好ましくないものであるとは限らないということを示している。

　これは本社スタッフの合計であったが，本社の中にはこれまでみたように，様々な機能がある。その中には，本社が担当しなければならない重要な

図10−1　本社スタッフと使用総資本事業利益率の散布図（製造業―非製造業）

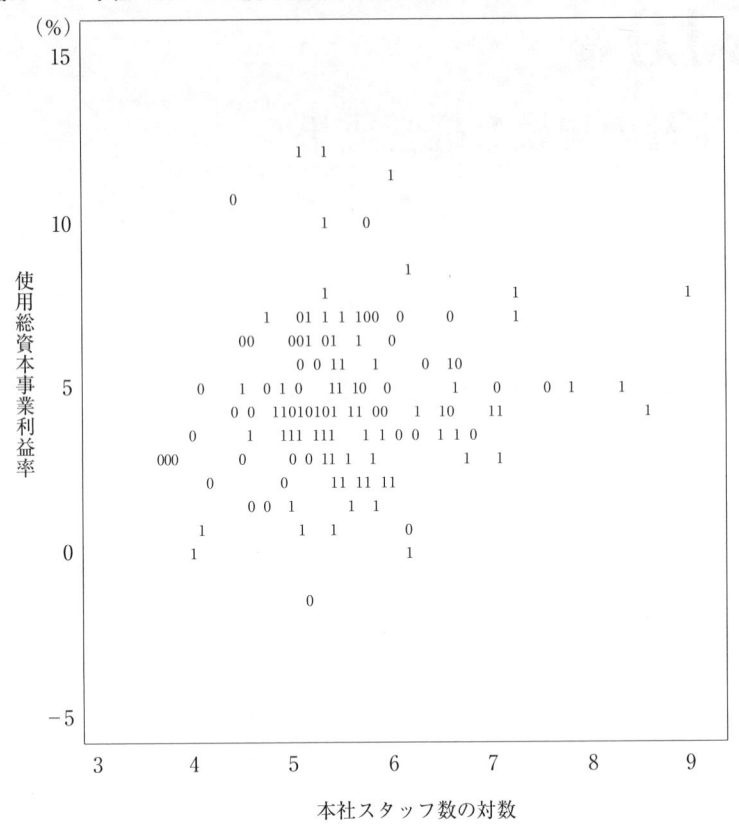

（縦軸：使用総資本事業利益率（%）、横軸：本社スタッフ数の対数）

注：図中の1は製造業を，0は非製造業を表す。

機能もあれば，事業部へ任せたり，外部の機関に委託できる機能もあるはずである。本社の機能の中で，どのような機能が重要で，どのような機能がそれほど重要でないか，どのような機能が，経営成果に強く関係するかを見極める必要がある。本社スタッフを削減するにも，増強するにも，どのような機能のスタッフが重要かを知っておく必要がある。

そこで本社スタッフ数と成果の関係を，各機能別にみるために，機能別にt検定を行った。それが表10−1である。ここでは成果としては全社的な成

図10-2　本社スタッフと売上高経常利益率の散布図（製造業─非製造業）

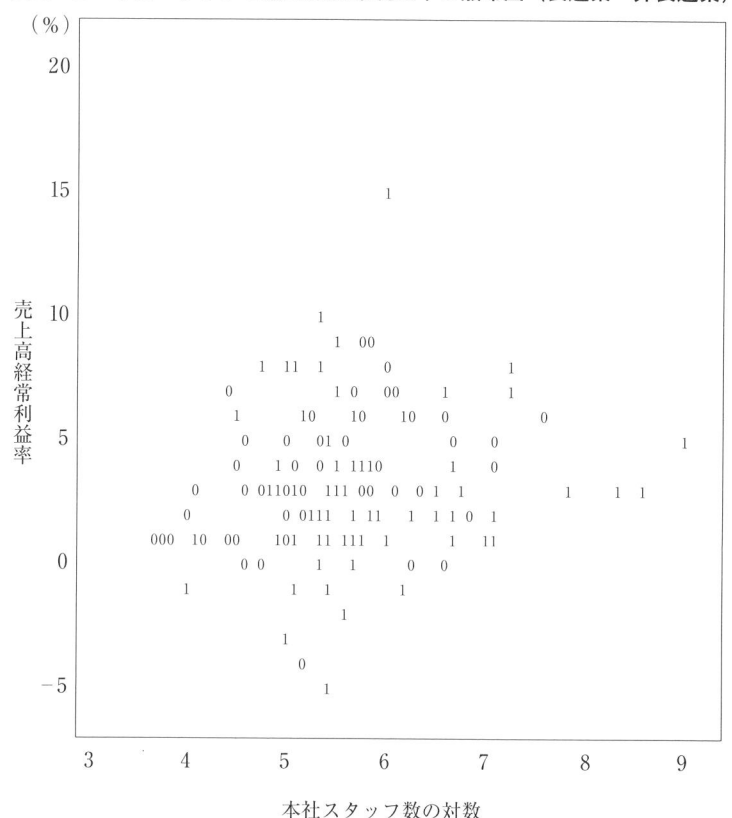

注：図中の1は製造業を，0は非製造業を表す。

果をきいた質問の平均値である全般主観成果（問59），本社がどの程度機能を果たしているかをきいた本社主観成果（問19），使用総資本事業利益率と売上高経常利益率の客観的財務成果を用いた。これらの変数の平均値より高いか低いかで，高業績と，低業績に分けた。そしてその2つのグループ間で，本社各機能別のスタッフ数の平均値の差に違いがあるかどうかをt検定によって検証した。それによると，統計的に有意なものは少ないが，全般的にみても，高業績企業の方が各機能のスタッフ数が多いことがみてとれる。

第10章　本社の規模と経営成果

図10-3 本社スタッフ比率と使用総資本事業利益率の散布図（製造業―非製造業）

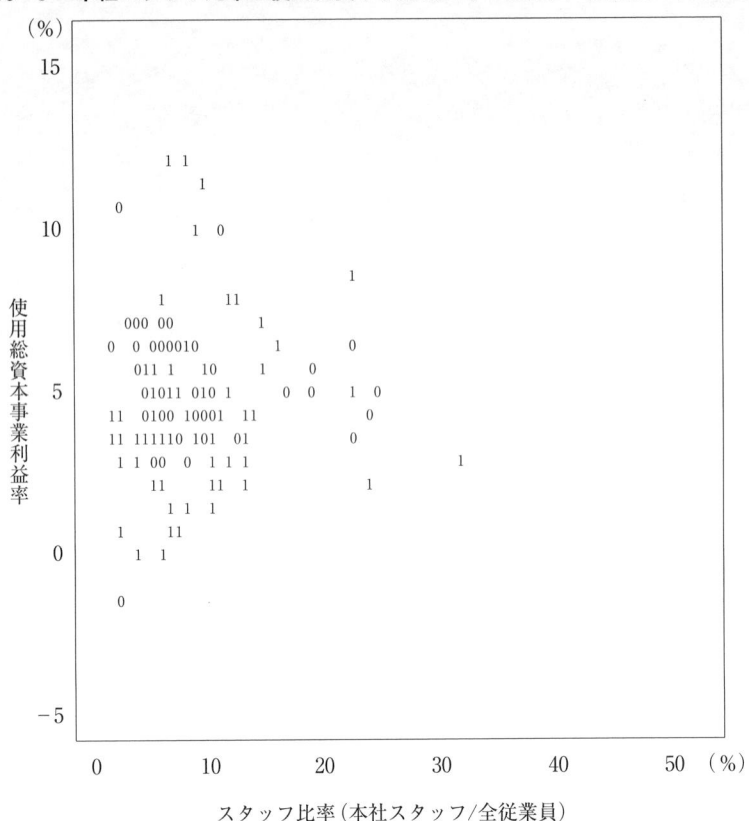

（縦軸）使用総資本事業利益率（％）
（横軸）スタッフ比率（本社スタッフ/全従業員）（％）

注：図中の1は製造業を，0は非製造業を表す。

　これはもちろん，低業績のゆえに本社スタッフを削減したという関係も考えられるが，大きな本社が低業績であるという証拠もない。
　また統計的に有意な点に注目すると，興味深い点もある。まず主観的な本社成果の高い企業の研究開発スタッフが多いことである。日本企業が研究開発機能を重視していることは前章で指摘したが，その機能のスタッフ数を多く持っている企業は本社機能に対する評価は高い。ただそれは主観的評価であり，客観的な財務成果には結びついていないといえる。客観的な財務成果

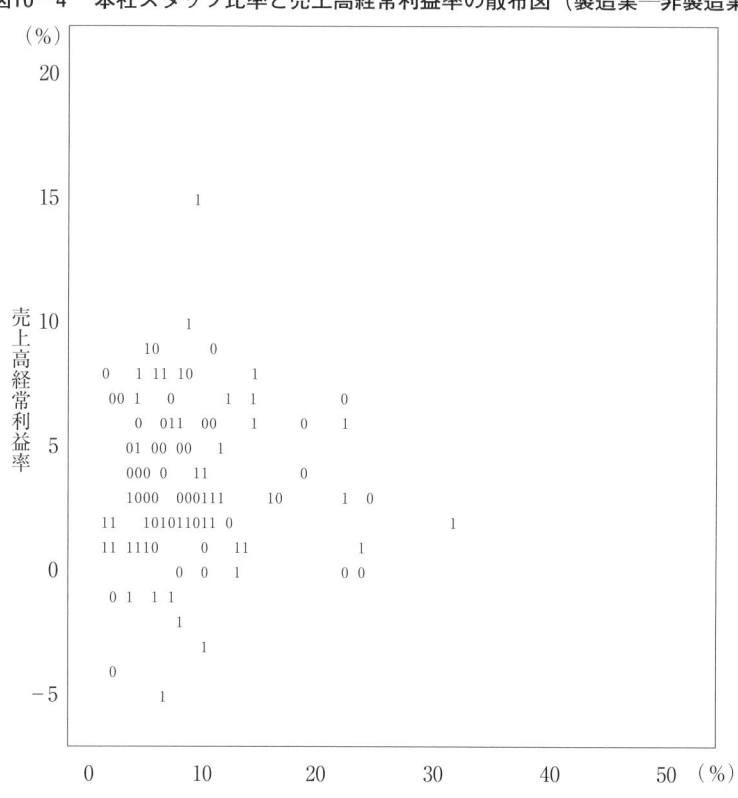

図10-4 本社スタッフ比率と売上高経常利益率の散布図(製造業―非製造業)

(散布図：縦軸 売上高経常利益率(%)、横軸 スタッフ比率(本社スタッフ/全従業員)(%)。図中の1は製造業を、0は非製造業を表す。)

注：図中の1は製造業を、0は非製造業を表す。

が高い企業は、統計的には有意ではないが、研究開発スタッフは少ない。それに対して財務成果で高い業績をあげているグループは、経営企画や経済調査等、戦略策定にとって重要な役割を果たしている部門のスタッフ数が多い。このことは財務成果との関連を考えると、本社機能のうち、戦略的な役割の重要性を示唆している。

表10-1　成果の高低による本社スタッフ数の比較（t検定）

(人)

	全社主観成果 低　　高	本社成果 低　　高	使用総資本事業利益率 低　　高	売上高経常利益率 低　　高
経営企画	10.3　11.4 (−0.6)	10.0　12.8 (−1.3)	10.0　12.9 (−1.4)	8.9　14.3 (−2.4)*
経済・産業・経営調査	5.8　8.7 (−1.1)	6.9　8.6 (−0.7)	4.9　8.8 (−1.7)a	4.7　8.9 (−1.9)a
財務	10.9　16.9 (−1.6)	12.4　17.2 (−1.0)	16.0　11.9 (1.2)	16.5　11.4 (1.5)
税務	5.1　5.5 (−0.4)	5.1　5.9 (−0.8)	4.4　6.8 (−1.5)	4.6　6.5 (−1.3)
決算・経理	14.0　16.4 (−0.8)	14.3　17.1 (−0.9)	15.9　15.9 (0.0)	16.7　14.7 (0.6)
予算管理	6.8　7.6 (−0.5)	6.2　10.0 (−1.8)a	7.1　7.6 (−0.3)	7.2　7.5 (−0.2)
内部監査	5.9　6.4 (−0.5)	6.2　6.0 (0.2)	5.3　8.0 (−1.6)	5.0　8.3 (−2.0)a
人事（海外人事も含む）	19.5　18.2 (0.4)	18.5　20.7 (−0.5)	21.5　17.3 (1.0)	19.9　20.1 (−0.1)
教育・訓練	11.7　12.1 (−0.1)	10.6　17.0 (−1.5)	11.0　14.8 (−0.8)	10.3　15.7 (−1.1)
福利厚生	12.0　11.6 (0.1)	11.0　15.2 (−1.1)	11.8　13.4 (−0.4)	10.5　15.1 (−1.1)
法務	6.3　8.0 (−1.3)	6.5　8.8 (−1.3)	7.2　7.8 (−0.3)	7.3　7.6 (−0.2)
広報	8.4　10.1 (−0.9)	8.8　10.8 (−0.8)	8.4　10.7 (−0.9)	7.8　11.4 (−1.5)
研究開発	129.2　157.1 (−0.4)	91.4　291.4 (−1.8)a	167.6　139.2 (0.4)	192.2　109.0 (1.2)
事業・商品開発	88.1　40.3 (1.5)	58.8　86.5 (−0.7)	82.5　54.6 (0.8)	71.8　71.0 (0.0)
営業企画・統括	80.9　35.5 (0.9)	70.8　38.4 (0.8)	37.4　123.5 (−1.0)	27.2　136.4 (−1.3)
購買・社内物流	40.7　26.8 (1.3)	31.4　47.6 (−0.8)	37.4　33.0 (0.3)	37.7　32.8 (0.4)
流通・社外物流	25.4　23.3 (0.2)	18.8　41.4 (−1.6)	25.9　22.9 (0.3)	28.0　19.9 (0.9)
不動産等の資産管理	6.6　5.4 (1.0)	5.5　8.2 (−1.5)	6.0　6.5 (−0.3)	5.2　7.7 (−1.6)
特許・知的所有権等の資産管理	13.2　15.2 (−0.5)	13.5　16.3 (−0.5)	13.5　16.1 (−0.5)	14.6　14.1 (0.1)
情報システム	46.7　54.3 (−0.6)	44.2　69.4 (−1.2)	48.0　64.5 (−0.9)	51.3　59.0 (−0.5)
総務・庶務・秘書	36.6　29.0 (0.7)	32.6　36.8 (−0.5)	29.6　49.1 (−1.0)	28.4　49.9 (−1.1)
海外事業管理	16.6　16.0 (0.1)	15.4　19.3 (−0.7)	13.1　19.9 (−1.0)	12.3　21.8 (−1.3)
全スタッフ合計	436.8　410.4 (0.2)	373.5　603.1 (−1.3)	430.5　525.9 (−0.5)	431.3　519.6 (−0.5)

注：1．カッコ内はt値。
　　2．有意水準，a10%，*5%。

第2節　本社の変化と経営成果

　今までは，スタティックな議論であったが，日本企業は本社をどのように変化させているかというダイナミックな問題を次に考えよう。なぜこのような問題を考えるのかは次のような理由による。

　基本的には本社の規模，本社のスタッフ数は，企業の業績と関係があると我々は考えている。第9章の最初に提示した基本的な仮説[1]のように，本社スタッフの絶対的な人数は企業の能力とコストの両方に関係しており，当然経営成果にも関係する。ただ本社の規模と成果の関係は，本社スタッフ数の多寡が，財務成果を決定するという単方向だけの関係ではない。その逆の方向，経営成果の善し悪しによって本社の規模も変化するということもありうると考える[2]。たとえば業績に余裕があったり，成果が良くなったりすると，本社組織の正当化が行われ，削減が進まず，本社スタッフが増加する。逆に，業績が悪化するとリストラクチャリングの一環として，本社から率先して人を減らすという行動が一般にみられる。このように本社の規模と経営成果の関係は双方向の関係である。このような関係をみるには，本社の変化，成果の変化に注目する必要がある。それがここでいうダイナミックな問題である。

　まず質問項目による本社の変化と，同じく質問項目による本社機能の有効性の関係をみてみよう。それが表10-2である。この表は本社部門の様々な変化をその大きさにより5つに分類し，一方で質問票による本社の主観的評価を4つに分けたものである。それをクロス集計させ，企業の分布を確認した。これによると最近5年間に部門数や本社スタッフ数を縮小している企業の主観的な成果の悪さが目立つ。本社を縮小している企業は本社機能を十分に果たしていないため，主観的な評価が低くなる。これは本社縮小によってその機能を果たすのに必要な人員を下回っているために充分機能していない場合と，有効に機能していないのならば削減してしまおうということで縮小に動いているという2つの場合が考えられる。

　また本社の変化と財務成果の関係をみた表10-3からも，同様に，本社を縮小した企業の財務成果が悪いことがわかる。これは，やみくもな本社の縮

表10-2　本社の変化と本社機能の有効性

(社)

変化の大きさ	質問項目 回答	本社はその機能をどの程度有効に果たしているか。				合計
		有効性低い	まずまず	平均以上	卓越している	
①職能部門数の変化	-30%	2	6	3		11
	-10%	3	28	9		40
	0%	13	95	40	2	150
	10%		8	2		10
	30%		2	1		3
②スタッフ数の変化	-30%	2	10	6	1	19
	-10%	5	53	26	1	85
	0%	10	62	19		91
	10%	1	14	4		19
	30%		1			1
③本社費の変化	-30%	1	5	4	1	11
	-10%	5	45	14		64
	0%	8	55	28	1	92
	10%	3	21	6		30
	30%		7	1		8
④グループ購入サービスの変化	-30%		1	1		2
	-10%	1	12	2		15
	0%	10	98	37	2	147
	10%	4	17	10		31
	30%	1	5	2		8
⑤外部購入サービスの変化	-30%	2	3	2		7
	-10%	2	16	7		25
	0%	12	94	37	2	145
	10%	1	15	4		20
	30%		3	2		5
⑥提供サービスの質量の変化	-30%	1	1			2
	-10%	2	9	3		14
	0%	10	106	38	2	156
	10%	4	13	9		26
	30%		3	2		5
⑦管理・企画スタッフ部門の変化	-30%	1	2			3
	-10%	1	31	16		48
	0%	13	88	35	2	138
	10%	3	15	1		19
	30%					
⑧管理・企画スタッフ人数	-30%	1	4	2	1	8
	-10%	2	47	21		70
	0%	11	64	26	1	102
	10%	4	18	3		25
	30%		1			1

表10-3 本社の変化と財務成果の関係（分散分析）

	使用総資本事業利益率(%)	売上高経常利益率(%)
①職能部門数の変化		
減少　　（-30%および-10%）	3.6	2.1
変化なし（0％）	5.1	4.2
増加　　（30%および10%）	5.0	2.9
F値	8.06***	8.99***
②スタッフ数の変化		
減少　　（-30%および-10%）	4.1	2.7
変化なし（0％）	5.2	4.6
増加　　（30%および10%）	5.9	4.6
F値	7.46***	9.42***
③本社費の変化		
減少　　（-30%および-10%）	3.9	2.5
変化なし（0％）	5.0	4.0
増加　　（30%および10%）	5.6	4.4
F値	7.78***	5.95**
④グループ購入サービスの変化		
減少　　（-30%および-10%）	4.4	3.4
変化なし（0％）	4.7	3.6
増加　　（30%および10%）	4.9	3.5
F値	0.28	0.01
⑤外部購入サービスの変化		
減少　　（-30%および-10%）	3.2	2.1
変化なし（0％）	4.8	3.6
増加　　（30%および10%）	5.5	4.2
F値	7.16**	3.25*
⑥提供サービスの質量の変化		
減少　　（-30%および-10%）	3.8	2.2
変化なし（0％）	4.7	3.7
増加　　（30%および10%）	5.2	3.6
F値	1.57	1.48
⑦管理・企画スタッフ部門の数の変化		
減少　　（-30%および-10%）	3.4	1.7
変化なし（0％）	5.1	4.2
増加　　（30%および10%）	5.6	4.1
F値	9.75***	11.21***
⑧管理・企画スタッフの人数の変化		
減少　　（-30%および-10%）	3.8	2.4
変化なし（0％）	5.3	4.3
増加　　（30%および10%）	5.3	3.8
F値	8.61***	7.13**

注：有意水準　　***0.1％，**1％，*5％。

小が，良い成果に結びつかないということを示していると同時に，成果の良くない企業が，リストラクチャリングのひとつとして，本社改革に乗り出していることもあらわしている。

　これらの方向性がいったいどちらなのかは，ここでのデータだけでは判断は困難である。そこで次に，成果の増減と本社の改革に関する動きをみてみよう。まず財務データの変化と本社スタッフ数の関係をみてみよう。財務データの変化は使用総資本事業利益率と売上高経常利益率の，前年度との差の5年平均を求め，その平均より大きいか小さいかで高業績傾向，低業績傾向の2つのグループに分けた。プラスかマイナスかではなく平均値によってグループ分けしたのは，全般的に企業の業績は芳しくなく，マイナスになっている企業が多いためである。そのため，2つのグループは業績が増加傾向か，あるいは低下傾向が少なかったグループと，業績の低下傾向が著しかったグループになっている。

　この2つのグループ間で，まず本社スタッフ数に差はあるかどうかという

表10-4　成果変動の高低による本社スタッフ数の比較（t検定）

	使用総資本事業利益率		売上高経常利益率	
	低	高	低	高
（1）本社スタッフ数の対数 （研究開発・事業商品開発含む）	2.41 (−0.4)	2.44	2.43 (0.2)	2.42
（2）本社スタッフ数の対数 （研究開発・事業商品開発除く）	2.30 (−0.4)	2.33	2.32 (0.2)	2.31
（3）ガバナンス・スタッフ数の対数	1.60 (−0.5)	1.63	1.58 (−1.0)	1.64
（4）戦略スタッフ数の対数 （研究開発・事業商品開発含む）	2.00 (−0.6)	2.05	2.01 (−0.4)	2.04
（5）戦略スタッフ数の対数 （研究開発・事業商品開発除く）	1.73 (−0.8)	1.78	1.72 (−0.9)	1.78
（6）サービス・スタッフ数の対数	2.25 (−0.4)	2.28	2.27 (0.3)	2.26

注：カッコ内はt値。

分析を試みた。それが表10-4である。それによると，本社スタッフ数の対数についてはグループ間に有意な差は認められなかった。財務成果の変化によって，本社スタッフの絶対数は変わってこないといえる。

そこで財務データの変化と質問項目の本社の変化の関係をみてみた。質問票C-4の問16「本社に関する最近5年間における変化」をみたのが表10-5であり，質問票C-4の問20「今後5年間で貴社の本社において起こりそうな変化」をみたのが表10-6である。表10-5によると，使用総資本事業利益率，売上高経常利益率ともに，高業績の傾向があった企業は，最近の5年間で「本社によってグループ企業から購入されるサービス」を増やし，

表10-5 成果変動の高低による本社の改革（調査時点における最近5年間の変化）の比較（t検定）

	使用総資本事業利益率		売上高経常利益率	
	低	高	低	高
（1）本社内機能（職能）部門数	2.7	2.8 (-0.9)	2.7	2.8 (-1.1)
（2）本社スタッフの人数	2.4	2.6 (-1.5)	2.4	2.5 (-1.0)
（3）本社費（絶対額）	2.7	2.9 (-1.0)	2.7	2.9 (-1.3)
（4）本社によってグループ企業から購入されるサービス	3.0	3.3 (-2.9)**	3.0	3.2 (-2.1)*
（5）本社によって全くの外部企業から購入されるサービス	2.9	3.1 (-1.2)	2.9	3.1 (-2.0)[a]
（6）事業グループまたは事業単位に対して提供されるサービスの質・量	3.0	3.2 (-2.8)**	3.0	3.2 (-2.7)**
（7）貴企業グループ全体の管理・企画スタッフ部門の数	2.8	2.9 (-1.7)[a]	2.8	2.9 (-1.1)
（8）貴企業グループ全体の管理・企画スタッフの人数	2.6	2.8 (-1.7)	2.7	2.7 (-0.1)

注：1. カッコ内はt値。
　　2. 有意水準：** 1％，* 5％，[a] 10％。

表10-6 成果変動の高低による本社の改革（調査時点以後5年間で起こりそうな変化）の比較（t検定）

	使用総資本 事業利益率 の　増　減		売　上　高 経常利益率 の　増　減	
	低業績	高業績	低業績	高業績
（1）本社内機能（職能）部門数	2.6 (−0.1)	2.6	2.6 (0.0)	2.6
（2）本社スタッフの人数	2.2 (−0.7)	2.3	2.2 (−0.9)	2.3
（3）本社費（絶対額）	2.3 (−0.8)	2.4	2.3 (−0.8)	2.4
（4）本社によってグループ企業から購入されるサービス	3.1 (0.4)	3.1	3.1 (−0.2)	3.1
（5）本社によって全くの外部企業から購入されるサービス	3.1 (−1.7)[a]	3.2	3.1 (−1.7)[a]	3.2
（6）事業グループまたは事業単位に対して提供されるサービス	3.0 (−0.3)	3.1	3.0 (−1.3)	3.1

注：1．カッコ内はt値
　　2．有意水準　[a] 10%

「事業グループまたは事業単位に対して提供されるサービスの質・量」を増やしている傾向が強いことがわかる。つまり業績の良かった企業はアウトソーシング，あるいは分社化を含めたグループ戦略に対して積極的であり，本社本来の機能の強化に特に積極的であったと考えられる。表10-6に示される「今後5年間で貴社の本社において起こりそうな変化」については，それほど有意な差は存在しなかった。

　以上の結果をまとめると，次のようになるであろう。本社スタッフ数は，全般的には経営成果と，それほど強力な関係は認められなかった。つまり，本社スタッフ数を減らし，本社を小さくしたからといって，それが即座に高業績に結びつくわけではなかった。これは日本企業の本社スタッフの削減行動が，実質的な人員削減に結びついていないためであろうと思われる。日本企業は，現在でも基本的には終身雇用を前提としており，従業員をそう簡単

には解雇できない。そのために，本社の人員削減は各事業部門への人員配置換えという形を取る。そのために，小さな本社が，直接コスト削減に結びついておらず，財務成果に結果としてでてこないのである。

　日本企業に一般的にみられる終身雇用制が，大きく変わらないと仮定すると，本社のスタッフを減らすといっても，その人員を簡単に解雇するわけにはいかない。本社の人員を削減する，あるいは増強させるときには，その中身が問題である。つまり何を減らすか何を増やすかということと，いかに減らすかいかに効率を上げるか，ということに対する深い考察が必要である。

　本社といっても，その果たす機能は様々であり，ただ単に本社スタッフ数を減らす，あるいは配置換えをするのではなく，本社はどのような機能を果たしているかを考えて，どのような機能を減らし，どのような機能を増やすかを考える必要がある。つまり効果的な本社のスリム化，効果的な本社スタッフの増強が必要なのである。

　その答えのひとつが戦略策定機能の強化である。経営企画や経済・産業・経営調査といった経営戦略の策定と密接に結びついている機能はむしろ強化した方がよいことが，上の分析では示された。

　ただ，本社スタッフの無制限な増大は，もちろん好ましいものではない。本社スタッフの削減は，全般的には今日の傾向である。戦略機能を担当するスタッフ以外の本社スタッフ，特にサービス的な機能を担当する本社スタッフは，ある程度削減が可能であるように思われる。そこで問題となるのは，減らした人員をどうするか，またその減らした機能をどのように補完するかということである。そのひとつの解決方法がその機能を子会社化して，そこに人を移動させるという方法である。いわゆる分社化，アウトソーシングである。あるいはアウトソーシングに準じてミッドソーシングとでも呼べるかもしれない。上の分析でみたように，財務成果の増減に関して高業績であった企業は，あるサービスについてはグループ企業から購入するといった形を取り，コストの削減やサービスの質の向上を図っていた。本社の削減にはアウトソーシング，あるいは我々のいうミッドソーシングのようなコスト削減と，機能充実の工夫が伴わなくてはならないと考える。

第3節　本社の規模とその後の経営成果

次に機能別のスタッフ数でみた本社の規模と，調査後5年間（1997年度〜2001年度）の成果の関係をみてみよう。このようなことを行うのは本社の規模という変数が，成果に結びつくまでには，一定の期間が必要であると考えるからである。

成果指標は公表財務データにより計算した。収益性の指標として調査後の5年間（1997年度〜2001年度）の平均売上高営業利益率と平均売上高経常利益率を用いた。また成長性の指標としては売上高成長率（回帰による当てはめを行い，その回帰係数をもって企業の成長率とした）を用いた[3]。

まず本社スタッフ数と成果の関係をみてみよう。表10-7は本社スタッフの対従業員比率と成果指標との相関係数である。

これによると，本社の全スタッフ比率と成果指標の間には，統計的に有意な相関はないことがわかる。機能別のスタッフ比率をみると，ガバナンス・スタッフ比率が売上高営業利益率，売上高成長率と負の相関が強く，統計的にも有意である。戦略調整スタッフ比率，ならびにサービス・スタッフ比率は成果指標とあまり相関はない。単に本社スタッフ数が規模に対して多いというだけで，成果が悪くなるというわけではなさそうである。企業規模に対して，必要以上のガバナンス・スタッフを抱えることが，業績の悪化につながっているのであり，戦略調整スタッフやサービス・スタッフを減らす必要はないといえる。むしろ戦略調整機能が非常に重要であり，その削減が業績

表10-7　本社スタッフ数と経営成果の相関係数

	平均売上高営業利益率	平均売上高経常利益率	売上高成長率
国内グループ企業従業員の自然対数	0.170*	−0.019	0.177*
本社の全スタッフ比率（％）	−0.092	0.039	−0.124
ガバナンス・スタッフ比率（％）	−0.254**	−0.143	−0.374***
戦略調整スタッフ比率（％）	−0.064	0.048	−0.051
サービス・スタッフ比率（％）	−0.108	0.028	−0.110

注：有意水準は***0.1％，**1％，*5％。

悪化につながっている可能性がある。

そこで次に本社の改革の動きとその後の成果の関係をみてみよう。本社を小さくした企業が，その後，好業績をあげているかどうかの検証である。質問票では「本社に関する最近5年間の変化」を尋ねている。職能部門数や本社スタッフ数の変化を30％以上減少，10％～30％減少，±10％で同じ，10％～30％増加，30％以上増加の5段階で尋ねた項目であるが，今回の分析では「減少」（30％以上減少，10％～30％減少）か，「それ以外（維持）」（±10％で同じ，10％～30％増加，30％以上増加）に分けて，成果に違いがあるかのt検定を行った。その結果が表10－8である。

これによると，職能部門数や本社スタッフ数を減少させた企業は，それらを維持あるいは増加させた企業と比べて，利益率が有意に低いことがわかる。また管理・企画スタッフ部門数や管理・企画スタッフ人数を減らした企

表10－8　本社の変化と業績の関係

経営成果 本社の変化	売上高営業利益率 （1997－2001年度）			売上高経常利益率 （1997－2001年度）			売上高成長率 （1997－2001年度）		
	減少	維持	t値	減少	維持	t値	減少	維持	t値
(1)職能部門数	3.48% 43社	4.22% 130社	1.250	2.00% 43社	3.26% 130社	2.450*	-1.87% 43社	0.11% 130社	1.894[a]
(2)本社スタッフ数	3.45% 83社	4.55% 91社	2.209*	2.31% 83社	3.52% 91社	2.748**	-0.89% 83社	0.08% 91社	1.062
(3)本社費	3.49% 58社	4.21% 108社	1.328	2.36% 58社	3.13% 108社	1.596	0.14% 58社	-0.63% 108社	0.770
(4)グループ購入サービス	3.94% 14社	3.96% 150社	0.019	3.43% 14社	2.78% 150社	0.561	2.06% 14社	-0.57% 150社	1.158
(5)外部購入サービス	2.96% 22社	4.00% 139社	1.430	2.00% 22社	2.93% 139社	1.428	-0.62% 22社	-0.33% 139社	0.203
(6)事業単位に提供されるサービスの質・量	2.44% 13社	4.09% 150社	3.164**	1.44% 13社	3.02% 150社	3.848***	-0.64% 13社	-0.25% 150社	0.363
(7)管理・企画スタッフ部門数	2.60% 39社	4.41% 127社	3.679***	1.46% 39社	3.32% 127社	4.181***	-1.07% 39社	-0.24% 127社	0.749
(8)管理・企画スタッフ人数	3.18% 61社	4.36% 103社	2.225*	2.06% 61社	3.27% 103社	2.675**	-0.81% 61社	-0.18% 103社	0.643

注：*** 0.1％，** 1％，* 5％，[a] 10％。

業の業績も良くない。特に管理・企画スタッフ部門を縮小した企業の低業績が顕著である。

　管理・企画スタッフ部門数を減少させた企業の売上高営業利益率は2.60%であり，スタッフ部門数を維持・増加させた企業の4.41%と大きな差がある（有意水準0.1%）。売上高経常利益率も同様，1.46%と3.32%で大きな差がある（有意水準0.1%）。また管理・企画スタッフの人数の項目でも差が出てきている。管理・企画スタッフ数を減少させた企業の売上高営業利益率は平均3.18%で，維持・増加させた企業の4.36%より有意に低い（有意水準5%）。売上高経常利益率も2.06%と維持・増加させた企業の3.27%と比べて低くなっている（有意水準1%）。これらのデータは，小さな本社の流行に流されて，本社機能の中で特に重要な戦略調整機能を削減，縮小させたことにより，業績を悪化させてしまった企業の存在を示している。

　以上の分析結果を踏まえて，次節では，事業部門の独立性を低下させようとする現在の企業の動向と，独立性の高低がもたらすメリット・デメリットを本社機能と関連させて議論することにより，日本企業が抱える問題点を検討する。

第4節　分権化と外部化

　前節で，本社の規模と経営成果を結びつける「小さな本社」論には，実証的な裏付けがないこと，むしろ「流行に従う」ことが，収益性の点からみて危険であることが示された。本節では外部化と制度的独立性の観点から日本企業の問題点を検討する。

1．外部化と制度的独立性

　日本の大企業の本社は，事業兼営持株会社の本社として，企業グループの総合本社の役割も果たしてきた。アメリカ企業ではほとんど観察されないが，日本では親会社との紐帯を維持したまま，同時に上場企業でもあるという子会社が少なくない。製造業と商業に分類される上場企業のうち，他の事業法人により株式の2割以上を保有されている企業の割合は，3割超にのぼ

る(加護野・吉村・上野,2003)。1990年度末,東京証券取引所第一部市場に上場する電気機器・精密機器企業に限定しても,その割合に大差はなく(吉村,2005),上場企業を傘下に持つ本社は少なくなかった。

しかし最近になって,「グループ再編型M&A」などと称される,上場子会社などの完全子会社化や親会社への吸収合併が盛んに実施されている。前述のソニーによるソニー・ミュージックエンタテイメントやアイワなど,上場子会社の完全子会社化の後には,そのレベルまでいかずとも,トヨタ自動車とダイハツ工業の関係のように出資比率を3割台から過半にまで引き上げる動きもある。

なぜこのような動きが出てきているのか。このような動きは合理的な企業行動なのであろうか。あるいは単なる流行なのであろうか。以下ではこのことを検討する。検討に当たっては,日本企業のグループ経営にどのような論理が隠されていたのか,事業単位を社内の事業部ではなく別法人(子会社など)としてきた理由は何かを探る必要がある。従来,こうした疑問は「分権化」という視点からとらえられることが多かった。事業部と子会社を比較した場合,後者がより分権的な事業単位であると考えられる。分権化の徹底で意思決定の迅速化が図れると考えられるが,生産機能や販売機能に特化した子会社の場合には,そのトップに大きな権限が与えられている事例は少ない。

子会社化には,そうした概念だけではとらえきれない重要な側面がある。それは分権化という組織構造の設計概念ではなく,「内部化-外部化」,あるいは「制度的独立性」とでも呼べる概念でとらえなければならない側面である。制度的独立性とは,要素市場との取引を事業部門が自由に行う程度である(Ueno, Yoshimura and Kagono, 1999)。外部化された事業単位は,要素市場(金融資本市場と労働市場,とくに前者)との直接的な取引が制度上可能になる。しかし,事業部門の責任者ではそれは難しい。権限委譲が徹底的に行われている社内分社の社長やカンパニーのプレジデントと称される責任者であっても,それは困難である。分権化を徹底することで本社は,製品・サービス市場にかかわる意思決定の権限を傘下の事業部門に委譲することができ,戦略的な独立性を高めることができる。しかし,事業部門が本社の一

事業部である限り，本社はその事業部門の制度的独立性を高めることはできない。

　外部化，制度的独立性の概念は，事業が適切に経営されているかどうかを判断し，その経営者を評価し賞罰を与えるのが誰であるのかに大きくかかわっている。評価者は企業グループの本社なのか，それとも社外の利害関係者なのかということである。その意味で外部化は，本社のガバナンス機能に深くかかわる問題であるといえる。

　制度的独立性が高まるにつれて，評価者の多元化が進む。最も独立性が低いのは，親会社内の事業部門である。この場合，事業部門の経営成果の評価は，本社に一元化されている。次に低いのは，完全子会社である。完全子会社であっても，法的に独立した存在であるため，金融機関との重要な取引，借入は可能である。それが実行されるにあたっては，財務的な健全性が金融機関によって審査される。金融機関による評価の質や厳格さには多様性はある。しかし，本社以外の評価者が増加するという点では評価者の多元化が進んでいるといえる。借入先の増加にともなって当然，評価主体の多元化は進行する。

　さらに多元化が進行するのは，子会社が上場された場合である。親会社という特定の株主だけでなく，多数の一般投資家による評価が行われるようになるからである。上場された場合，親会社が所有比率をどの程度まで維持するかにより，本社のガバナンス機能の実効性に違いが発生する。親会社が過半数を所有している場合には，親会社の本社は，子会社の経営者の解任権を確保することができる。一方で少数支配の場合は，他の株主への働きかけが必要になる。独立性が高まるにつれて，本社の支配力は当然弱まる。このような独立性の高低をどう評価すればいいのであろうか。独立性を高めることにはどのようなメリット，デメリットがあるのであろうか。

2．制度的独立性を高めることのメリット・デメリット

　制度的独立性を高めることには，メリットとデメリットの両面がある。まずメリットから考えていこう。先ほど述べたように，制度的独立性が高まると事業単位の経営評価に際して外部の評価を反映できる。評価の多元化が起

こるのである。評価の多元化は，評価される子会社側にとれば評価の客観性が高まることを意味する。つまり本社の恣意的な評価に押し流されることがないという効果を生み出す。本社にとっても，他者の評価を参照できるというメリットがある。

　たとえば株式市場は，（完璧なものとはいえないが）日々刻々，株価の形で経営の善し悪しを評価してくれる。株価には，様々な思惑をもつ投資家の声が織り込まれている。短期利益のみに興味がある投資家もあれば，中長期での安定的な成長を望む投資家もある。本社には，こういった様々な観点からの総合的な評価はできない。また借入が行われれば，財務的な健全性を銀行が継続的に評価することとなる。本社によるガバナンス機能の一部，あるいは業績評価の機能を銀行が代替してくれるのである。これらの機能は「複合的ガバナンス」の実現といえる。

　複合的ガバナンスは業績評価を代替するだけでなく，評価を通じた動機づけの機能も代替してくれる。評価主体の増加はすなわち，評価基準の多様化を意味する。多様化する基準を満たすには，懸命の経営努力が必要となる。子会社がその独立性を維持しようとするとき，こうした経営努力は，さらに高まることとなる。多くの評価者を満足させる成果を出せば，本社も簡単には子会社の経営に口を挟むことができないためである。法的な観点からすれば，過半数の株式をもっていれば人事権の行使は容易である。しかしその行使が子会社側の意思に沿ったものでない場合には，社会通念上，行使は難しい。本社による戦略調整が実施される場合にも，同様である。子会社側の意思に反して本社が強行な手段に出れば，投資家などが「退出」する恐れもある。

　こうした子会社の意思が組織階層の下から上がってくることは，本社側にとっても自らの決定を見なおす機会となり，メリットとなる可能性がある。子会社の経営者を介して，市場による統治がなされるのである。

　しかしこうしたメリットは，本社に対立する経営者が極端に増加すれば，本社の戦略調整機能は麻痺してしまうというデメリットにもなりうる。他の評価主体の意向を尊重すれば，本社の意向を伝えることが非常に困難となる。本社の意向を子会社の経営者に納得させるだけでなく，独立性の高まり

とともに増加する利害関係者への説得も必要となってくる。たとえば，一法人の枠組みを超えた大規模な事業再編には，多大なるコストが発生してしまう。独立性の変更は，このようなデメリットに注意しながら行う必要がある。

3．制度的独立性を低くする動きの背景とその問題点

　以上のメリット・デメリットの分析をもとに，独立性を低くしようとする背後にある理由を探ってみよう。

　第1の理由として挙げられるのは，株式市場の変化によるリスクの増大である。親子関係に「つけいる」株主が登場するリスクである。株主重視の考え方が広まり，大規模な資金がグローバルな視点から投資先を探すという状況において，こうしたリスクは高まっている。持ち合い株や個人株主からの放出を利用して大株主となり，大株主の当然の権利として経営参加を口にする。しかし現実には，高値で売却できる状況を演出し，自らの利益獲得を目的とし，取引を行う株主が増加している。

　このタイプの株主がもたらすリスクが社会的にも大きな関心を呼んだのは，アメリカの投資家ブーン・ピケンズ氏の事件であった（後藤，1997）。ピケンズ氏は，自動車部品大手の小糸製作所の大株主となり，当初，取締役受け入れなど経営参加を小糸側に要請した。日米貿易摩擦が深刻化する当時，閉鎖的な"KEIRETU"にかかわる問題としてピケンズ氏は，政治的な問題ともした。小糸製作所はトヨタ自動車を筆頭株主（1987年3月末：21.14%）とする企業であった。しかし実際には，親会社とみなされていたトヨタにピケンズ氏側の目は注がれていた。経営参加をちらつかせ，参加阻止のためトヨタにピケンズ氏の持ち株を高値で引き取らせることで，個人的利益を上げることを目論んでいたとされている[4]。

　独立性の低下により，こうしたリスクを軽減することは可能であるが，同時に複合的ガバナンスの機会をなくすことにもなる。そのため，本社によるガバナンス機能の強化が必要になり，スタッフの増加につながる。本社の肥大化である。ガバナンス・スタッフの必要以上の増加が業績を悪化させることは，我々の分析で明らかとなっている。

第2の理由は，よりシンプルなもので，本社の意向を隅々まで徹底させようとする狙いである。戦略調整機能の麻痺というデメリットへの対応といえる。すでに指摘してきたように，本社は事業単位を統治するガバナンス機能，戦略を調整する戦略調整機能，高品質で効率的なサービスを提供するサービス機能の3つの基本機能を有している。制度的独立性を高めることで本社は「複合的ガバナンス」を実現し，そこからの恩恵を享受してきた。しかしそれによって戦略調整機能が十分に機能しない状況を生み出してしまった。独立性を低下させる動きは，本社の戦略調整機能を高めようとする動きともいえる。最近のパナソニックグループの事例などが，この理由で説明できる。

　独立性を高めることから生みだされるデメリットは克服されねばならない。それは独立性の低下により，ある程度克服されるかもしれない。ただし，そのような独立性の低下は戦略調整スタッフの増加をともなう実効性の高いものでなければならない。そうではなく，独立性の低下が，株式市場のリスクの回避に偏り，単にガバナンス・スタッフの増加を引き起こすような改革ならば，その成果は低いといえよう。

第5節　小括

　本社の規模とその成果の関係の分析結果と，制度的独立性の議論をまとめると次のようなことがいえるであろう。
　まず，本社の規模，機能に関しては，ガバナンス機能と戦略調整機能を明確に区別して議論する必要がある。ガバナンス機能は企業規模によらず，ある程度その必要性は規定されるので，削減は容易ではない。逆にガバナンス・スタッフを増やしたからといって，大きな成果が期待できるわけでもない。ガバナンスに関しては，むしろ制度的独立性による「複合的ガバナンス」をうまく利用する必要がある。
　一方，戦略調整機能は本社において，より重要な機能となってくる。企業の成長，規模の拡大に伴い，この機能の必要性は増大し，本社は大きくならざるを得ない。そのような仕組みを理解せず，この機能やスタッフを無理に

削減することは，業績悪化につながる。戦略調整機能を維持・強化しながら，ガバナンス機能においてはうまく外部の視点を取り入れ，複合的ガバナンスの仕組みを作っていく必要がある。さらにはサービス機能のアウトソースにより，必要以上の本社の肥大化を抑える工夫も必要である。グループ企業の改革はこのような観点からなされなければならない。

　制度的独立性を低下させる改革が，実質的な戦略調整機能の強化につながるものであるならばいいが，外部によるガバナンス機能の低下に伴い，本社によるガバナンス機能に過度の負荷がかかり，結果としてガバナンス・スタッフの必要以上の増加を招くだけならば，制度改革は成功しないであろう。

　制度設計の見なおしは慎重に行われなければならない。流行に流されることなく，制度的独立性のメリット・デメリットを，複合的ガバナンスと本社の戦略調整機能の維持という観点から検討する必要がある。

　注
　1）第9章，図9-10。
　2）第9章，図9-10のフィードバックの矢印。
　3）付録Aを参照。
　4）トヨタは一貫して要求を拒み，買い取らなかった。この事件は1987年4月，日本経済新聞の朝刊一面にピケンズ氏が小糸の筆頭株主となったことが報ぜられ表面化した。その後，1991年4月，『ワシントンポスト』紙に「オーケー・トヨタ。オーケー・コイト。私はあきらめる」とのピケンズ氏の投書が掲載されて収束に向かうまで，長きにわたって小糸製作所の経営を混乱させた。

終 章
結論と今後の課題

第1節　本書のまとめ

　本書で明らかになった多角化の実態は次の通りである。1980年代に積極的な多角化を進めた日本企業の多くは，1990年代に入り事業集中を余儀なくされたが，それは産業や企業規模によって多様性を持っていた。また企業は単なる事業集中を行っているだけではなく，選択的に資源を集中し，競争力のある本業を育てようとしてきたと同時に，1990年代の後半からは，積極的に成長戦略へ方向を変え始めていた。

　このような発見に基づき，今後の多角化研究の方向性が示された。第1に，産業別の分析，あるいは産業要因を考慮に入れた分析が必要であること，第2に多角化の状態だけでなく，事業の進出・撤退を含めた個別の企業行動の把握が必要であること，第3に，個別の企業行動をその意思決定に注目し，内容を把握し，進出と撤退行動の中身の分析を行うこと，第4に，それらの企業行動がどのような経営成果に結びついているかを成熟産業における事業開発と関連させて議論する必要があることである。

　続いて日本企業の戦略動向が質問票調査によって明らかにされた。2000年以前の大きな流れとして，「選択と集中」という傾向があることが示された。ただ，データを詳しくみると，この時期に「選択と集中」が一律に行われたというわけではないことも明らかとなった。そのような傾向が今後どうなるかを予想した2000年時点における「今後」の予想でも，過去5年間と比べ集中化と多角化の二極化が起こることが予想された。しかしながら実際には

2007年調査による過去5年の結果をみると，事業数を維持しながら既存主力事業への投資を強化する傾向が最も強く，過去に予想されたほど事業の選択は進んでいないことが明らかとなった。2007年時点の今後の予想では，既存主力事業への投資を拡大しながら，積極的に新規事業へ進出しようとする動きがあることもわかった。

　多角化企業の組織構造としては，事業部制組織が一般的だが，日本においては職能別組織も依然として重要な位置を占めていることが明らかとなった。また日本的な混合型（X型）組織構造も多くみられ，国による多様性も確認された。「組織は戦略に従う」という Chandler（1962）の命題は支持されるが，組織構造は戦略だけではなく，外部環境の変化に対応して変化することも明らかとなった。これらの結果は組織構造の普遍的な変化ではなく，組織変化の多様性を示している。組織変化は，国によって異なったパターンを示すことが明らかとなった。

　経営戦略と組織構造の日英比較では，イギリス企業は日本企業に比べて，より分権的な組織構造であることが明らかとなった。日本企業には職能別組織も多く，事業部制組織であっても分権化の程度は低かった。戦略をみると，イギリス企業は日本企業よりも積極的に新規事業へ進出を行い，その進出先が日英で異なっていた。イギリス企業は市場関連型多角化を重視するのに対し，日本企業は技術関連型多角化を重視していた。しかしながら2007年調査では，日本企業も市場関連型へと移行した。これらの違いが生まれる両国の企業の発展プロセスの分析が今後必要である。

　多角化戦略と経営成果の分析では，既存主力事業を強化しながら事業数を拡大する「コア多角化型」が好業績であることが示された。逆に既存主力事業への投資を縮小しながら多角化を展開する企業の低業績も示された。

　なぜこのような現象が起こるのかについて考察が行われ，コア事業の重要性と本社によるマネジメントの重要性が示された。その理由として，コスト削減だけでなく，環境変化に適応する組織能力としての本社の戦略調整機能の重要性が示された。

　そのような議論を受け，日本企業の本社の問題が議論されるようになった背景が説明され，本社の定義が示された。そこでは本社がガバナンス機能，

戦略調整機能，その裏返しの資源配分機能，サービス機能を持っていることが示され，日本企業は大きな本社を持っているとともに，その組織編成原理が，欧米企業と異なっていることが示された。

引き続き本社の規模とその決定要因についての考察が行われ，日本企業の本社は，その機能数，スタッフ数ともにイギリス企業に比べて大きいということが明らかとなった。特に日本企業は人事機能と研究開発機能を重視しており，それらのスタッフが多くなる傾向にある。このような日本企業の大きさを決定している最も大きな要因は企業規模であるが，規模の増大により最も増えるのはサービス・スタッフであり，ガバナンス・スタッフはそれほど多くはならないことが示された。

また企業の戦略も本社規模を規定する重要な要因であることが明らかとなった。具体的にはリーダー戦略をとる企業ほど，サービス・スタッフを多く抱えるようになり，本社の規模が大きくなっていること，これは経営資源が豊富なリーダー企業がとる戦略が，戦略調整機能をサポートするサービス・スタッフを必要とするからであることが示された。

これは，日本企業の本社が事業部に対して直接的な事業介入ではなく，間接的な事業への関与を通して戦略を実現していることからくると思われる。このようなスタッフの充実が日本企業の強みと密接に関連しているのであり，不用意な人員削減の危険性を指摘した。

最後に，本社の規模とその成果の関係の分析結果が示され，制度的独立性について議論を展開した。本社の機能に関しては，ガバナンス機能と戦略調整機能を明確に区別することが必要であり，戦略調整機能の重要性が指摘された。戦略スタッフの無理な削減は危険性を伴うことを指摘し，戦略調整機能を維持・強化しながら，ガバナンス機能においてはうまく外部の視点を取り入れ，複合的ガバナンスの仕組みを作っていく必要があることを主張した。また制度的独立性のメリット・デメリットを，複合的ガバナンスと本社の戦略調整機能の維持という観点から検討する必要があることを最後に主張した。

このような発見事実から，どのようなことがいえるであろうか。大きくは2つのことがいえるであろう。ひとつは経済学による多角化研究の限界であ

り，もうひとつは組織構造，本社機能の重要性である。

　経済学における多角化の動機は基本的には範囲の経済であり，いかに低コストで生産活動等の事業活動を行うかが，競争優位の獲得を左右する。一方，これまでの戦略論における多角化研究では経営資源アプローチがとられてきた。Penrose（1959）の研究をベースとして，余剰資源の有効活用が多角化の動機とされた。Penrose は経済学者である。彼女の目的は企業の成長プロセスの解明であり，余剰資源の有効活用は範囲の経済と結びついている。経営戦略論はこの Penrose（1959）の研究を基礎としている。その意味では戦略論の議論も経済学におけるそれと大きな違いはないといえる。

　ただ戦略論では経営資源の強みを競争優位に結びつけることができた企業が好業績を上げるという議論を展開することで，多角化の基本的な機能を検討することが可能となった。範囲の経済だけでなく，シナジーなどを実現できる戦略が必要であり，コア・コンピタンスを生かした経営が必要であるというものである。ここでは具体的には関連型多角化の好業績が想定されている。しかしながら，関連型多角化と企業の経営成果との関係は，完全な結論が得られていない。関連型多角化が好業績であるということは，間違いではないが完全ではない。それに対する反論も多くなされている。関連型多角化は好業績の必要条件であるが，十分条件ではないのである。

　ではなぜ，統一のとれた見解が得られないのか。それはおそらく，問いのたて方が間違っているからであろう。どの程度の多角化が好業績なのかという問題ではなく，どのような多角化のマネジメントが好業績なのかが問わなければならない。

　Rumelt（1974）が示したように，同じ製品戦略の多様化にしても，企業により，その重要度は異なる。企業により，既存事業との関連やその事業で利用される経営資源の，企業にとっての重要性が異なるからである。企業によって異なるように，国によっても，あるいは状況によっても，多角化戦略が持っている意味というのは異なってくる。同じ経営資源であっても，企業によって，また国の違いや状況の違いによって，資源の持っている意味が異なってくるからである。多角化は国により，企業により，状況により，その最適度は異なるのである。

経営資源を節約するという観点からは，それらの違いは表に出てこない。それぞれの企業にとって，どのような意味の違いのある経営資源であっても，経営資源の節約，コスト削減という単純な指標により測定されるものは同じだからである。

　しかしながら，経営資源はコスト削減の対象になるのではなく，リソース・ベースド・ビュー（RBV）で議論がなされているように，競争優位の源泉となりうる，企業特異性の強いものであり，価値を生み出す源泉である。そのような，価値の源泉を節約の概念だけで議論しようとするために，多角化戦略の本質を見失うことになるのである。

　ここでは基本的な経営資源アプローチに対して，認識論的アプローチの必要性が提唱されなければならない。トップマネジメントや従業員の認識が企業経営に影響を与えるという議論は，加護野（1988a，1988b）をはじめとして行われているが，多角化研究には結びつけられてはいない。

　吉原他（1981）の議論では，組織マップや組織風土などの情報処理特性と多角化戦略との適合関係が議論されているが，企業が自らの組織マップや組織風土に合った多角化戦略を採用する傾向を持つことを指摘するにとどまり，多角化戦略がそれらに与える影響の積極的な意義については論じられていない。

　一部にドミナント・ロジック（Prahalad and Bettis, 1986）のような議論はあるが，これは多角化を制限する要因としての経営者の思考様式を扱っている。ただしドミナント・ロジックの議論は，経営者の認識に限定されており，企業組織の認識にまでは発展していない。しかしながら，認識を企業組織の認識にまで拡張して考えることが必要である。

　なぜなら企業は単なる資源の集まりではなく，人の集まりであり，人々の思いの集まりであるからである。それゆえにその思いを理解しないと，多角化戦略もうまくいかない。もちろんそれぞれの思いは様々で，多種多様である。それらを個人を分析単位として明らかにする試みが行動科学であり，モティベーション論である。しかしながら，そこまで分析単位を落とすと，全社戦略との関係がわからなくなる。やはり，多角化戦略とその組織構造の問題は，企業の全社戦略であり，それはトップ・マネジメントの主要な意思決

定問題である。ただトップの意思決定は組織の個人の思考，認識を無視して決められるものではなく，それら組織メンバーの思考様式を勘案し，それらと整合的な意思決定を行うことにより，成果に結びつくと考えられる。つまり「この新規事業をわが社がやって，従業員が理解してくれるか。従業員がついてきてくれるか」という問題である。榊原（1992）によると，それは経営者と組織メンバーのドメイン・コンセンサスということになる。

　本書は戦略論，企業論であるので，個人の個別の思いにまでは立ち入らないが，それらの集合としての企業行動を扱う。分析単位はあくまで組織である。具体的には大企業の多角化行動を実証分析により明らかにしようとしてきた。本書は大企業の行動メカニズムの本質を追究するものであり，この問題を多角化という観点から分析してそれを明らかにすることが目的であった。多角化行動を明らかにすることにより，最終的には企業とは何か，大企業はどのような経過をたどり成長，あるいは衰退していくのか，なぜ企業は成長を目指し，実際にある企業が成長を達成するのか，という問題が明らかになると考えている。なぜなら多角化戦略は企業の長期的な方向性を決定付ける重要な戦略であり，それにより企業の組織構造も大きく変化するからである。

　また多角化戦略を理解することにより，組織の問題も理解することができる。多角化により企業は大きくなるが，大きくなった組織には多くの弊害が出てくる。たとえば大企業病である。その典型が，官僚制の逆機能である。Merton（1957）が「官僚制の逆機能」として示したように（Merton, 1957）[1]，官僚制には意図せざる逆機能が存在するが，官僚制はもともと合理的な組織であり，ウェーバーにより機械にたとえられた組織である。大企業は官僚制組織をとらざるを得ない。官僚制なしに管理できる大企業は存在しないが，しかし官僚制にもバリエーションは存在する。

　Gouldner（1954）に示されるように，官僚制にもいくつかの類型が存在する。また，組織構造がひとつに収斂するのか，あるいは多様性を保持し続けるのか，国によりその発展経路は異なるのかという基本的な問題意識も存在する（Blau, 1955）。

　官僚制の弊害を克服するひとつの工夫がM型（M-Form）組織と呼ばれる

組織である。これは事業部制組織である。企業が多角化し，大規模化した結果，その必然として事業部制が採用されることはChandler（1964）により示された。またWilliamson（1975）によると，M型組織は資本市場のミニチュアであり，資源配分機能を持っているとされる。そのような資源配分機能により，官僚制の弊害が防止できるのである。

　しかしながら，第8章でみたように，多角化企業の本社組織は資源配分機能だけでは不十分であり，組織のマネジメントが必要である。組織構造に多様性が存在する理由は，そのような，本社機能の企業による認識の違いであり，それは国の競争優位にかかわる問題である。日本企業はこれまで，大きな本社で，戦略調整機能を果たしながら好業績を達成してきた。もちろん無駄も多くあった。低成長経済に直面し，この無駄が顕在化したために，小さな本社の動きが加速した。その際，欧米の小さな本社がお手本として取り上げられ，背後にあるマネジメントの論理を無視した模倣が起こり，一部の日本企業は競争力を失ってしまった。日本企業と欧米企業は企業の成り立ちが異なり，同じ手法は適応できない。これは第6章の日英比較の点から明らかである。そのような違いを踏まえたうえで，多角化企業をどのようにマネジメントしていけばよいのであろうか。この問題を次に考えよう。

第2節　多角化企業のマネジメント

　日本の大企業はいかにあるべきか。この問題を検討するときに多角化戦略と組織構造の問題は避けては通れない。多角化企業のマネジメントのひとつの解決策が，事業部制組織構造の利用であったが，それだけでは不十分であり，事業部制にも多様性が存在した。

　このような課題にこたえるひとつの鍵が，企業というものの存在についての考察である。企業とはそもそも何かという問いに答える企業観はいくつか存在する。法的単位としての企業，経済単位としての企業，知識と学習の蓄積としての企業，資源の束としての企業などである。経済学的には企業は経営資源の束である。経営資源を価値のあるアウトプットに変換する技術的変換システムである。Penrose（1959）が指摘したように，余剰資源の有効活

用を図り，企業は多角化を行う。その余剰資源の有効利用をうまくできた企業が，競争優位を獲得する。また，企業は契約の束ととらえることもできる。最近の新制度学派によるとらえ方である。プリンシパル・エージェント理論がその代表である。ただ，これらのとらえ方に欠落しているのが企業の人間的側面である。企業を人間の集団，組織として考えた場合，企業は人々の思い，考え，理念の束ととらえることができる。単なる資源の束，契約の束以上のものとなりうる。

　企業の人間的側面を考慮した場合，ヒト，モノ，カネ，情報といった経営資源でとらえるよりも，企業を構成する人々の思いの束と考えたほうがいい。そうとらえることにより，たとえば資源の違いがあまりないけれども業績に差がある企業の違いを説明できる。資源にそれほど違いがないのに，業績に差が出る企業として，アメリカ企業と日本企業の違いなどが挙げられるであろう。日本企業はアメリカ企業に比較して，一般的な経営資源の点からは不利な立場にありながら，1980年代を通して，大きく成長し，アメリカ企業に対して競争優位を獲得していった。特にアメリカ自動車産業は経営資源の点では日本企業に対して圧倒的に優位な立場にありながら，日本の自動車産業に追い抜かれてしまった。このような企業の業績の違いの理由を説明することができる。

　日本企業は結果として経営資源を獲得したが，今日，経営資源を十分に獲得しているはずの日本企業が戦略不全に陥っている（三品，2004）。経営資源を獲得してしまったがために，それに目が向き，資源の有効利用を進めることに注意の関心が向いてしまったのである。このことは，企業を資源の束としてとらえるだけでは不十分なことを示している。もちろん最近のリソース・ベースド・ビュー（RBV）は企業のそのような側面を含めて，企業の競争優位の源泉を明らかにしようとする試みである。Wernerfelt（1984）やBarney（1991）の議論やPrahalad and Bettis（1986）のドミナント・ロジック，Prahalad and Hamel（1990）のコア・コンピタンスといった概念は，企業のそのような側面に光を当てているといえる。

　これらの点から，企業を単なる資源の束ではなく，理念の束ととらえる合理性が出てくる。理念・認識の束と考えた場合，その理念・認識の良否に企

業の成長が規定される（Prahalad and Bettis, 1986）。そのような理念（あるいは人々の思い，考え）の束を戦略で束ね，組織的にまとめていく方策が必要である。その巧拙により，業績が決まる。

　ここで多角化とはそもそも何かを振り返ってみよう。吉原他（1981）の定義では，「事業の多様性が増すこと」であった。しかし，多角化は事業の多様性が増すだけでなく，事業の多様性が増すにつれ理念，認識，学習の多様性も同時に増す。多角化企業の優位性，存在意義はこのような考え方の多様性が増すことによらなければならない。もちろん，ただ多様なだけでは意味がない。多様さを持ちながら，それらがある方向に統一されている必要がある。

　コア事業を持った多角化の競争優位性もそのような統一性で説明できる。コア事業があることにより，多様性がマネジメントされ，統一性が増すのである（加護野，2004）。加護野（2004）はコア事業が高い経営成果に結びつく理由として，コア事業に集中的な資源配分が行われるからという理由と，多様な人々の心理的エネルギーを動員することができること，事業間の複雑な相互依存関係からシナジーを実現することができること，コア事業にはトップの関与があるため，事業部長には行うことのできない種類の意思決定を事業レベルで行うことができることを挙げている。ただ，これらは，多角化企業におけるコア事業の存在意義を十分に説明しているというわけではない。多角化企業において，シナジーの追及は重要であるが，コア事業の存在によってその達成が進むのは，次のような理由による。

　加護野（2004）は事業開始シナジーと事業運営シナジーを区別することにより，これを議論しようとしている。事業開始シナジーの実現のしやすさが，過剰な多角化を引き起こし，事業運営のシナジーを達成できないために，多角化が失敗する。しかし「コア事業がある場合には，本社の調整機能に頼らなくても，事業レベルで自然発生的にシナジーが追及される」（加護野，2004）[2]としている。コア事業の存在により，組織のメンバー，他の事業部門の人々が，コア事業を意識し，コア事業の技術利用や協働が得策と考え，シナジーの獲得が進むというのである。これは本社の調整ではなく，事業部間の自律的シナジーの達成である。

ただ，これは好業績達成の必要十分条件を示しているわけではない。コア事業があるというのは必要条件であり，十分条件ではない。他の事業部の人々が，コア事業を意識するだけでシナジーが達成されるというのは少し楽観的であり，コア事業を中心に本社が調整機能を働かせることにより初めてシナジーが達成されると考えるほうが現実的である。

　シナジー追及をめざした調整が行われることにより，初めてシナジーが達成されるのであるが，我々はその調整を本社による戦略調整機能に求める。コア事業を持ち，本社機能がそれを中心としたシナジー達成に向けて構築されることにより，業績の向上が可能になると考える。

　一体，シナジーはどのような時に達成されるのであろうか。企業の多角化が増すと，定義により多様性が高まる。多様性が増すと統一性が必要となる。多様性が増しただけでは，単なる寄せ集めにすぎず，それらを目的追求に向けて調整していくための機能が必要になる。多様性が出るほど統一性が必要になる。多角化した企業ほど本社を充実させる必要がある。その意味で多角化した企業を純粋持株会社にするのは疑問である。

　多様なままでは機能しないが，逆にすべてを統一すると優位性はなくなる。多様性が減少すると変化対応能力が極端に低下するからである。多様性を活かしながら統一性をもたせるマネジメントの方法を考えなければならない。多様性と統一性という矛盾するもののマネジメントが必要である。

　そもそも戦略は矛盾の解決が課題であった。アメリカ的事業部制は実はこの多様性と統一性のマネジメントの努力を放棄し，自立性を追及したものともいえる。各部門が自立的であると，全体としての組織の多様性には意味がなく，統一性を取る必要もない。ただ全体としてのメリットも得られない。アメリカ企業がシナジーを実現できないのはこれが理由である。

　多様なものを何とか統一することにより，シナジーが達成される。アメリカ企業が非関連型多角化でシナジーを達成できないのは，この文脈からは当然である。そのようなマネジメントはどのような組織により達成されるのであろうか。

　それは小さな本社では達成できない。一定の規模を持った戦略的本社が必要である。本社機能の中の戦略調整機能の重要性の再認識が必要である。官

僚制の弊害は本社のガバナンス機能の過度の強化によるものであり，ガバナンス機能を強化しようとして，組織維持の機能を重視しすぎることにより官僚制の逆機能が起こる。本社の分析でみたようにガバナンス機能は規模の増大ほどには増やす必要はない機能である。多角化した大企業はガバナンス機能ではなく，戦略調整機能を発揮しなければならないのである。

　ここから得られる実践的なインプリケーションにはどのようなものがあるであろうか。企業は多角化すべきか否かを問題にすべきではない。どのタイミングでやるかは別にして，多角化は必要である。どのように多角化すべきかという問題も実はそれほど重要ではない。また多角化が進むと通常，事業部制がとられるが事業部制か否かもそれほど重要ではない。それがさらに進みカンパニー制，持株会社となるのだが，事業部制か職能別か，あるいは極端にいえばカンパニー制か持株会社かもそれほど重要ではなく，むしろ集権か分権か，さらにどのような集権か，どのような分権化をするのか，何を分権化するのかを議論することが重要である。

　この問題は形を変えると，小さな本社か大きな本社かの問題であるが，それも実は単なる大きさではなく，その中身についての問題である。企業の持続的競争優位の源泉を考えると，本社の役割が問題である。組織を流行に従わせてはだめなのである。

　多角化企業には範囲の経済では説明できない経済性が存在する。それは多様性の経済とでも呼べるような経済性である。この経済性は多様な事業を行うことによる新たな視点の確保や異種混合から生まれる学習の促進によるものである。ただ，それらがうまく達成されるためには多様なだけではだめで，多様でありながら統一性が必要となる。多様なだけではアメリカ企業に見られるコングロマリットであり，そのような企業はどのような経済性も達成せず，ダイバーシティー・ディスカウントを生じるだけである。

　関連性だけに目を奪われていては，範囲の経済しか達成することができず，長期の成長性は確保されない。一見関連していないような事業を営みながら，それらが企業の大きな目標という観点から整合的である必要がある。その目標に向かって組織を統一し，導いていくような本社による戦略調整機能を発揮したマネジメントにより，長期的な成長が達成されるのである。

吉原他（1981）で示された，進んだ多角化の高成長もこのことを示している。日本企業が戦後にアメリカ企業を追い抜き，高成長を達成したのも，この多様性の経済を達成したからである。日本を復興させ，アメリカに追いつき追い越すという大きな目標により企業を統合しながら，メインバンクを中心としたガバナンスを効かせつつ，本社組織による戦略調整機能を生かしたマネジメントを実現してきたことによって成長を達成してきたのである。銀行は経営危機や不祥事など，危機的な状況では経営者を派遣し，資金調達という点から行き過ぎた経営にブレーキを利かせるが，普段は経営にはそれほど関与せず，本社経営陣による経営にある程度任せるガバナンスを行ってきた。

　本書の第10章で大きな本社が必ずしも低業績ではないこと，むしろ戦略調整機能を強化している本社を持っている企業が好業績であること，また巧みな制度的外部化を行うことにより，日本企業は独立とコントロールをうまく調整していることを示したが，これも，全社的な大きな目標を保持しながら本社による適切なマネジメントが達成されている企業の存在を示している。

第3節　今後の研究課題

　本社の役割は企業によって様々で，それは国により大きく異なる。その国の文化的背景，制度的背景が異なるので，マネジメントの抱える課題も異なり，企業組織における企業観，世界観が異なる。それに従いマネジメント課題も異なってきて，多角化と組織構造の関係も異なり，本社のあり方も異なってくる。本書ではこのような国による違いは提示しただけで，その理由についての考察には至らなかった。国による文化の違いを含めて，違いが生まれる理由の考察は今後の課題である。

　また本書では経営戦略と組織構造の適合関係の検証はごく一部にとどまった。多角化と組織構造の適合はChandler（1962）の先駆的な研究で「組織は戦略に従う」という命題で示されているが，その後Rumelt（1974）により，「組織は流行にも従う」という修正も加えられている。そのような流行に従った場当たり的な組織改革が成果に結びつかないことを定量的な分析で

実証していく必要があるが，それは今後の課題とする。

　本書では多角化企業をマネジメントする本社の役割の重要性を示したが，その根拠となっているデータは異なったサンプルから得られている。コア事業に集中しながら，多角化を展開している企業の好業績の条件として，本社による多角化事業のマネジメント能力を指摘したが，多角化戦略の分析と本社の役割の分析は，そのサンプルも調査時期も異なっている。理論的には両者は関係があると考えられるので，これらのサンプルを使い議論することに問題はないと考えるが，直接的なデータのつながりという点では問題があるかもしれない。それが本書の限界であり，そのような限界を克服するデータの収集と，その分析が今後の課題である。

注
1）Merton（1957），邦訳 pp. 179-184。
2）加護野（2004），p. 7。

参考文献

【欧文文献】

Abel, Derek and John S. Hammond (1979) *Strategic Market Planning : Problems and Analytical Approaches*, Englewood Cliffs, N J : Prentice-Hall (片岡一郎・古川公成・滝沢茂・嶋口充輝・和田充夫訳『戦略市場計画』ダイヤモンド社, 1982年).

Abernathy, William J. (1978) *The Productivity Dilemma : Roadblock to Innovation in the Automobile Industry*, Baltimore, MD : Johns Hopkins University Press.

Ansoff, H. Igor (1965) *Corporate Strategy*, New York, NY : McGraw-Hill (広田寿亮訳『企業戦略論』産業能率大学出版部, 1988年).

Baden-Fuller, Charles and John M. Stopford (1994) *Rejuvenating the Mature Business: the Competitive Challeng*, Boston, MA : Harvard Business School Press (石倉洋子訳『成熟企業の復活：ヨーロッパ企業はどう蘇ったか』文眞堂, 1996年).

Barney, Jay B. (1991) "Firm Resource and Sustained Competitive Advantage," *Journal of Management*, Vol.17, No.1, pp.99-120.

Barney, Jay B. (2002) *Gaining and Sustaining Competitive Advantage, 2nd ed.*, Upper Saddle River, NJ : Prentice Hall (岡田正大訳『企業戦略論：競争優位の構築と持続（上, 中, 下）』ダイヤモンド社, 2003年).

Besanko, David, David Dranove and Mark Shanley (2000) *Economics of Strategy, 2nd ed.*, New York, NY : J. Wiley (奥村昭博・大林厚臣監訳『戦略の経済学』ダイヤモンド社, 2002年).

Bettis, Richard A. (1981) "Performance Differences in Related and Unrelated Diversified Firms," *Strategic Management Journal*, Vol.2, pp.379-393.

Bettis, Richard A. and William K. Hall (1981) "Strategic Portfolio Management in the Multibusiness Firm," *California Management Review*, Vol.24, No.1, pp.23-38.

Bettis, Richard A. and William K. Hall (1982) "Diversification Strategy, Accounting Determined Risk, and Accounting Determined Return," *Academy of Management Journal*, Vol. 25, No.2, pp.254-264.

Bettis, Richard A. and Mahajan, Vijay (1985) "Risk/Return Performance of Diversified Firms," *Management Science*, Vol.31, No.7, pp.785-799.

Blau, Peter M. (1955) *The Dynamics of Bureaucracy : A Study of Interpersonal Rela-*

tions in Two Government Agencies, Rev. ed., Chicago, IL: University of Chicago Press.

Campbell, Andrew, Michael Goold and Marcus Alexander (1995) "Corporate Strategy: The Quest for Parenting Advantage," *Harvard Business Review*, Mar. Vol.73, No.2, pp.120-133.

Capon, Noel, James M. Hulbert, John U. Farley and L. Elizabeth Martin (1988) "Corporate Diversity and Economic Performance: The Impact of Market Specialization," *Strategic Management Journal*, Vol.9, No.1, pp.61-74.

Chandler, Alfred D., Jr. (1962) *Strategy and Structure: Chapters in the History of the Industrial Enterprise*, Cambridge, MA: M.I.T. Press (三菱経済研究所訳『経営戦略と組織：米国企業の事業部制成立史』実業之日本社，1967年；有賀裕子訳『組織は戦略に従う』ダイヤモンド社，2004年).

Chandler, Alfred D., Jr. (1990) *Scale and Scope: The Dynamics of Industrial Capitalism*, Cambridge, MA: Belknap Press of Harvard University Press (安部悦生・川辺信雄・工藤章・西牟田祐二・日高千景・山口一臣訳『スケールアンドスコープ：経営力発展の国際比較』有斐閣，1993年).

Chandler, Alfred. D. Jr. (1991) "The Function of the HQ Unit in the Multibusiness Firm," *Strategic Management Journal*, Vol.12, pp.31-50.

Channon, Derek F. (1973) *The Strategy and Structure of British Enterprise*, London: Macmillan.

Christensen, H. Kurt and Cynthia A. Montgomery (1981) "Corporate Economic Performance: Diversification Strategy Versus Market Structure," *Strategic Management Journal*, Vol.2, No.4, pp.327-343.

Cochran, William G. (1963) *Sampling Techniques, 2nd ed.*, New York, NY: John Wiley & Sons (鈴木達三・高橋宏一・脇本和昌訳『サンプリングの理論と方法 (1)，(2)』東京図書，1972年).

Collins, James C. (2001) *Good to Great: Why Some Companies Make the Leap ... and Others Don't*, New York, NY: Harper Business (山岡洋一訳『ビジョナリー・カンパニー2：飛躍の法則』日経BP社，2001年).

Collins, James C. and Jerry I. Porras (1994) *Built to Last: Successful Habits of Visionary Companies*, New York, NY: Harper Collins Publishers (山岡洋一訳『ビジョナリー・カンパニー：時代を超える生存の原則』日経BP出版センター，1995年).

Collis, David J. and Cynthia A. Montgomery (1998) *Corporate Strategy: A Resource-based Approach*, Boston, MA: Irwin, McGrowhill(根来龍之・蛭田啓・久保亮一訳『資源ベースの経営戦略論』東洋経済新報社,2004年).

Dillman, Don A. (2000) *Mail and Internet Surveys: The Tailored Design Method, 2nd ed.*, New York, NY: John Wiley & Sons.

Fligstein, Neil (1990) *The Transformation of Corporate Control*, Cambridge, MA: Harvard University Press.

Geppert, M., Dirk Matten and Karen Williams (eds.) (2002) *Challenges for European Management in a Global Context: Experiences from Britain and Germany*, Basingstoke, Hampshire: Palgrave Macmillan.

Goold, Michael and Andrew Campbell (1987) "Many Best Ways to Make Strategy," *Harvard Business Review*, November–December, pp.70–76.

Goold, Michael and Andrew Campbell (1988) *Strategies and Styles: The Role of the Centre in Managing Diversified Corporations*, Oxford: Basil Blackwell.

Goold, Michael, Andrew Campbell and Marcus Alexander (1994) *Corporate-Level Strategy: Creating Value in the Multibusiness Company*, New York, NY: John Wiley & Sons.

Goold, Michael and David Collis (2005) "Benchmarking Your Staff," *Harvard Business Review*, September, Vol.83, No.9, p.28.

Goold, Michael and David Young (2005) "When Lean isn't Mean," *Harvard Business Review*, April, Vol.83, No.4, p.16.

Gort, Michael (1962) *Diversification and Integration in American Industry*, Princeton, NJ: Princeton University Press.

Gouldner, Alvin W. (1954) *Patterns of Industrial Bureaucracy*, Glencoe, IL: Free Press(岡本秀昭・塩原勉訳編『産業における官僚制:組織過程と緊張の研究』ダイヤモンド社,1963年).

Haberberg, Adrian and Alison Rieple (2008) *Strategic Management: Theory and Application*, New York, NY: Oxford University Press.

Hamel, Gary and C. K. Prahalad (1994) *Competing for the Future*, Boston, MA: Harvard Business School Press(一條和生訳『コア・コンピタンス経営:大競争時代を勝ち抜く戦略』日本経済新聞社,1995年).

Hayes, Robert H. and William J. Abernathy (1980) "Managing Our Way to Economic Decline," *Harvard Business Review*, July–August.

Hill, Charles W. L. (1988) "Internal Capital Market Controls and Financial Performance in Multidivisional Firms," *The Journal of Industrial Economics*, Vol.37, No.1, September, pp.67-83.

Hirschman, Albert O. (1970) *Exit, Voice and Loyalty: Responses to Decline in Firms, Organizations and States*, Cambridge, MA: Harvard University Press（矢野修一訳『離脱・発言・忠誠：企業・組織・国家における衰退への反応』ミネルヴァ書房, 2005年）.

Kato, Takao and Mark Rockel (1992) "The Importance of Company Breeding in the U.S. and Japanese Managerial Labor Markets: A Statistical Comparison," *Japan and the World Economy*, Vol.4, pp.39-45.

Kennedy, Allan A. (2000) *The End of Shareholder Value: Corporations at the Crossroads*, Cambridge, MA: Perseus Pub（奥村宏監訳『株主資本主義の誤算：短期の利益追求が会社を衰退させる』ダイヤモンド社, 2002年）.

Khurana, Rakesh (2001) "Finding the Right CEO: Why Boards Often Make Poor Choice," *MIT Sloan Management Review*, Fall, pp.91-95.

Khurana, Rakesh (2002) *Searching for a Corporate Savior: The Irrational Quest for Charismatic CEOs*, Princeton, NJ: Princeton University Press.

Kim, W. Chan, Peter Hwang and Willem P. Burgers (1993) "Multinationals' Diversification and the Risk-return Trade-off," *Strategic Management Journal*, Vol.14, No.4, pp.275-286.

Kirby, Julia (2001) "Reinvention with Respect: An Interview with Jim Kelly of UPS," *Harvard Business Review*, November（山本冬彦訳「UPSの歴史に見る伝統的大企業の知られざる改革」『ダイヤモンド・ハーバード・ビジネス・レビュー』November, 2002年）.

Kono, Toyohiro and Stewart Clegg (2001) *Trends in Japanese Management: Continuing Strengths, Current Problems and Changing Priorities*, Basingstoke, Hampshire: Palgrave（吉村典久監訳『日本的経営の変革：持続する強みと問題点』有斐閣, 2002年）.

Mangione, Thomas W. (1995) *Mail Surveys: Improving the Quality, Applied Social Research Methods Series Volume 40*, Thousand Oaks, CA: Sage Publications（林英夫監訳『郵送調査法の実際：調査における品質管理のノウハウ』同友館, 1999年）.

Markides, Constantinos C. (1995) *Diversification, Refocusing, and Economic Perform-*

ance, Cambridge, MA: The MIT Press.

Markides, Constantinos C. and Peter J. Williamson (1994) "Related Diversification, Core Competences and Corporate Performance," *Strategic Management Journal*, Vol.15, pp.149-165.

Mayer, Michael and Richard Whittington (2002) "For Boundedness in the Study of Comparative and International Business: The Case of the Diversified Multidivisional Corporation", in Geppert, Mike, Dirk Matten and Karen Williams (eds.), *Challenges for European Management in a Global Context*, Basingstoke, Hampshire: Palgrave Macmillan.

McGahan, Anita M. and Michael E. Porter (1997) "How Much Does Industry Matter, Really?," *Strategic Management Journal*, Vol.18, Summer Special Issue, pp.15-30.

Merton, Robert King (1957) *Social Theory and Social Structure: Toward the Codification of Theory and Research*, New York, NY: Free Press (森東吾・森好夫・金沢実・中島竜太郎訳『社会理論と社会構造』みすず書房, 1961年).

Milgrom, Paul and John Roberts (1992) *Economics, Organization and Management*, London: Prentice-Hall International, Englewood Cliffs, NJ: Prentice-Hall (奥野正寛・伊藤秀史・今井晴雄・西村理・八木甫訳『組織の経済学』NTT出版, 1997年).

Montgomery, Cynthia A. (1979) *Diversification, Market Structure, and Firm Performance: An Extension of Rumelt's Model*, A Thesis Submitted of the Faculty of Purdue University.

Montgomery, Cynthia A. (1985) "Product-Market Diversification and Market Power," *Academy of Management Journal*, Vol.28, No.4, pp.789-798.

Montgomery, Cynthia A. and Harbir Singh (1984) "Diversification Strategy and Systematic Risk," *Strategic Management Journal*, Vol.5, No.2, pp.181-191.

Palepu, Krishna (1985) "Diversification Strategy, Profit Performance and the Entropy Measure," *Strategic Management Journal*, Vol.6, No.3, pp.239-255.

Penrose, Edith T. (1959) *The Theory of the Growth of the Firm*, Oxford: Basil Blackwell (末松玄六訳『会社成長の理論』ダイヤモンド社, 1980年).

Penrose, Edith T. (1980) *The Theory of the Growth of the Firm, 2nd ed.*, with a new foreword by Martin Slater, Oxford: Basil Blackwell.

Porter, Michael E. (1980) *Competitive Strategy: Techniques for Analyzing Industries* and Competitors, New York, NY: Free Press（土岐坤・中辻萬治・服部照夫訳『競争の戦略』ダイヤモンド社, 1982年）.

Porter, Michael E. (1987) "From Competitive Advantage to Corporate Strategy," *Harvard Business Review*, June, pp.43-59.

Prahalad, C. K. and Richard A. Bettis (1986) "The Dominant Logic: A New Linkage Between Diversity and Performance," *Strategic Management Journal*, Nov/Dec, Vol.7, No.6, pp.485-501.

Prahalad, C. K. and Gary Hamel (1990) "The Core Competence of the Corporation," *Harvard Business Review*, May-June, pp.79-91.

Ramanujam, Vasudevan and P. Varadarajan (1989) "Research on Corporate Diversification: A Synthesis," *Strategic Management Journal*, Vol.10, No.6, pp.523-551.

Rugman, Alan M and Alain Verbeke (2002) "Edith Penrose's Contribution to the Resource-based View of Strategic Management," *Strategic Management Journal*, Aug, 2002. Vol.23, No.8, pp.769-780.

Rumelt, Richard P. (1974) *Strategy, Structure, and Economic Performance*, Boston: Division of Research, Graduate School of Business Administration, Harvard University, Cambridge, MA: Harvard University Press（鳥羽欽一郎・山田正喜子・川辺信雄・熊沢孝訳『多角化戦略と経済成果』東洋経済新報社, 1977年）.

Rumelt, Richard P. (1982) "Diversification Strategy and Profitability," *Strategic Management Journal*, Vol.3, No.4, pp.359-369.

Rumelt, Richard P. (1991) "How much does Industry Matter?," *Strategic Management Journal*, Vol.12, No.3, pp.167-185.

Sirower, Mark L. (1997) *The Synergy Trap: How Companies Lose the Acquisition Game*, New York, NY: Free Press（宮腰秀一訳『シナジー・トラップ：なぜM&Aゲームに勝てないのか』プレンティスホール出版, 1998年）.

Teece, David J. (1980) "Economics of Scope and Scope of the Enterprise," *Journal of Economic Behavior and Organization*, Vol.1, No.3, pp.223-247.

Ueno, Yasuhiro, Norihisa Yoshimura, and Tadao Kagono (1999), "Externalization of Organizations and the Dual Governance Structure", in Dirks, Daniel, Jean-François Huchet and Thierry Ribault (eds.), *Japanese Management in the Low Growth Era: Between External Shocks and Internal Evolution*, Berlin: Springer, pp.21-35.

Van Oijen, Aswin and Sytse Douma (2000) "Diversification Strategy and the Roles

of the Center," *Long Range Planning*, Vol.33, No.4, pp.560-578.
Varadarajan, P. and Vasudevan Ramanujam (1987) "Diversification and Performance : A Reexamination Using a New Two-Dimensional Conceptualization of Diversity in Firms," *Academy of Management Journal*, Vol.30, No.2, pp.380-393.
Wernerfelt, Birger (1984) "A Resource-Based View of the Firm," *Strategic Management Journal*, Vol.5, No.2, pp.171-180.
Whittington, Richard and Michael Mayer (1997) "Beyond or Behind the M-Form? The Structure of European Business," in Thomas, Howard, Don O'Neal and Michel Ghertman (eds.), *Strategy, Structure and Style*, Chichester, West Sussex : John Wiley.
Whittington, Richard and Michael Mayer (2000) *The European Corporation : Strategy, Structure, and Social Science*, Oxford, NY : Oxford University Press.
Williamson, Oliver E (1975) *Markets and Hierarchies : Analysis and Antitrust Implications*, New York, NY : The Free Press, A Division of Macmillan Publishing (浅沼萬里・岩崎晃訳『市場と企業組織』日本評論社，1980年).
Yin, Robert K. (1994) *Case study research : Design and Methods, 2 nd ed.*, Sage Publications (近藤公彦訳『ケース・スタディの方法』千倉書房，1996年).
Young, David, Michael Goold, Georges Blanc, Rolf Bühner, David Collis, Jan Eppink, Tadao Kagono and Gonzalo Jiménez Seminario (2000) *Corporate Headquarters : An International Analysis of their Roles and Staffing*, London : Financial Times, Prentice Hall.

【和文文献】

青木英孝 (1998)「日本企業における経営者の選任：内部昇進者抜擢の実態」『商学研究科紀要』早稲田大学大学院商学研究科，第47号，pp.35-65。
青木英孝 (1999)「電機メーカー6社における社長抜擢のケース分析：経営の後継と取締役会の構造」『商学研究科紀要』早稲田大学大学院商学研究科，第49号，pp.39-69。
青木英孝 (2000)「社長抜擢と企業パフォーマンス：電気機器産業における実証分析」『商経論集』早稲田大学大学院商学研究科商学会，第78号，pp.13-22。
青木昌彦・伊丹敬之 (1985)『企業の経済学』岩波書店。
浅田孝幸 (1993)『現代企業の戦略志向と予算管理システム：日米経営システム比較』同文舘。

浅田孝幸（2006）「日本型ホールディングス（純粋持株会社）の生成・戦略的機能化と管理会計の貢献可能性：事業統治と事業評価に関連して」『組織科学』第40巻第2号，pp. 27-42。
淺羽茂（2004）『経営戦略の経済学』日本評論社。
石井耕（1996）『現代日本企業の経営者：内部昇進の経営学』文眞堂。
伊丹敬之（2001）「見えざる資産の競争力」『ダイヤモンド・ハーバードビジネス』2001年7月号。
伊丹敬之（2003）『経営戦略の論理（第3版）』日本経済新聞社。
伊丹敬之編著（2006）『日米企業の利益率格差（一橋大学日本企業研究センター研究叢書①）』有斐閣。
伊丹敬之・加護野忠男（2003）『ゼミナール経営学入門（第3版）』日本経済新聞社。
伊丹敬之・加護野忠男・伊藤元重編（1993）『企業と市場（リーディングス日本の企業システム第4巻）』有斐閣。
伊丹敬之・田中一弘・加藤俊彦・中野誠編著（2007）『松下電器の経営改革（一橋大学日本企業研究センター研究叢書②）』有斐閣。
伊丹敬之＋一橋MBA戦略ワークショップ（2002）『企業戦略白書Ⅰ：日本企業の戦略分析：2001』東洋経済新報社。
伊藤秀史（2002）「日本企業の組織再編：事業部製組織の経済分析」，大塚啓二郎・中山幹夫・福田慎一・本多佑三編『現代経済学の潮流2002』東洋経済新報社。
伊藤博之（2009）『アメリカン・カンパニー：異文化としてのアメリカ企業を解釈する』白桃書房。
上野恭裕（1990）「日本企業の多角化戦略と経営成果」神戸大学大学院経営学研究科修士論文。
上野恭裕（1991）「日本企業の多角化戦略と経営成果」『六甲台論集』神戸大学大学院，第38巻第2号，pp. 47-63。
上野恭裕（1994）「多角化戦略とシナジー効果」『経済研究』大阪府立大学，第39巻第2号，pp. 81-101。
上野恭裕（1997）『多角化企業の競争優位性の研究』大阪府立大学経済研究叢書第86冊，大阪府立大学経済学部。
上野恭裕（2004）「日本企業の多角化経営と組織構造」『組織科学』第37巻第3号，pp. 21-32。
上野恭裕（2005）「1980年代以降の日本企業の多角化戦略と事業集中」『経済研究』

大阪府立大学，第51巻第3号，pp.39-54。

上野恭裕・吉村典久（2004）「コーポレート・ガバナンス：社外取締役の有効性」，加護野忠男・坂下昭宣・井上達彦編著『日本企業の戦略インフラの変貌』白桃書房，pp.15-47。

内田和成（2009）『異業種競争戦略：ビジネスモデルの破壊と創造』日本経済新聞出版社。

大塚啓二郎・中山幹夫・福田慎一・本多佑三編（2002）『現代経済学の潮流2002』東洋経済新報社。

奥村昭博（1985）「組織の中枢機能：組織エコロジー・アプローチによる分析視角」『組織科学』第19巻第3号，pp.5-14。

加護野忠男（1977）「多角化指標について」『神戸大学経営学部研究年報』ⅩⅩⅢ。

加護野忠男（1980）『経営組織の環境適応』白桃書房。

加護野忠男（1988a）『組織認識論：企業における創造と革新の研究』千倉書房。

加護野忠男（1988b）『企業のパラダイム変革』講談社現代新書，講談社。

加護野忠男（1993）「職能別事業部制と内部市場」『国民経済雑誌』神戸大学，第167巻第2号，pp.35-52。

加護野忠男（2004）「コア事業をもつ多角化戦略」『組織科学』第37巻第3号，pp.4-10。

加護野忠男（2009）「顧客創造の原点に戻れ」日本経済新聞2009年12月30日。

加護野忠男・野中郁次郎・榊原清則・奥村昭博（1983）『日米企業の経営比較：戦略的環境適応の理論』日本経済新聞社。

加護野忠男・波多野徹・小濱健二・上野恭裕・吉村典久（2002）「『人減らし後』日本企業の錯覚と現実」『プレジデント』7月29日号，pp.132-136。

加護野忠男・吉村典久・上野恭裕（2002）「リストラクチャリングのマネジメント」『国民経済雑誌』神戸大学，第186巻第3号，pp.17-25。

加護野忠男・吉村典久・上野恭裕（2003）「日本企業の株式所有構造と経営者の属性：主要証券取引所に上場する全『製造』企業および『商業』に分類される企業にかんする実証分析」平成12年度～平成14年度科学研究費補助金　基盤研究(A)(2)　課題番号12303004　研究成果報告書：企業ガバナンスの国際比較，pp.3-35。

菊谷達弥・伊藤秀史・林田修（2005）「第4章　事業進出と撤退：1990年代日本企業の事業再編」，伊丹敬之監修，一橋大学日本企業研究センター編『日本企業研究のフロンティア1』有斐閣。

菊谷達弥・齋藤隆志（2006）「事業ガバナンスとしての撤退と進出：どのような事業から撤退し，どのような事業に進出するか」『組織科学』第40巻第2号，pp. 15-26．

菊池敏夫（1985）「本社組織の機能と構造：米国企業における本社組織の分析」『組織科学』第19巻第3号，pp. 38-47．

岸田民樹（1985）『経営組織と環境適応』三嶺書房．

楠木建（2002）「日本のビジネススクールの戦略」『一橋ビジネスレビュー』第50巻第2号，pp. 60-75．

経済産業省経済産業政策局（通商産業大臣官房調査）統計部（各年度版）『企業活動基本調査報告書』経済産業統計協会．

玄場公規・児玉文雄（1999）「産業の多角化の動向と収益性との相関」『ビジネスレビュー』第46巻第3号，pp. 65-74．

公正取引委員会編（1989）「リストラクチャリングの実態について」日本経済調査協議会資料．

河野豊弘（1985）「本社組織の規模と機能についての実態調査：革新のための組織及び事業部制との関連において」『組織科学』第19巻第3号，pp. 15-24．

神戸大学大学院経営学研究科・財団法人関西生産性本部（2006）「温故知新の経営：攻めから守りへ，守りから攻めへ．」第9回「経営実態調査」報告書．

後藤光男（1997）『「小糸」・「ブーン・ピケンズ」事件：国境を越えた企業防衛』産能大学出版部．

榊原清則（1992）『企業ドメインの戦略論：構想の大きな会社とは』中公新書，中央公論社．

四宮正親（1998）『日本の自動車産業：企業者活動と競争力　1918～70』日本経済評論社．

篠原光伸（1992）「範囲の経済とシナジー効果」，山口操・藤森三男編著『企業成長の理論』千倉書房．

清水雅彦・宮川幸三（2003）『参入・退出と多角化の経済分析：工業統計データに基づく実証理論研究』慶應義塾大学出版会．

下谷政弘（2006）「持株会社の歴史展開」『組織科学』第40巻第2号，pp. 43-51．

高橋睦春・奈良圭（2006）「統計から見た日本企業の多角化行動：企業活動基本調査のパネルデータによる実証分析」『経済統計研究』第34巻第2号，pp. 29-63．

田畑紀年（1994）「企業活動統計の整備と今後の方向：第2回企業活動基本調査の実施に当たって」『経済統計研究』第22巻第4号．

都留康・電機連合総合研究センター編（2004）『選択と集中：日本の電機・情報関連企業における実態分析』有斐閣。

トヨタグループ史編纂委員会編（2005）『絆：豊田業団からトヨタグループへ』トヨタグループ史編纂委員会。

トヨタ自動車株式会社編（1987）『創造限りなく：トヨタ自動車50年史』トヨタ自動車株式会社。

中島義明他編著（1999）『心理学事典』有斐閣。

中本和秀（1982）「イギリス大企業の経営戦略と組織：イギリス企業における多角化戦略と事業部制の普及に関して」『経済学研究』北海道大学，第31巻第4号，pp. 151-183。

日経ビジネス編（1993）『小さな本社：経営革新への挑戦』日本経済新聞社。

日本経営者団体連盟広報部編（1996）『本社改革事例集』日本経営者団体連盟広報部。

日本経済新聞社編（2001）『キヤノン　高収益復活の秘密』日本経済新聞社。

沼上幹（2000）『行為の経営学：経営学における意図せざる結果の探究』白桃書房。

野中郁次郎（1974）『組織と市場：組織の環境適合理論』千倉書房。

延岡健太郎（2002）「日本企業の戦略的意思決定能力と競争力」『一橋ビジネスレビュー』第50巻第1号，pp. 24-38。

延岡健太郎・田中一弘（2002）「トップ・マネジメントの戦略的意思決定能力」，伊藤秀史編著『日本企業　変革期の選択』東洋経済新報社。

萩原俊彦（2007）『多角化戦略と経営組織』税務経理協会。

箱田昌平（1988）『多角化戦略と産業組織（第2版）』信山社。

馬場大治（2001）「1990年代のわが国企業の事業集中：収益性との関係を中心に」『甲南経営研究』第41巻第3・4号，pp. 209-229。

林昇一・高橋宏幸編著（2004）『現代経営戦略の潮流と課題』中央大学経済研究所研究叢書37，中央大学出版部。

林英夫（2004）『郵送調査法』関西大学出版部。

樋口正夫（1995）『本社を変えろ：小さいだけでは，よい本社といえない』日本能率協会マネジメントセンター。

本田技研工業株式会社総務部HCG編（1975）『ホンダの歩み：1948～1975』本田技研工業株式会社。

三品和広（2004）『戦略不全の論理：慢性的な低収益の病からどう抜け出すか』東洋経済新報社。

宮川公男・和田尚久（1985）「わが国企業の本社機能：その首都圏への集中について」『組織科学』第19巻第3号，pp. 25-37.
宮島英昭・青木英孝（2002）「日本企業における自律的ガバナンスの可能性：経営者選任の分析」，伊藤秀史編著『日本企業　変革期の選択』東洋経済新報社．
宮島英昭・稲垣健一（2003）「日本企業の多様化と企業統治：事業戦略・グループ経営・分権化組織の分析」財務省財務総合政策研究所報告書．
宮本又郎・阿部武司・宇田川勝・沢井実・橘川武郎（2007）『日本経営史：江戸時代から21世紀へ（新版）』有斐閣．
森川正之（1998）「親会社の事業展開と子会社の事業展開：日本企業の多角化・集中化の要因と効果に関する実証分析」『通産研究レビュー』第11号，pp. 124-161.
盛山和夫（2004）『社会調査法入門』有斐閣．
薮章代（2003）「公益企業の多角化戦略とその見直し」大阪府立大学大学院経済学研究科博士前期課程修士論文．
山口操・藤森三男（1992）『企業成長の理論』千倉書房．
山田幸三（2000）『新事業開発の戦略と組織：プロトタイプの構築とドメインの変革』白桃書房．
吉原英樹・佐久間昭光・伊丹敬之・加護野忠男（1981）『日本企業の多角化戦略：経営資源アプローチ』日本経済新聞社．
吉村典久（2005）「戦後日本の電気機器・精密機器企業における株式所有構造」『経済理論』第325号，pp. 109-128.
吉森賢（2001）『日米欧の企業経営：企業統治と経営者』放送大学教育振興会．

【その他】
工業統計丙調査「企業多角化等調査」1987年（昭和62年）．
工業統計丙調査「企業多角化等調査」1989年（平成元年）．
『日経ビジネス』．
『日本経済新聞』．

付録A　各変数の定義

① 売上高成長率（GSL）

当該企業の分析期間の売上高に，成長曲線 $Y_t = Y_0 e^{gt}$（Y_t：t 年次の売上高，g：成長率）の回帰によるあてはめを行い，それによって得られる回帰係数 g をもって，その企業の売上高成長率（GSL）とした。

② 株主資本利益率（ROE）

各期の投下資本利益率を

$$\frac{当期純利益}{株主資本}$$

によって求め，分析期間の平均値をもってその企業の株主資本利益率（ROE）とした。

③ 売上高営業利益率（ROS 1）

各期の売上高営業利益率を

$$\frac{営業利益}{売上高}$$

によって求め，分析期間の平均値をもってその企業の売上高営業利益率（ROS 1）とした。

④ 売上高経常利益率（ROS 2）

各期の売上高経常利益率を

$$\frac{経常利益}{売上高}$$

によって求め，分析期間の平均値をもってその企業の売上高経常利益率（ROS 2）とした。

⑤ 企業規模

当該年度の企業の資産，売上高，従業員の自然対数をもって当該企業の企業規模とした。

付録B 調査協力企業一覧

（掲載許可を得た企業のみ掲載）

第1回「企業の組織革新実態調査」（2000年調査）

日清製粉㈱，日和産業㈱，森永製菓㈱，明治製菓㈱，雪印乳業㈱，㈱ヤクルト本社，伊藤ハム㈱，キリンビール㈱，㈱伊藤園，はごろもフーズ㈱，ユニチカ㈱，倉敷紡績㈱，豊田紡織㈱，帝人㈱，住江織物㈱，日本バイリーン㈱，福助㈱，北越製紙㈱，大昭和製紙㈱，日本ハイパック㈱，昭和電工㈱，大阪酸素工業㈱，ステラケミファ㈱，保土谷化学工業㈱，大日精化工業㈱，三井化学㈱，ダイセル化学工業㈱，積水化学工業㈱，タキロン㈱，児玉化学工業㈱，タイガースポリマー㈱，日本油脂㈱，ビオフェルミン製薬㈱，久光製薬㈱，富士レビオ㈱，ゼリア新薬工業㈱，東洋インキ製造㈱，コニカ㈱，㈱ファンケル，コニシ㈱，ヤスハラケミカル㈱，ケミプロ化成㈱，小林製薬㈱，荒川化学工業㈱，㈱寺岡製作所，日本農薬㈱，日石三菱㈱，大機エンジニアリング㈱，昭和ゴム㈱，東洋ゴム工業㈱，㈱エスイーシー，㈱INAX，㈱ヨータイ，イソライト工業㈱，九州耐火煉瓦㈱，住友金属工業㈱，㈱中山製鋼所，㈱メタルアート，鈴木金属工業㈱，日本精線㈱，㈱サンユウ，㈱大紀アルミニウム工業所，三井金属鉱業㈱，東邦亜鉛㈱，古河機械金属㈱，九州不二サッシ㈱，日本伸銅㈱，三菱電線工業㈱，タツタ電線，沖電線，㈱アーレスティ，㈱宮地鐵工所，不二サッシ㈱，㈱ノーリツ，トーソー㈱，東洋刃物㈱，㈱ロブテックス，日立精機㈱，㈱アマダ，㈱アライドマテリアル，大東精機㈱，ホソカワミクロン㈱，日本エアーテック㈱，井関農機㈱，石川島運搬機械㈱，三菱化工機㈱，石井表記，日本ギア工業㈱，㈱荏原製作所，千代田化工建設㈱，アネスト岩田㈱，㈱ダイフク，シルバー精工㈱，グローリー工業㈱，新晃工業㈱，日本ピストンリング㈱，㈱リケン，大豊工業㈱，光洋精工㈱，㈱天辻鋼球製作所，㈱ユーシン精機，日鍛バルブ㈱，㈱中北製作所，㈱東芝，三菱電機㈱，デンヨー㈱，東芝テック㈱，マブチモーター㈱，田淵電機㈱，東洋電機㈱，岩崎通信機㈱，日本信号㈱，マスプロ電工㈱，TDK㈱，㈱ケンウッド，ホシデン㈱，古野電気㈱，リオン㈱，東北パイオニア㈱，新電元工業㈱，タバイエスペック㈱，日本LSIカード㈱，スタンレー電気㈱，富士通機電㈱，日本シイエムケイ㈱，㈱サンコー，北陸電気工業㈱，松下電工㈱，㈱指月電機製作所，三井造船㈱，日立造船㈱，石川島播磨重工業㈱，㈱ニッチツ，日産自動車㈱，いすゞ自動車㈱，トヨタ自動車㈱，自動車部品工業㈱，㈱ボッシュオートモーティブシステム，大同メタル工業㈱，太平洋工業㈱，ダイハツ工業㈱，㈱安永，ヤマハ発動機㈱，㈱エクセディ，㈱ミツバ，愛三工業㈱，日本

精機㈱, ㈱ジェイ・エム・エス, スター精密㈱, ㈱トキメック, ㈱ニコン, オリンパス光学工業㈱, キヤノン電子㈱, 日本電産コパル㈱, リズム時計工業㈱, フクビ化学工業㈱, タカノ㈱, 天龍木材㈱, 宝印刷㈱, ㈱アシックス, 日本ウェーブロック㈱, ㈱JSP, リンテック㈱, 信越ポリマー㈱, 東リ㈱, ナカバヤシ㈱, ミズノ㈱

第2回「企業の組織革新実態調査」（2007年調査）

伊藤ハム㈱, 日本電線工業㈱, 星和電機㈱, コーセル㈱, 住江織物㈱, 東洋クロス㈱, ケミプロ化成㈱, ㈱ニッカトー, ㈱アーレスティ, ダイベア㈱, 川崎重工業㈱, ホンダ技研工業㈱, ㈱丸順, ㈱ピクセラ, 能美防災㈱, OBARA㈱, ㈱トクヤマ, アルプス電気㈱, 日信工業㈱, 江崎グリコ㈱, サッポロホールディングス㈱, 山喜㈱, ㈱トウペ, ㈱ソディック, 池上通信機㈱, 東リ㈱, ㈱三陽商会, コスモ石油㈱, ㈱日阪製作所, 新晃工業㈱, 極東開発工業㈱, トピー工業㈱, ㈱ラピーヌ, 積水化学工業㈱, ㈱ツムラ, 日水製薬㈱, フマキラー㈱, 富士電機ホールディングス㈱, クラリオン㈱, カシオ計算機㈱, コンビ㈱, フジッコ㈱, ㈱資生堂, ジェイ エフ イー ホールディングス㈱, ㈱タムラ製作所

STRATEGY AND STRUCTURE OF COMPANIES: AN INTERNATIONAL COMPARISON BETWEEN THE UK AND JAPAN
（イギリス企業2001年調査）

Walker Greenbank PLC, Toye & Company PLC, Thorntons PLC, The Alumasc Group PLC, SOCO International PLC, Smith & Nephew, Sirdar PLC, Shiloh PLC, Scapa Group PLC, Pura PLC, Prym Newey Group PLC, Petrel Resources, Osmetech PLC, Norman Hay PLC, Meconic PLC, Maclellan Group PLC, Macfarlane Group PLC, Johnston Group PLC, Innovision Research & Technology PLC, Imperial Tobacco Group PLC, Howle Holdings PLC, Hampson Industries PLC, Glenmorangie PLC, Fulcrum Pharma PLC, Emerald Energy PLC, Elektron PLC, Dowding & Mills PLC, Densitron Technologies PLC, Deltron Electronics PLC, Dawson International PLC, Croda International PLC, Clipper Venture PLC, British American Tobacco PLC, Balfour Beatty PLC, Arm Holdings PLC, Alkane Energy PLC

付録C 質問票C-1(関連部分のみ抜粋)

企業の組織革新の実態調査

大阪府立大学経済学部内
「企業の組織革新」研究プロジェクト

ご回答あたってのお願い

1. この調査は日本を代表する企業の組織構造の実態を,本社と事業部門の関係から明らかにし,今後の組織改革のあり方を検討することを目的としています。
2. 調査対象企業は東京証券取引所一部に上場している鉱工業企業です。
3. この質問票調査は,全社的な組織構造,経営戦略,意思決定システムに関する質問からなっています。これらの点についてお答えいただける方にご回答いただきますようお願い申し上げます。
4. この調査結果は学術的な研究目的以外には使用しませんので,ありのままをお答えください。
5. ご回答いただいた調査結果はすべて統計的に処理し,貴社にご迷惑をおかけすることのないように細心の注意を払う所存です。統計的な処理を有効にするため,できるだけ多くの項目にお答え下さいますようお願い申し上げます。
6. ご回答いただいた企業には,お礼として調査の集計結果をお送り致します。

ご返送のお願い

お忙しいところ誠に恐縮ですが,ご記入いただきました質問票は,同封の返信用封筒(切手不要)により,<u>平成12年9月14日(木曜日)</u>までにご投函下さいますようお願い申しあげます。

御回答者

貴社名:	
所在地:	
御回答者氏名:	役職:
電話番号:	FAX番号:
e-mailアドレス:	

問1　貴社の基本的な組織構造は次のうちどれですか。最も近いものひとつに〇をおつけください。

1. 職能別組織
2. 事業部制組織
3. 階層構造をもった事業部制組織（事業部と事業本部がある場合など）
4. 職能別組織と事業部制組織の混合形態（一部事業部制を持った職能別組織）
5. マトリックス制
6. 純粋持ち株会社
7. その他（具体的にご説明ください：　　　　　　　　　　　　　　　　）

　　＊　ここでの事業部制組織とは，ある程度自律的な組織単位を備えた組織構造をいいます。したがって事業部制，事業本部制，カンパニー制といった貴社でお使いの名称にかかわらず，お答えください。

問2　問1でお答えいただいた組織構造がとられたのはいつのことですか。

　　　西暦（　　　　　　　）年

貴社の組織構造が事業部門構造を持っている場合（問1で2，3，4，5，6に〇をつけた方，あるいは7に〇をつけた方で，事業部門構造をもっていると判断された方）は以下の問いにお答えください。また純粋持ち株会社の場合は貴社の傘下にある子会社を事業部と置き換えてお答えください。それ以外の方（事業部門構造を持たない企業の方）は問22にお進みください。

問3　事業部門（事業部，事業本部，カンパニーなど）はどのような基準で分けられていますか。最も当てはまるものひとつに〇をおつけください。なお4を選ばれた方はどのような混合形態か数字でお示しください。

1. 製品別
2. 地域別
3. 職能別（例えば製造事業部，販売事業部）
4. 混合形態（上記の　　　　と　　　　）
5. その他（ご説明ください：　　　　　　　　　　　　　　　　）

問4　貴社は社内資本金制度を導入していますか。

　　1．はい　　　　　2．いいえ

問5　現業に携わる事業部門はいくつありますか。具体的な数字でお答えください。

　　　　（　　　）事業部門

問6　そのうち利益責任を持つ事業部門（プロフィット・センター）はいくつありますか。具体的な数字でお答えください。

　　　　（　　　）事業部門

問7　そのうち事業部別貸借対照表を作成し，資本責任をもっている事業部門はいくつですか。具体的な数字でお答えください。

　　　　（　　　）事業部門

問8　上記の事業部門はいくつかのグループ（たとえば事業本部のようなもの）にまとめられ，階層構造をもっていますか。

　　　1.　はい→　問9へお進み下さい。
　　　2.　いいえ→　問12へお進みください。

問9　はいと答えた方はいくつのグループにまとめられていますか。具体的な数字でお答えください。
　　　　（　　　）グループ

問10　事業グループで利益責任を持つ事業部門（プロフィットセンター）はいくつありますか。具体的な数字でお答えください。

　　　　（　　　）グループ

問11　事業グループで，事業部別貸借対照表を作成し，資本責任を持つグループはいくつですか。具体的な数字でお答えください。ご回答の後，問12へ。

　　　　（　　　）グループ

問12　貴社は事業部門にどのように本社費を配賦しますか。当てはまるものひとつに○をおつけください。

　　　1.　本社費発生の因果関係を考慮せず，本社費の全部を各事業部に配賦する。
　　　2.　本社費の内容に従い，本社費の一部だけを各事業部に配賦する。
　　　3.　本社費は一切配賦しない。

問13　貴社は社内振替価格制度を導入していますか。

　　　1.　はい　　　　2.　いいえ

問14　貴社の事業部長には，事業部門取引に際して忌避宣言権はありますか。

　　　1.　はい　　　　2.　いいえ

問15 本社が第一階層の事業部長(あるいは事業本部長,カンパニー・プレジデント等)の業績評価をする際に,以下の収益指標はどの程度重要ですか。最も近いと思われる番号でお答えください。

		まったく重要でない	あまり重要でない	どちらともいえない	やや重要である	非常に重要である
1.	売上高	1	2	3	4	5
2.	限界利益(売上高－変動費)	1	2	3	4	5
3.	管理可能利益	1	2	3	4	5
4.	貢献利益	1	2	3	4	5
5.	純利益(本社費配賦後)	1	2	3	4	5
6.	売上高利益率	1	2	3	4	5
7.	投下資本利益率	1	2	3	4	5
8.	売上高成長率	1	2	3	4	5
9.	利益成長率	1	2	3	4	5
10.	市場占有率	1	2	3	4	5
11.	キャッシュ・フロー	1	2	3	4	5
12.	資本投資レベル	1	2	3	4	5
13.	設備生産性	1	2	3	4	5
14.	労働生産性	1	2	3	4	5
15.	目標コストレベル	1	2	3	4	5
16.	新製品開発	1	2	3	4	5
17.	製品品質の向上	1	2	3	4	5
18.	流通システムの合理化	1	2	3	4	5
19.	顧客満足度	1	2	3	4	5
20.	人材育成	1	2	3	4	5

問16 事業部長の業績評価は事業部長の報酬にどの程度反映されますか。最も当てはまると思われる数字ひとつに〇をおつけください。

    (1) 給与に反映される程度

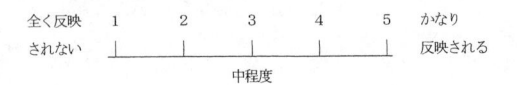

    全く反映　　1　　　2　　　3　　　4　　　5　　かなり
    されない　　|＿＿＿|＿＿＿|＿＿＿|＿＿＿|　反映される
    　　　　　　　　　　　　中程度

    (2) ボーナスに反映される程度

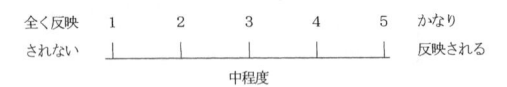

    全く反映　　1　　　2　　　3　　　4　　　5　　かなり
    されない　　|＿＿＿|＿＿＿|＿＿＿|＿＿＿|　反映される
    　　　　　　　　　　　　中程度

問17　それぞれの事業部門で生み出されたキャッシュ・フローの処理について。

  1.　本社への配当支払いに必要な基金，本社費等を除いて各事業部に残される。
  2.　本社により全社的に企業内で再配分される。
  3.　その他（　　　　　　　　　　　　　　　　　　　　　）

問18 以下に述べる問題に第一階層の事業部長(あるいは事業本部長等)はどの程度自由に(本社の許可なしに)行動する権限が与えられていますか。以下の1〜4のうち最も近い番号をお選びください。

事業部長は本社に連絡することなしに行動できる	事業部長は行動し事後的に報告するだけでよい	事業部長は行動する前にあらかじめ本社に相談しなければならない	事業部長は本社の公式の許可を得なければどのような行動もとれない
1	2	3	4

(1) 総合職の人事	1	2	3	4
(2) 管理職の人事	1	2	3	4
(3) 従業員の給料の変更	1	2	3	4
(4) 工場において５０人の追加的従業員の雇用を必要とするような増産計画	1	2	3	4
(5) 新しい生産システムの導入	1	2	3	4
(6) 事業部在庫水準の変更	1	2	3	4
(7) 主要な供給先の変更	1	2	3	4
(8) 既存製品の生産中止の決定	1	2	3	4
(9) １億円の設備投資	1	2	3	4
(10) １０億円の設備投資	1	2	3	4
(11) 新製品のデザイン決定	1	2	3	4
(12) 主要製品の価格の変更	1	2	3	4
(13) 事業部の広告戦略の変更	1	2	3	4
(14) 広告・宣伝費の予算支出上限の変更	1	2	3	4
(15) 研究開発プロジェクトの中止	1	2	3	4
(16) １億円の研究開発費支出の決定	1	2	3	4
(17) 事業部の年間予算の決定	1	2	3	4
(18) 資金供給のための金融機関との交渉	1	2	3	4
(19) 社内振替価格の決定	1	2	3	4
(20) 事業部の戦略的方向性の決定	1	2	3	4
(21) 訴訟問題の解決	1	2	3	4
(22) 外部環境団体との交渉	1	2	3	4
(23) 買収企業の候補の決定	1	2	3	4

問19　以下の事柄に関して，本社はどの程度責任を持っていますか。最も当てはまるものひとつに○をおつけください。

	常に本社の責任である	ほとんど本社の責任である	現業事業部と本社が責任を分担する	まれに本社の責任である	本社の責任ではない
(1) 資金管理	1	2	3	4	5
(2) 主要製品の価格設定	1	2	3	4	5
(3) 主要な投資の決定	1	2	3	4	5
(4) 長期の経営計画	1	2	3	4	5
(5) 広報活動	1	2	3	4	5
(6) 資金調達	1	2	3	4	5
(7) 法的機能	1	2	3	4	5
(8) 買収企業の特定	1	2	3	4	5
(9) 買収の決定	1	2	3	4	5
(10) 事業部年度予算の策定	1	2	3	4	5
(11) 事業部の事業戦略の策定	1	2	3	4	5
(12) 研究開発上の決定	1	2	3	4	5
(13) 新規事業開発	1	2	3	4	5
(14) 新製品開発	1	2	3	4	5
(15) 販売計画の作成	1	2	3	4	5
(16) 生産計画の作成	1	2	3	4	5
(17) 流通チャネルの開拓	1	2	3	4	5

問20　貴社では過去5年間に，全社規模の組織改革が行われましたか。

　　　1. 行われた→ 問21 へ。　　　2. 行われなかった→ 問22 へ。

問21　以下の文章は組織改革の特色，プロセスを記述したものです。最近の組織改革を念頭において，1から5点のスケールで最も当てはまるものひとつに〇をおつけください。ご回答の後，問22 へ。

まったく ちがう 1	どちらかといえば ちがう 2	どちらとも いえない 3	どちらかといえば 正しい 4	まったく そのとおり 5

(1) 組織改革は，役員の交代をともなった。　　　　　　　　　1　2　3　4　5
(2) 組織改革は，従業員の移動をともなった。　　　　　　　　1　2　3　4　5
(3) 組織改革は，漸進的に行われた。　　　　　　　　　　　　1　2　3　4　5
(4) 組織改革は，いっきょに行われた。　　　　　　　　　　　1　2　3　4　5
(5) 組織改革は，内部効率を改善するために行われた。　　　　1　2　3　4　5
(6) 組織改革は，市場の環境変化に対応するために行われた。　1　2　3　4　5
(7) 組織改革は，従業員の意識改革を進めるために行われた。　1　2　3　4　5
(8) 組織改革は，従業員の企業家精神を高めるために行われた。　1　2　3　4　5
(9) 組織改革は，従業員のモティベーション高めるために行われた。　1　2　3　4　5
(10) 組織改革は，中核ビジネスを強化するために行われた。　1　2　3　4　5
(11) 組織改革は，新規事業を育成するために行われた。　　　1　2　3　4　5
(12) 組織改革は，権限委譲と責任の明確化をはかるために行われた。　1　2　3　4　5
(13) 組織改革は，外部コンサルティング会社の企画が導入された。　1　2　3　4　5
(14) 組織改革は，経営者の発案によりトップダウン的に遂行された。　1　2　3　4　5
(15) 組織改革は，常設の機関で常に検討されていた。　　　　1　2　3　4　5
(16) 組織改革は，組織風土を変革するために行われた。　　　1　2　3　4　5

問22 貴社は現在，純粋持ち株会社についてどのような対応をとっていますか。どれか**1つ**に○をおつけください。

　　1. 採用している
　　2. 採用予定である
　　3. 検討している
　　4. 関心はあるが検討するにはいたっていない ────┐問24 へ
　　5. 関心はない ──────────────────────┘

問23 採用，採用予定，検討している企業の方におたずねします。その理由は何ですか。あてはまるもの**すべて**に○をおつけください。回答後は次ページ，問25 へ。

　　1. M&Aの機動的展開　　　　　　　　2. 事業間の人事体系の柔軟性を高めるため
　　3. 多角化事業の業績管理の強化　　　　4. 多角化事業の自立促進
　　5. 事業単位トップの責任の明確化　　　6. 新規事業の立ち上げが容易
　　7. 本社が全社戦略の立案に専念できる　8. 不採算部門の処理がしやすい
　　9. グループ企業の求心力強化　　　　　10. 経営システムの国際化
　　11. 意思決定のスピード・アップ　　　　12. 後継者の育成
　　13. ストックオプションによるインセンティブ強化
　　14. リスクの分散
　　15. その他（　　　　　　　　　　　　　　　　　　　　　　）

問24 検討していない，あるいは関心がない企業の方におたずねします。その理由は何ですか。あてはまるもの**すべて**に○をおつけください。回答後は次ページ，問25 へ。

　　1. 連結納税制度の未整備
　　2. 事業持ち株会社を工夫することにより同様の効果が得られる
　　3. カンパニー制で同様の効果が得られる
　　4. 人材不足
　　5. 子会社のチェックが十分できない
　　6. その他（　　　　　　　　　　　　　　　　　　　　　　）

問25　過去5年間における貴社の全社戦略は，どのような方向を目指していましたか。それぞれの項目で，最も当てはまるものひとつに〇をおつけください。

　　(1) 事業数の増減について
　　　　1. 競争力のない事業を整理し，事業を絞り込んだ。
　　　　2. 既存事業数を維持した。
　　　　3. 積極的に新規事業への進出を行い，事業数は増加した。

　　(2) 既存事業の扱いについて
　　　　1. 既存主力事業への投資を縮小した。
　　　　2. 既存主力事業への投資は基本的には維持した。
　　　　3. 既存主力事業への投資を強化し拡大を計った。

問26　今後の貴社の全社戦略は，どのような方向を目指していますか。それぞれの項目で最も当てはまるものひとつに〇をおつけください。

　　(1) 事業数の増減について
　　　　1. 競争力のない事業を整理し，事業を絞り込む。
　　　　2. 既存事業数を維持する。
　　　　3. 積極的に新規事業への進出を行い，事業数を増加させる。

　　(2) 既存事業の扱いについて
　　　　1. 既存主力事業への投資を縮小する。
　　　　2. 既存主力事業への投資は基本的に維持する。
　　　　3. 既存主力事業への投資を強化し拡大を計る。

問27　過去5年間に，貴社は新規事業分野への多角化をおこないましたか。該当する項目に〇をおつけください。

　　　1. おこなった。→問29へお進み下さい。
　　　2. おこなわなかった。→問28へお進み下さい。

問28　貴社では過去5年間に多角化をおこなわなかったということですが，その理由として最も当てはまるものひとつに〇をおつけください。

　　　1. 本業の成長が十分に期待できたから。
　　　2. 本業による成長を志向したから。
　　　3. 専門化による競争優位を指向したから。
　　　4. 多角化事業の見直しが必要になったため。
　　　5. 多角化の必要性は認識しているが，条件が整わなかったから。
　　　6. その他（　　　　　　　　　　　　　　　　　　　）

　　問28にお答えの後は，問34へお進みください。

問29　次のリストは，既存事業との関連で多角化事業を分類したものです。過去５年間の貴社の多角化事業は主にどのタイプにあたりますか。最も主要なものひとつに○をおつけください。

1. 原材料，部品等の川上分野
2. ２次加工・流通などの川下分野
3. 技術，ならびに市場関連分野
4. 技術関連分野
5. 市場関連分野
6. 非関連分野
7. 副産品，連産品分野

問30　貴社の多角化活動の成功，失敗を決定する要因として，以下の項目はどれほど重要ですか。該当する数字に○をご記入下さい。

	まったく重要でない	あまり重要でない	どちらともいえない	やや重要である	非常に重要である
(1)全般的な事業計画	1	2	3	4	5
(2)マーケティング能力	1	2	3	4	5
(3)販路の共有度	1	2	3	4	5
(4)技術的な関連	1	2	3	4	5
(5)新技術開発能力	1	2	3	4	5
(6)資金力	1	2	3	4	5
(7)企業イメージ・ブランド	1	2	3	4	5
(8)情報収集・分析能力	1	2	3	4	5
(9)組織内における情報の伝達・共有	1	2	3	4	5
(10)新規事業でのあらたな知識の習得	1	2	3	4	5
(11)企業家的人材	1	2	3	4	5

問31　貴社では多角化に必要な経営資源の獲得方法として，次の方法はどの程度とられますか。最も当てはまるものひとつに○をおつけください。

		全く用いない	ほとんど用いない	時として用いる	頻繁に用いる
(1)	内部開発	1	2	3	4
(2)	事業・企業の買収・合併	1	2	3	4
(3)	資本参加を伴う戦略的提携（合弁企業の設立等）	1	2	3	4
(4)	資本参加を伴わない戦略的提携（OEM，製販協力等）	1	2	3	4

問32　貴社では，多角化の際に次のような組織編成はどの程度用いられますか。最も当てはまるものひとつに〇をおつけください。

	全く用いない	ほとんど用いない	時として用いる	頻繁に用いる
(1) 主にプロジェクトチームとして，あるいはタスクフォースとして編成する。	1	2	3	4
(2) 主に，社内組織の1部門として編成する	1	2	3	4
(3) 主に，子会社として編成する	1	2	3	4

問33　貴社では多角化によって得られる効果として，以下のことはどれほど期待しますか。最も当てはまるものひとつに〇をおつけください。ご回答の後，問34へお進みください。

	全く期待しない	あまり期待しない	ある程度期待する	非常に期待する
(1) いろいろな事業の組み合わせによる学習の促進	1	2	3	4
(2) 新規事業による新しい思考様式・考え方の獲得	1	2	3	4
(3) 新事業から既存事業への知識・技術の逆移転	1	2	3	4
(4) 企業イメージの向上	1	2	3	4
(5) 組織の活性化	1	2	3	4
(6) 収益性の改善	1	2	3	4
(7) 成長性の改善	1	2	3	4
(8) 新たに核となる事業への進出	1	2	3	4
(9) リスクの回避	1	2	3	4
(10) 雇用問題の解決	1	2	3	4
(11) 事業間の相乗効果（シナジー）	1	2	3	4

問34 貴社の主要な単位事業*による売上高の比率はいくらになるでしょうか。
1. 全社の売上高の95%以上を占める。→問40へお進みください。
2. 全社の売上高の95%未満である。→問35へお進みください。

* ここで単位事業とは，その分野の重要な意思決定が他の分野の事業活動に大きな影響を及ぼすことなく行える程度に独立性を持った事業をいいます。

問35 原材料の生産から製品の製造，販売といった垂直的なつながりのある単位事業のグループがあるとき，その垂直事業グループ全体の売上げが全売上高に占める比率はいくらになりますか。
1. 全社の売上高の70%以上を占める。→問40へお進みください。
2. 垂直事業グループはない，あるいはあっても全社の売上高の70%未満である。→問36へお進みください。

問36 貴社の主たる単位事業*による売上高の比率はいくらになるでしょうか。
1. 全社の売上高の70%以上を占める。→問37へお進みください。
2. 全社の売上高の70%未満である。→問38へお進みください。

* ここで単位事業とは，その分野の重要な意思決定が他の分野の事業活動に大きな影響を及ぼすことなく行える程度に独立性を持った事業をいいます。

問37 貴社は問36より本業中心型と考えられますが，本業とそれ以外の事業との関係はどのようなものですか。最も当てはまるものひとつに〇をおつけください。ご回答の後，問40にお進みください。
1. 本業以外の事業は，すべて何らかの形で本業と関連をもっている。（関連は網の目状に緊密にある）
2. 本業以外の事業は，新事業で獲得した資源をテコにして，さらに関連する分野へ進出しているので，本業とはあまり関連のない事業も存在する。
3. 本業以外の事業は，本業とほとんど関連がない。

問38 技術や市場で何らかの形で関連のある事業グループを関連事業グループと呼びます。そのような関連事業グループの中で，最大の売上規模の関連事業グループが全売上高に占める比率はいくらになりますか。どちらかに〇をおつけください。
1. 全社の売上高の70%以上を占める。→問39へお進みください。
2. 全社の売上高の70%未満である。→問40へお進みください。

問39 貴社は問38より関連型多角化企業と考えられますが，主要な関連事業グループ内の関連の仕方はどのようなものですか。最も当てはまるものひとつに〇をおつけください。ご回答の後，問40へお進みください。
1. 関連事業は，互いに何らかの形で関連をもっている。（関連は網の目状に緊密にある）
2. 関連事業は新事業で獲得した資源をテコにして，さらに関連する分野へ進出しているので，関連事業グループの中にも，互いに直接的には関連を持たない事業も存在する。

問40　以下の文章は具体的な競争戦略のタイプを記述したものです。それぞれの文章は，貴社の競争戦略の特色にどの程度当てはまりますか。該当する数字に〇をおつけください。

		全く ちがう		どちらとも いえない		全く その通り
(1)	コスト削減による低価格製品の提供をめざす。	1	2	3	4	5
(2)	競合他社にない特徴のある製品・サービスの提供をめざす。	1	2	3	4	5
(3)	少数の重点市場セグメントに自社の経営資源を集中する。	1	2	3	4	5
(4)	市場規模の拡大をはかり，業界リーダーとしての立場を維持する。	1	2	3	4	5
(5)	競合他社に同一市場で正面から対決し，市場占有率の拡大をねらう。	1	2	3	4	5
(6)	新製品，新市場開発のリスクを回避し，フォロワーの利益を追求する。	1	2	3	4	5
(7)	競合企業が採算が取れず扱わないような分野，あるいは気がつかないような分野に経営資源を集中させる。	1	2	3	4	5
(8)	自社に有利な市場セグメントを見つけ，競合他社との共存を目指す。	1	2	3	4	5

問41　貴社において，次のそれぞれの生産方法で生産される製品の比率はどの程度ですか。各生産方法を用いて生産される製品の売上高比率の概要をお書きください。

(1) 個別受注生産（注文服や特殊装置のように顧客の注文に応じて単品あるいは少量で生産される製品）
　　　　　約（　　　　　）％

(2) 小ロット生産（工作機械，染料，高級婦人服のように類似の製品が小さなバッチ，ロットで生産される製品）
　　　　　約（　　　　　）％

(3) 大ロット生産（化学薬品，部品，カン，ボトル，原糸など，大バッチ，大ロットで生産される製品）
　　　　　約（　　　　　）％

(4) 組み立てラインによる大量生産（自動車，家電製品のように組み立てラインによって大量生産される製品）
　　　　　約（　　　　　）％

(5) 連続的な装置生産（石油精製のように，バッチやシフトではなく連続的かつ自動的に生産される製品）
　　　　　約（　　　　　）％

問42 貴社の経営環境はどのような特徴をもっていますか。それぞれの項目について，最も当てはまると思われる数字に〇をおつけください。

(1) 貴社の製品市場はどの程度の多様性を持っていますか。

極めて同質的	1	2	3	4	5	極めて異質
(単一市場・類似の顧客)			中程度			(非常に多様な市場と顧客)

(2) 貴社の製品の生産技術面での共通性はどの程度ですか。

全く共通性がない	1	2	3	4	5	ほとんど共通している
			中程度			

(3) 貴社の生産活動はどの程度の地理的広がりをもっていますか。

国内の一定の地域に集中している	1	2	3	4	5	全世界的な広がりをもっている
			ある程度国際的			

(4) 貴社の販売活動はどの程度の地理的広がりをもっていますか。

国内の一定の地域に集中している	1	2	3	4	5	全世界的な広がりをもっている
			ある程度国際的			

(5) 貴社製品の原材料や部品の共通性はどの程度ですか。

全く共通性がない	1	2	3	4	5	ほとんど共通している
			中程度			

(6) 顧客に到達するための流通経路の多様性はどの程度ですか。

ほとんど同一の流通経路である	1	2	3	4	5	極めて多様な流通経路をもっている
			中程度			

(7) 顧客に製品の詳細な技術データを提供する必要がありますか。

ほとんど必要としない	1	2	3	4	5	常時必要とする
			中程度			

(8) 貴社の顧客の製品知識はどの程度ですか。

全くない	1	2	3	4	5	高度な製品知識をもっている
			中程度			

(9) 貴社の主要な販売促進手段はどの程度多岐にわたっていますか。

極めて少ない(例えば価格のみ)	1	2	3	4	5	極めて多様(価格，広告リベートなど)
			中程度			

(10) 貴社の製品市場の売り手集中度はどの程度ですか。

```
1社の市場      1    2    3    4    5     多数の企業が
支配である      |----|----|----|----|      競争状態に
                      中程度                 ある
```

(11) 貴社の市場は一般にどの程度競争的ですか。

```
競争意識は     1    2    3    4    5     極めて競争的
全くない       |----|----|----|----|       である
                      中程度
```

(12) 貴社の市場における新製品の開発頻度はどの程度ですか。

```
              1    2    3    4    5
極めて低い     |----|----|----|----|     極めて高い
                      中程度
```

(13) 貴社の市場における新技術の開発頻度はどの程度ですか。

```
              1    2    3    4    5
極めて低い     |----|----|----|----|     極めて高い
                      中程度
```

(14) 貴社の製品に対する需要はどの程度安定していますか。

```
非常に        1    2    3    4    5     とても
不安定である   |----|----|----|----|     安定している
                      中程度
```

(15) 貴社の製品の需要はどの程度正確に予測できますか。

```
全く予測       1    2    3    4    5    極めて正確に
できない       |----|----|----|----|     予測できる
                      中程度
```

(16) 貴社の製品市場における成果は，どの程度の期間でわかりますか。

```
極めて短期間   1    2    3    4    5     非常に長い
でわかる       |----|----|----|----|     時間かかる
             (1日) (1週間) (1ヶ月) (6ヶ月) (1年以上)
```

質問は以上です。ご協力まことにありがとうございました。

ご記入漏れがないかご確認の上，同封の返信用封筒（切手不要）にて，

平成12年9月14日（木曜日） までにご投函くださいますようお願いします。

すべてをご回答いただけなかった場合も，貴重なご意見ですのでぜひご返送ください。

また貴社の**組織図**を一緒にお送りいただければ幸いです。

よろしくお願い致します。

付録C 質問票C-2

「企業の組織革新」実態調査

大阪府立大学経済学部
「企業の組織革新」研究プロジェクト

ご回答にあたって

1. この調査は，日本を代表する企業の組織革新の実態を，本社のマネジメントの観点から明らかにしようとするものです．それにより今後の日本企業の組織改革のあり方を検討することを目的としています．
2. この質問票調査は，全社的な組織構造，経営戦略，意思決定システムに関する質問からなっています．これらの点についてお答えいただける方がご回答いただきますようお願い申し上げます．
3. ご回答いただいた内容はすべて統計的に処理し，貴社や御回答者にご迷惑をおかけすることのないよう，細心の注意を払います．また調査結果は学術的な研究目的以外には絶対に使用しません．
4. 統計的な処理を有効にするため，できるだけ多くの項目にお答え下さいますようお願い申し上げます．
5. ご回答いただいた企業には，お礼として2008年3月に集計結果をお送り致します．

ご返送のお願い

お忙しいところ誠に恐縮ですが，ご記入いただきました質問票を，同封の返信用封筒により，<u>2007年12月7日（金曜日）</u>までにご投函下さいますようお願い申しあげます．

御回答者

貴社名：	
御住所：	
部課名：	役職：
御氏名：	
電話番号：	FAX番号：

調査結果の送付先（御回答者と異なる場合のみ御記入ください）

御住所：
部課名：
御氏名：

問1　貴社の基本的な組織構造は次のうちどれですか。最も近いものひとつに○をおつけください。

　　1. 職能別組織
　　2. 事業部制組織
　　3. 階層構造をもった事業部制組織（事業部と事業本部がある場合など）
　　4. 職能別組織と事業部制組織の混合形態（一部事業部制を持った職能別組織）
　　5. マトリックス制
　　6. 純粋持ち株会社
　　7. その他（具体的にご説明ください：　　　　　　　　　　　　　）

　　　＊ ここでの事業部制組織とは，ある程度自律的な組織単位を備えた組織構造をいいます。したがって事業部制，カンパニー制といった貴社でお使いの名称にかかわらず，お答えください。

問2　貴社は2005年～2007年の間に組織構造の変更を行いましたか。

　　1. はい　　　　　2. いいえ

貴社の組織構造が事業部門構造を持っている場合（問1で2，3，4，5に○をつけた方，あるいは7に○をつけた方で，事業部門構造をもっていると判断された方）は以下の問いにお答えください。

それ以外の方は問12にお進みください。

問3　事業部門（事業部、事業本部、カンパニーなど）はどのような基準で分けられていますか。最も当てはまるものひとつに○をおつけください。なお4を選ばれた方はどのような混合形態か数字でお示しください。

　　1. 製品別
　　2. 地域別
　　3. 職能別（例えば製造事業部，販売事業部）
　　4. 混合形態（上記の　　　　と　　　　）
　　5. その他（ご説明ください：　　　　　　　　　　　　　　　　）

問4　貴社は社内資本金制度を導入していますか。

　　1. はい　　　　　2. いいえ

問5　貴社は事業部門にどのように本社費を配賦しますか。当てはまるものひとつに○をおつけください。

　　1. 本社費発生の因果関係を考慮せず，本社費の全部を各事業部に配賦する。
　　2. 本社費の内容に従い，本社費の一部だけを各事業部に配賦する。
　　3. 本社費は一切配賦しない。

問6　貴社は社内振替価格制度を導入していますか。

　　1. はい　　　　　2. いいえ

問7　貴社の事業部長には，事業部間取引に際して忌避宣言権はありますか。

    1.　はい　　　　　　2.　いいえ

問8　それぞれの事業部門で生み出されたキャッシュ・フローの処理について。

    1.　本社への配当支払いに必要な基金，本社費等を除いて各事業部に残される。
    2.　本社により全社的に企業内で再配分される。
    3.　その他（　　　　　　　　　　　　　　　　　　　　　　　　　）

問9　本社が事業部長（あるいは事業本部長，カンパニー・プレジデント等）の業績評価をする際に，以下の指標はどの程度重要ですか。最も近いと思われる番号でお答えください。

		まったく重要でない	あまり重要でない	どちらともいえない	やや重要である	非常に重要である
1.	売上高	1	2	3	4	5
2.	貢献利益	1	2	3	4	5
3.	売上高利益率	1	2	3	4	5
4.	投下資本利益率	1	2	3	4	5
5.	売上高成長率	1	2	3	4	5
6.	利益成長率	1	2	3	4	5
7.	市場占有率	1	2	3	4	5
8.	キャッシュ・フロー	1	2	3	4	5
9.	設備生産性	1	2	3	4	5
10.	労働生産性	1	2	3	4	5

問10　以下に述べる問題に事業部長（あるいは事業本部長等）はどの程度自由に（本社の許可なしに）行動する権限が与えられていますか。以下の1〜4のうち最も近い番号をお選びください。

事業部長は本社に連絡することなしに行動できる	事業部長は行動し事後的に報告するだけでよい	事業部長は行動する前にあらかじめ本社に相談しなければならない	事業部長は本社の公式の許可を得なければどのような行動もとれない
1	2	3	4

(1) 総合職の人事	1	2	3	4
(2) 管理職の人事	1	2	3	4
(3) 従業員の給料の変更	1	2	3	4
(4) 事業部在庫水準の変更	1	2	3	4
(5) 主要な供給先の変更	1	2	3	4
(6) 新製品のデザイン決定	1	2	3	4
(7) 主要製品の価格の変更	1	2	3	4
(8) 広告・宣伝費の予算支出上限の変更	1	2	3	4
(9) 研究開発プロジェクトの中止	1	2	3	4
(10) 資金供給のための金融機関との交渉	1	2	3	4

問11 以下の事柄に関して，本社はどの程度責任を持っていますか。最も当てはまるものひとつに○をおつけください。

	常に本社の責任である	ほとんど本社の責任である	現業事業部と本社が責任を分担する	まれに本社の責任である	本社の責任ではない
(1) 資金管理	1	2	3	4	5
(2) 主要な投資の決定	1	2	3	4	5
(3) 長期の経営計画	1	2	3	4	5
(4) 広報活動	1	2	3	4	5
(5) 資金調達	1	2	3	4	5
(6) 法的機能	1	2	3	4	5
(7) 買収企業の特定	1	2	3	4	5
(8) 事業部年度予算の策定	1	2	3	4	5
(9) 研究開発上の決定	1	2	3	4	5
(10) 新規事業開発	1	2	3	4	5

問12 過去5年間における貴社の全社戦略は，どのような方向を目指していましたか。それぞれの項目で，最も当てはまるものひとつに○をおつけください。

　(1) 事業数の増減について
　　　1. 競争力のない事業を整理し，事業を絞り込んだ。
　　　2. 既存事業数を維持した。
　　　3. 積極的に新規事業への進出を行い，事業数は増加した。

　(2) 既存事業の扱いについて
　　　1. 既存主力事業への投資を縮小した。
　　　2. 既存主力事業への投資は基本的には維持した。
　　　3. 既存主力事業への投資を強化し拡大を計った。

問13 今後の貴社の全社戦略は，どのような方向を目指していますか。それぞれの項目で最も当てはまるものひとつに○をおつけください。

　(1) 事業数の増減について
　　　1. 競争力のない事業を整理し，事業を絞り込む。
　　　2. 既存事業数を維持する。
　　　3. 積極的に新規事業への進出を行い，事業数を増加させる。

　(2) 既存事業の扱いについて
　　　1. 既存主力事業への投資を縮小する。
　　　2. 既存主力事業への投資は基本的に維持する。
　　　3. 既存主力事業への投資を強化し拡大を計る。

問14 過去5年間に，貴社は新規事業分野への多角化をおこないましたか。該当する項目に○をおつけください。

　　1. おこなった。→問16へお進み下さい。
　　2. おこなわなかった。→問15へお進み下さい。

問15 貴社では過去5年間に多角化をおこなわなかったということですが，その理由として最も当てはまるものひとつに○をおつけください。

　　1. 本業の成長が十分に期待できたから。
　　2. 本業による成長を志向したから。
　　3. 専門化による競争優位を指向したから。
　　4. 多角化事業の見直しが必要になったため。
　　5. 多角化の必要性は認識しているが，条件が整わなかったから。
　　6. その他（　　　　　　　　　　　　　）

　　問15にお答えの後は，問20へお進みください。

問16 次のリストは，既存事業との関連で多角化事業を分類したものです。過去5年間の貴社の多角化事業は主にどのタイプにあたりますか。最も主要なものひとつに○をおつけください。

　　1. 原材料，部品等の川上分野
　　2. 2次加工・流通などの川下分野
　　3. 技術，ならびに市場関連分野
　　4. 技術関連分野
　　5. 市場関連分野
　　6. 非関連分野
　　7. 副産品，連産品分野

問17 貴社の多角化活動の成功，失敗を決定する要因として，以下の項目はどれほど重要ですか。該当する数字に○をご記入下さい。

	まったく重要でない	あまり重要でない	どちらともいえない	やや重要である	非常に重要である
(1)全般的な事業計画	1	2	3	4	5
(2)マーケティング能力	1	2	3	4	5
(3)販路の共有度	1	2	3	4	5
(4)技術的な関連	1	2	3	4	5
(5)新技術開発能力	1	2	3	4	5
(6)資金力	1	2	3	4	5
(7)企業イメージ・ブランド	1	2	3	4	5
(8)情報収集・分析能力	1	2	3	4	5
(9)組織内における情報の伝達・共有	1	2	3	4	5
(10)新規事業でのあらたな知識の習得	1	2	3	4	5
(11)企業家的人材	1	2	3	4	5

問18 貴社では多角化に必要な経営資源の獲得方法として，次の方法はどの程度とられますか。最も当てはまるものひとつに○をおつけください。

		全く用いない	ほとんど用いない	時として用いる	頻繁に用いる
(1)	内部開発	1	2	3	4
(2)	事業・企業の買収・合併	1	2	3	4
(3)	資本参加を伴う戦略的提携（合弁企業の設立等）	1	2	3	4
(4)	資本参加を伴わない戦略的提携（OEM，製版協力等）	1	2	3	4

問19 貴社では多角化によって得られる効果として，以下のことはどれほど期待しますか。最も当てはまるものひとつに○をおつけください。

		全く期待しない	あまり期待しない	ある程度期待する	非常に期待する
(1)	いろいろな事業の組み合わせによる学習の促進	1	2	3	4
(2)	新規事業による新しい思考様式・考え方の獲得	1	2	3	4
(3)	新事業から既存事業への知識・技術の逆移転	1	2	3	4
(4)	企業イメージの向上	1	2	3	4
(5)	組織の活性化	1	2	3	4
(6)	収益性の改善	1	2	3	4
(7)	成長性の改善	1	2	3	4
(8)	新たに核となる事業への進出	1	2	3	4
(9)	リスクの回避	1	2	3	4
(10)	雇用問題の解決	1	2	3	4
(11)	事業間の相乗効果（シナジー）	1	2	3	4

問20 以下の文章は具体的な競争戦略のタイプを記述したものです。それぞれの文章が，貴社の競争戦略の特色にどの程度当てはまりますか。該当する数字に○をおつけください。

		全くちがう		どちらともいえない		全くその通り
(1)	コスト削減による低価格製品の提供をめざす。	1	2	3	4	5
(2)	競合他社にない特徴のある製品・サービスの提供をめざす。	1	2	3	4	5
(3)	少数の重点市場セグメントに自社の経営資源を集中する。	1	2	3	4	5
(4)	市場規模の拡大をはかり業界リーダーとしての立場を維持する。	1	2	3	4	5
(5)	競合他社に同一市場で正面から対決し，市場占有率の拡大を狙う。	1	2	3	4	5
(6)	新製品，新市場開発のリスクを回避し，フォロワーの利益を追求する。	1	2	3	4	5
(7)	競合企業が採算が取れずに扱わないような分野，あるいは気がつかないような分野に経営資源を集中させる。	1	2	3	4	5
(8)	自社に有利な市場セグメントを見つけ，競合他社との共存を目指す。	1	2	3	4	5

問21 貴社の経営環境はどのような特徴をもっていますか。それぞれの項目について，最も当てはまると思われる数字に○をおつけください。

(1) 貴社の製品市場はどの程度の多様性を持っていますか。

極めて同質的	1	2	3	4	5	極めて異質
(単一市場・類似の顧客)			中程度			(非常に多様な市場と顧客)

(2) 貴社の製品の生産技術面での共通性はどの程度ですか。

全く共通性がない	1	2	3	4	5	ほとんど共通している
			中程度			

(3) 貴社の生産活動はどの程度の地理的広がりをもっていますか。

国内の一定の地域に集中している	1	2	3	4	5	全世界的な広がりをもっている
			ある程度国際的			

(4) 貴社の販売活動はどの程度の地理的広がりをもっていますか。

国内の一定の地域に集中している	1	2	3	4	5	全世界的な広がりをもっている
			ある程度国際的			

(5) 貴社製品の原材料や部品の共通性はどの程度ですか。

全く共通性がない	1	2	3	4	5	ほとんど共通している
			中程度			

(6) 顧客に到達するための流通経路の多様性はどの程度ですか。

ほとんど同一の流通経路である	1	2	3	4	5	極めて多様な流通経路をもっている
			中程度			

(7) 顧客に製品の詳細な技術データを提供する必要がありますか。

ほとんど必要としない	1	2	3	4	5	常時必要とする
			中程度			

(8) 貴社の顧客の製品知識はどの程度ですか。

全くない	1	2	3	4	5	高度な製品知識をもっている
			中程度			

(9) 貴社の主要な販売促進手段はどの程度多岐にわたっていますか。

極めて少ない　　　1　　2　　3　　4　　5　　極めて多様
（例えば価格　　　|＿＿|＿＿|＿＿|＿＿|　　（価格，広告
のみ）　　　　　　　　　中程度　　　　　　リベートなど）

(10) 貴社の製品市場の売り手集中度はどの程度ですか。

1社の市場　　　　1　　2　　3　　4　　5　　多数の企業が
支配である　　　　|＿＿|＿＿|＿＿|＿＿|　　競争状態に
　　　　　　　　　　　　中程度　　　　　　　ある

(11) 貴社の市場は一般にどの程度競争的ですか。

競争意識は　　　　1　　2　　3　　4　　5　　極めて競争的
全くない　　　　　|＿＿|＿＿|＿＿|＿＿|　　である
　　　　　　　　　　　　中程度

(12) 貴社の市場における新製品の開発頻度はどの程度ですか。

　　　　　　　　　1　　2　　3　　4　　5
極めて低い　　　　|＿＿|＿＿|＿＿|＿＿|　　極めて高い
　　　　　　　　　　　　中程度

(13) 貴社の市場における新技術の開発頻度はどの程度ですか。

　　　　　　　　　1　　2　　3　　4　　5
極めて低い　　　　|＿＿|＿＿|＿＿|＿＿|　　極めて高い
　　　　　　　　　　　　中程度

(14) 貴社の製品に対する需要はどの程度安定していますか。

非常に　　　　　　1　　2　　3　　4　　5　　とても
不安定である　　　|＿＿|＿＿|＿＿|＿＿|　　安定している
　　　　　　　　　　　　中程度

(15) 貴社の製品の需要はどの程度正確に予測できますか。

全く予測　　　　　1　　2　　3　　4　　5　　極めて正確に
できない　　　　　|＿＿|＿＿|＿＿|＿＿|　　予測できる
　　　　　　　　　　　　中程度

(16) 貴社の製品市場における成果は，どの程度の期間でわかりますか。

極めて短期間　　　1　　2　　3　　4　　5　　非常に長い
でわかる　　　　　|＿＿|＿＿|＿＿|＿＿|　　時間かかる
　　　　　　　　（1日）（1週間）（1ヶ月）（6ヶ月）（1年以上）

問22　この調査結果を利用した学術論文に貴社名を調査協力会社として掲載してもよろしいですか。

　　　1．はい　　　　　2．いいえ

質問は以上です。ご協力まことにありがとうございました。ご記入漏れがないかご確認の上，同封の返信用封筒にて，<u>2007年12月7日（金曜日）</u>までにご投函くださいますようお願いします。
すべてをご回答いただけなかった場合も，貴重なご意見ですのでぜひご返送ください。よろしくお願い致します。

付録 C　質問票 C-3

OSAKA PREFECTURE UNIVERSITY
College of Economics

Cranfield UNIVERSITY
School of Management

STRATEGY AND STRUCTURE OF COMPANIES:
AN INTERNATIONAL COMPARATIVE SURVEY BETWEEN THE UK AND JAPAN

Questionnaire

This study explores the strategies pursued by companies including their subsidiaries, and structures adopted by them.

It is divided into eight short sections and should take approximately 10 minutes to complete. In answering the questions please circle appropriate responses on the five or four point scale where required and tick boxes where applicable. Your responses will be treated in the strictest confidence and data will only be presented in an aggregate form. If you cannot answer specific questions for any reason, please leave them out and proceed to the next question. When you have completed this questionnaire, please return it in the pre-paid envelope provided. Thank you for your co-operation.

---

1. Background Information (Please tick all relevant boxes.)

1-1. Your level/position

Chairman/CEO/Managing Director	☐1
Divisional Director	☐2
Senior Manager	☐3
Middle Manager	☐4
Operational Specialist	☐5
Other (Please specify):	☐6

1-2. Capitalisation

Under £1 million	☐1
£ 1 million up to £ 10 million	☐2
£ 10 million up to £ 100 million	☐3
£ 100 million up to £ 1 billion	☐4
£ 1 billion up to £ 10 billion	☐5
Over £ 10 billion	☐6

1-3. Total number of employees

0-249	☐1
250-499	☐2
500-999	☐3
1,000-4,999	☐4
5,000-9,999	☐5
10,000-49,999	☐6
50,000-99,999	☐7
100,000 and over	☐8

1-4. Sales volume

Under £ 50 million	☐1
£ 50 million up to £ 100 million	☐2
£ 100 million up to £ 500 million	☐3
£ 500 million up to £ 1 billion	☐4
£ 1 billion up to £5 billion	☐5
£ 5 billion up to £ 10 billion	☐6
Over £ 10 billion	☐7

1-5. Main industry sector (If your company is engaged in more than one industry, please tick only the main industry.)

Mining and extraction of crude petroleum and natural gas	☐1
Food products, beverages and tobacco products	☐2
Textiles, apparel, leather and luggage	☐3
Wood, pulp and paper	☐4
Coke, refined petroleum products and nuclear fuel	☐5
Chemicals and chemical products	☐6
Pharmaceutical product	☐7
Rubber and plastic products	☐8
Glass, ceramics, bricks and other non-metallic mineral products	☐9
Basic metals	☐10
Fabricated metal products	☐11
Machinery and equipment not elsewhere classified	☐12
Office machinery, computers and electrical machinery	☐13
Medical, precision and optical instruments, watches and clocks	☐14
Motor vehicles, trailers and other transport equipment	☐15
Manufacturing not elsewhere classified (Please specify):	☐16

2. Organisational Structure

2-1. Does your company have a divisional structure? (This includes a holding company structure.)

    Yes ☐1
    No ☐2

If you ticked 'No', please go to 7-1(p. 4).
Otherwise, please answer all of the remaining questions.

2-2. Has your company changed its organisational structure during 1999-2001?

    Yes ☐1
    No ☐2

2-3. The primary basis of your divisional organisation is: (Please tick only one.)

Product or product group divisions ☐1
Regional divisions ☐2
Functional divisions ☐3
Combination of two or all of the above ☐4
(If two, please specify):

……………………………………………………
Other (Please specify): ☐5

……………………………………………………

2-4. Do you have a mechanism for pricing internal transfer of goods and services?

    Yes ☐1
    No ☐2

2-5. Can divisional managers reject internal transactions within your company?

    Yes ☐1
    No ☐2

3. Evaluation of Divisional Performance

How important is each factor listed below when the corporate headquarters evaluate the performance of divisions or subsidiaries? (Please circle.)

	Not at all important				Very important
3-1. Total sales revenue	1	2	3	4	5
3-2. Divisional contribution	1	2	3	4	5
3-3. Profit margin on sales	1	2	3	4	5
3-4. Return on investment (ROI)	1	2	3	4	5
3-5. Sales growth	1	2	3	4	5
3-6. Profit growth	1	2	3	4	5
3-7. Market share	1	2	3	4	5
3-8. Cash flow	1	2	3	4	5
3-9. Capacity utilisation	1	2	3	4	5
3-10. Labour productivity	1	2	3	4	5

4. Discretionary Authority of Divisional General Managers

Do the divisional general managers have to get approval of corporate headquarters when they take actions listed below? (Please circle.)

	No prior approval is needed	They have to inform HQ later	They have to ask HQ's advice before actions	Prior formal approval is needed
4-1. Recruit new university graduates	1	2	3	4
4-2. Promote middle managers	1	2	3	4
4-3. Change the salary of employees	1	2	3	4
4-4. Make a change in the division inventory standards	1	2	3	4
4-5. Change the division's main supplier	1	2	3	4
4-6. Pass final approval on the design of a new product	1	2	3	4
4-7. Change the list price of a major product line	1	2	3	4
4-8. Change the expenditure on advertising	1	2	3	4
4-9. Cancel an engineering development project	1	2	3	4
4-10. Approach financial institutions for financing division projects	1	2	3	4

5. Responsibility of Corporate Headquarters

Is each factor listed below the responsibility of corporate headquarters? (Please circle.)

	Never	Rarely	Shared with divisions	Nearly always	Always
5-1. Overall financial control	1	2	3	4	5
5-2. Approval of major investment	1	2	3	4	5
5-3. Long-term strategic planning	1	2	3	4	5
5-4. Public relations	1	2	3	4	5
5-5. Relations with financial institutions	1	2	3	4	5
5-6. Legal functions	1	2	3	4	5
5-7. Identifying acquisitions	1	2	3	4	5
5-8. Setting annual budgets	1	2	3	4	5
5-9. R&D decisions	1	2	3	4	5
5-10. Development of new businesses	1	2	3	4	5

6. Revenue Contribution of the Divisions

The cash generated by each division is:
Managed by the individual divisions, except for funds needed to pay dividends, central services, etc. ☐1
Reallocated within the company as a whole by corporate headquarters. ☐2
Other (Please specify): ☐3
....

7. Diversification strategy

7-1. Has your company entered into new businesses within the last five years?

　　　　Yes　　☐ 1 → Please go to 7-2.
　　　　No　　 ☐ 2 → Please go to 8.

7-2. What kind of new business has been the most important for your company in the last five years?
(Please tick only one.)

Vertical integration of materials or parts (i.e. input for your company)	☐ 1
Vertical integration of products or distribution (i.e. output for your company)	☐ 2
Technology-related diversification	☐ 3
Market-related diversification	☐ 4
Technology and market-related diversification	☐ 5
Diversification unrelated to current business	☐ 6
Diversification by using by-products	☐ 7

8. Competitive strategies of your company

To what extent does each statement listed below correctly describe the characteristics of your company's strategy? (Please circle.)

	Definitely Incorrect				Definitely true
8-1. The company consistently tries to reduce the price of products by lowering cost.	1	2	3	4	5
8-2. The company consistently tries to make distinctive products which cannot be imitated by competitors.	1	2	3	4	5
8-3. The company concentrates resources on a few strategic market segments.	1	2	3	4	5
8-4. The company tries to expand the market to keep its position as a market leader.	1	2	3	4	5
8-5. The company competes head-on with competitors and tries to expand its market share.	1	2	3	4	5
8-6. The company exploits the advantage of being a "follower" and tries to reduce the risks of developing new products and/or markets.	1	2	3	4	5
8-7. The company concentrates resources on the segment which competitors ignore because profits are too small for them.	1	2	3	4	5
8-8. The company selects the market segments in which it has advantages and pursues coexistence with competitors.	1	2	3	4	5

May I quote your company's name as a co-operator in my academic papers?

　　　　Yes　　☐ → your company's name please…………………………………………………………..
　　　　No　　 ☐

If you wish to receive the report of this research, please give your name and address or attach your business card.

Your name: ………………………………………………………………

Company name:……………………………………………………….

Address: ………………………………………………………………………..

THANK YOU FOR YOUR CO-OPERATION
Please return the completed questionnaire in the enclosed pre-paid envelope to:

Mr Yasuhiro Ueno

Cranfield School of Management
Cranfield University
Cranfield, Bedford MK43 7BR

付録C　質問票C-4（関連部分のみ抜粋）

本社組織に関する質問票調査

本社機能の役割、規模、構造

〔ご回答にあたって〕

1. この調査の目的は、日本を代表する企業グループの本社組織の実態を明らかにすることにあります。
2. 質問票では、貴社の本社組織、取締役会、グループ企業、経営戦略について聞かせていただきます。これらの点についてお答えいただける方にご回答いただきたく、お願い申しあげます。
3. 統計的な処理上、貴社のご回答を有効に利用できるよう、できるだけ多くの質問にお答え下さい。数字のご記入に際して正確な数字の把握が困難な場合には、概数でも結構です。
4. この調査結果の公表などによって、貴社にいささかのご迷惑をおかけすることのないよう細心の注意をはらう所存でございます。ご回答いただいた会社には、御礼の意として調査の集計結果を10月から11月にかけて送付させていただきます。

〔ご返送上のお願い〕

ご返送は8月20日（火曜日）までに、お願い申し上げます。同封の封筒をご利用下さい。

御回答者

貴社名：	
所在地：	
御回答者御氏名：	
御役職：	
電話番号：	FAX番号：

調査結果の御返送先
（御回答者と調査結果の御返送先が異なる場合、下記にご記入下さい）

御住所：
部課名：
御氏名：

第1部 － 本社組織について

問1 貴企業グループの組織構造に最も該当するものを以下（a～g）から<u>1つ</u>選択し○印をご記入下さい。

この調査では、<u>事業単位</u>、<u>事業グループ</u>、<u>本社スタッフ</u>の概念を次の様に定義しています。

事業単位：独自の責任者を持ち、<u>利益責任</u>を持つ事業組織。
たとえば、中核企業内の事業部、大きな子会社内の事業部あるいは小さな子会社、関連会社ならびに孫会社等。下の図では●印で示されています。

事業グループ：複数の事業単位から構成され、独自の責任者を持つ組織。たとえば、中核企業内のの事業本部、さらに複数の事業部を持つ子会社等。下の図では□で示されています。

本社スタッフ：貴社及び貴企業グループ全体を対象としてサービスを提供し、それらを統括している本社スタッフと常勤役員。下の図では□で示されています。

ａ．職能別組織Ａ

（グループ全体で１つの事業単位であり、その内部に本社スタッフも含まれている）

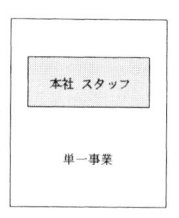

ｂ．職能別組織Ｂ

（本社スタッフは本業部門の一部である。本業以外の事業を担当する事業単位を中核企業内の事業部、さらに子会社等の形態で持っている。それら事業に対しても本社は影響を与えたりサポートを行う）

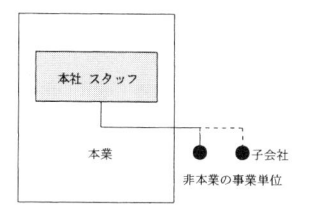

ｃ．事業部制組織

（企業グループは複数の事業単位に分割されている。各々の事業単位は直接、本社経営陣に報告を行う。事業単位は中核企業内の事業部、さらに子会社等の形態で存在する。本社スタッフは事業単位から独立している）

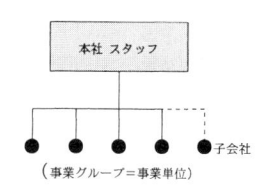

d．事業本部制組織

（各事業単位は、利益責任を持つ事業グループの傘下にある。事業グループは、社内の事業本部、さらに子会社等の形態をとっている）

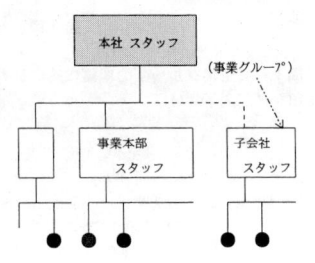

e．マトリクス組織A

（各事業単位は製品別と機能別（職能別）部門の両方の管理下にある。それ独自のスタッフ機能を持つ事業グループもある）

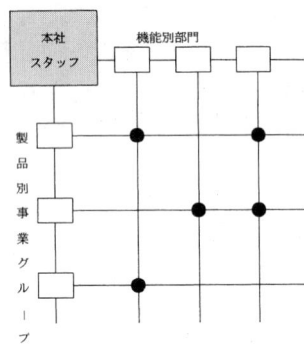

f．マトリクス組織B

（各事業単位は製品別と地域別の事業グループの両方の管理下にある。それ独自のスタッフ機能を持つ事業グループもある）

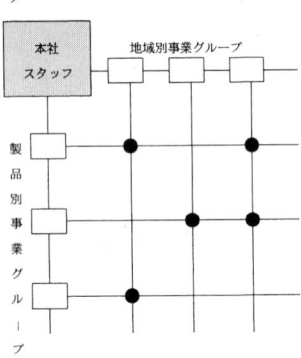

g．その他（括弧内に具体的にご記入下さい）

問2　貴社を中核企業とする企業グループ^(注)に属するグループ企業の総数(貴社を含む)及びグループ企業の従業員総数(貴社を含む、正社員及び役員)をご記入下さい。

(注) どの範囲の企業を企業グループとして取り扱っておられるかは、会社によって異なります。貴社がグループ企業として取り扱っておられる企業群を想定してお答え下さい。

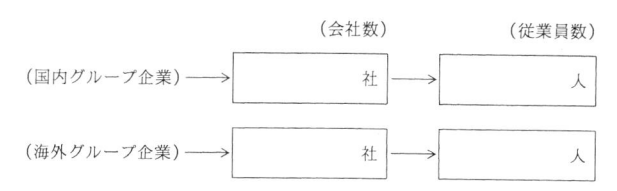

（会社数）　　　　　　（従業員数）

（国内グループ企業）──→ ☐ 社 ──→ ☐ 人

（海外グループ企業）──→ ☐ 社 ──→ ☐ 人

問3　上記の会社をグループ企業として取り扱っておられる際の基準は何でしょうか。該当するもの全てに〇印をご記入下さい。

a．出資比率50％超
b．出資比率33.3％超
c．出資比率20％以上
d．戦略的統合の必要性
e．事業としての重要性
f．トップ・マネジメントの派遣
g．規模の大きさ
h．歴史的な関係

問4　本社が直接、統括する事業グループ（社内の事業本部並びに複数の事業を持つ子会社等の管理単位）の数をご記入下さい。

☐ 個

問5　本社あるいは事業グループ（子会社等も含みます）が統括する事業単位（事業部、大きな子会社・関連会社の事業部、小さな子会社・関連会社）の総数をご記入下さい。

☐ 個

問6　グループ企業の統括・管理のための専門部署を本社内に設置されていますか。該当するものに〇印をご記入下さい。

a．設置している
b．設置していない

付　録

問10 本社と社内の事業グループ・事業単位との関係について、該当する数字に○印をご記入ください。

	小 ← 本社の影響 → 大			
	ほとんど影響無し	事業部門からの提案を本社が承認	本社がガイドラインを設定し指導	事業部門の決定に関して本社が調整・管理
(1) 中長期経営計画の策定	1	2	3	4
(2) 主要な設備投資	1	2	3	4
(3) 予算案と財務目標の設定	1	2	3	4
(4) 個別事業計画（大規模プロジェクト／新規事業開発）	1	2	3	4
(5) 管理職の人事	1	2	3	4
(6) 総合職の人事	1	2	3	4
(7) 研究開発	1	2	3	4
(8) 新商品開発	1	2	3	4
(9) 営業体制	1	2	3	4
(10) 購買	1	2	3	4
(11) 物流	1	2	3	4
(12) 資産（不動産・知的所有権等）の管理	1	2	3	4
(13) 情報システムの投資・更新	1	2	3	4

	皆無	ほとんど無し	大きな場合に指導	頻繁
(14) 期中における予算目標と実績の差異に対する本社の指導の頻度	1	2	3	4

	弱い			強い
(15) 上記の指導の程度	1	2	3	4

	皆無	ほとんど無し	大きな場合に指導	頻繁
(16) 期中における中長期計画と実績の差異に対する本社の指導の頻度	1	2	3	4

	弱い			強い
(17) 上記の指導の程度	1	2	3	4

	達成度には全く関係無し	あまり関係無し	多少関係有り	達成度に強い関係
(18) 短期的な財務目標の達成度と事業責任者の給与との関係	1	2	3	4
(19) 短期的な財務目標の達成度と事業責任者のボーナスとの関係	1	2	3	4
(20) 短期的な財務目標の達成度と事業責任者の配置転換の関係	1	2	3	4

	全く用いられない	あまり用いられない	ある程度準拠する	完全に準拠する
(21) 事業責任者の業績評価に際して公式の評価基準が用いられる程度	1	2	3	4

	全く派遣は無い	ほとんど派遣は無い	業績に応じて派遣される	常に本社スタッフが派遣されている
(22) 本社スタッフ（経営企画、決算・経理、予算管理等）との交流の程度	1	2	3	4

問16　本社に関して最近5年間における変化について、以下において最も該当する数字に〇印をご記入下さい。もし、変化が±10％未満であれば、「同じ」に〇印をご記入下さい。

	30％以上減少	10～29％減少	±10％同じ	10～29％増加	30％以上増加
(1) 本社内機能（職能）部門数	1	2	3	4	5
(2) 本社スタッフの人数	1	2	3	4	5
(3) 本社費（絶対額）	1	2	3	4	5
(4) 本社によってグループ企業から購入されるサービス	1	2	3	4	5
(5) 本社によって全くの外部企業から購入されるサービス	1	2	3	4	5
(6) 事業グループまたは事業単位に対して提供されるサービスの質・量	1	2	3	4	5
(7) 貴企業グループ全体の管理・企画スタッフ部門の数	1	2	3	4	5
(8) 貴企業グループ全体の管理・企画スタッフの人数	1	2	3	4	5

問19　総合的に見て、貴社の本社はその機能をどの程度有効に果たしているとお考えですか。該当するもの1つに〇印をご記入下さい。

a．有効性は低い
b．まずまず
c．平均以上
d．卓越している

問20　今後5年間で貴社の本社において起こりそうな変化について、最も該当する数字に〇印をご記入下さい。もし、予期される変化が±10％未満であれば、「同じ」に〇印をご記入下さい。

	30％以上減少	10～29％減少	±10％同じ	10～29％増加	30％以上増加
(1) 本社内機能（職能）部門数	1	2	3	4	5
(2) 本社スタッフの人数	1	2	3	4	5
(3) 本社費（絶対額）	1	2	3	4	5
(4) 本社によってグループ企業から購入されるサービス	1	2	3	4	5
(5) 本社によって全くの外部企業から購入されるサービス	1	2	3	4	5
(6) 事業グループまたは事業単位に対して提供されるサービス	1	2	3	4	5

第2部 — 本社機能について

問21 貴社の本社機能に関して、各機能毎にV印または具体的な数字を以下の表にご記入下さい。

機能	(1) 本社の中にこの機能(職務)を担当するスタッフがいる場合には、□内にV印をチェックして下さい	(2) 各機能(職務)が本社内の利益責任単位、利益センターとなっている場合には、□内にV印をチェックして下さい	(3) 各機能に従事するスタッフの人員数を具体的にご記入下さい(注1)	(4) 本社スタッフ総数に対する事業グループ・事業単位のスタッフ総数(注2)			
				1/4以下	1/4〜1	1〜4倍	4倍以上
経営企画	□	□	(人)	□	□	□	□
経済・産業・経営調査	□	□	(人)	□	□	□	□
財務	□	□	(人)	□	□	□	□
税務	□	□	(人)	□	□	□	□
決算・経理	□	□	(人)	□	□	□	□
予算管理	□	□	(人)	□	□	□	□
内部監査	□	□	(人)	□	□	□	□
人事(海外人事も含む)	□	□	(人)	□	□	□	□
教育・訓練	□	□	(人)	□	□	□	□
福利厚生	□	□	(人)	□	□	□	□
法務	□	□	(人)	□	□	□	□
広報	□	□	(人)	□	□	□	□
研究開発	□	□	(人)	□	□	□	□
事業・商品開発	□	□	(人)	□	□	□	□
営業企画・統括	□	□	(人)	□	□	□	□
購買・社内物流	□	□	(人)	□	□	□	□
流通・社外物流	□	□	(人)	□	□	□	□
不動産等の資産管理	□	□	(人)	□	□	□	□
特許・知的所有権等の資産管理	□	□	(人)	□	□	□	□
情報システム	□	□	(人)	□	□	□	□
総務・庶務・秘書	□	□	(人)	□	□	□	□
海外事業管理	□	□	(人)	□	□	□	□

(注1)
・質問票の機能名が貴社の本社の各部門名に対応しない場合、それぞれの機能名に該当するスタッフの総数を見積もって下さい。複数の機能にまたがって職務を担当しているスタッフに関しては、分数を利用して下さい。
・主として特定の機能に対して責任を有している取締役、上級管理職は当該機能のスタッフの人員数に算入して下さい。たとえば、経理担当の役員は「決算・経理」に含んで下さい。最高経営責任者のような全体統括役員は「経営企画」に含んで下さい。
・事業本部のスタッフ並びに派遣社員はスタッフの人員数から除外して下さい。

(注2) $\dfrac{事業グループ・事業単位のスタッフ人員総数}{本社スタッフの人員総数}$

第7部 経営戦略について

問41 過去5年間における貴企業グループ全体の戦略は、どのような方向を目指していましたか。それぞれの項目で該当するものに○印をご記入下さい。

（1）事業数の増減	減少	維持	増加
（2）新規事業への進出	行わなかった	行った	積極的に行った
（3）主力事業への投資	減少	維持	増加
（4）競争力の無い事業の扱い	撤退	縮小	維持　強化

問42 今後の貴企業グループ全体の戦略は、どのような方向を目指しますか。それぞれの項目で該当するものに○印をご記入下さい。

（1）事業数の増減	減少	現状維持	増加
（2）新規事業への進出	行わない	行う	積極的に行う
（3）主力事業への投資	減少	現状維持	増加
（4）競争力の無い事業の扱い	撤退	縮小	維持　強化

問43 過去5年間に、貴企業グループは子会社、関連会社によるものも含めて、新規事業分野への多角化を行いましたか。該当する項目に○印をご記入下さい。

a．行った　　　　　　（→問45へお進み下さい）
b．行わなかった　　　（→問44へお進み下さい）

問44 貴企業グループでは過去5年間に多角化を行わなかったということですが、その理由として該当するもの全てに○印をご記入下さい。

a．本業の成長が十分に期待できたから
b．多角化の必要性は認識しているが、条件が整わなかったから
c．専門化による競争優位を指向したから
d．多角化事業の見直しが必要になったため
e．その他（　　　　　　　　　　　　　　　　　　　　　　　　　　　　　　）

（→ご記入後は問54へお進みください）

問45 次のリストは、既存事業との関連で多角化事業を分類したものです。過去5年間の貴社の多角化事業はどのタイプに該当しますか。該当するもの全てに○印をご記入下さい。そのなかで最も重要だったものには◎をつけて下さい。

a．原材料、部品等の川上分野
b．2次加工・流通などの川下分野
c．技術、ならびに市場関連分野
d．技術関連分野
e．市場関連分野
f．非関連分野
g．副産品、連産品分野

問５４　以下の文章は具体的な競争戦略のタイプを記述したものです。それぞれの文章は、貴社の競争戦略の特色にどの程度当てはまりますか。該当する数字にO印をご記入下さい。

		全くちがう		どちらともいえない		全くその通り
(1)	コスト削減による低価格製品の提供をめざす	1	2	3	4	5
(2)	競合他社にないユニークな製品の提供をめざす	1	2	3	4	5
(3)	特定の市場に自社の資源を集中する	1	2	3	4	5
(4)	業界リーダーとして立場を維持する	1	2	3	4	5
(5)	競合他社に同一市場で正面から対決する	1	2	3	4	5
(6)	自社に有利な市場セグメントを見つけ、競合他社との共存を目指す	1	2	3	4	5
(7)	新製品、新市場開発のリスクを回避しフォロワーの利益を追求する	1	2	3	4	5

問５９　貴社の経営戦略はどのような成果を生み出していますか。該当する数字にO印をご記入下さい。（6）～（8）の項目についてはできれば具体例もご記入下さい。

		全くちがう		どちらともいえない		全くその通り
(1)	ライバル企業より高業績を上げている	1	2	3	4	5
(2)	企業全体として活力がある	1	2	3	4	5
(3)	企業家的な人材が育っている	1	2	3	4	5
(4)	新規事業が軌道にのってきている	1	2	3	4	5
(5)	全般として組織はうまく機能している	1	2	3	4	5
(6)	将来核となるような技術が育っている（具体例： ）	1	2	3	4	5
(7)	他社にない独自能力ができている（具体例： ）	1	2	3	4	5
(8)	将来核となるような製品が生まれている（具体例： ）	1	2	3	4	5

御協力誠にありがとうございました

人名索引

A
Abernathy, W. J. ……………31
Ansoff, H. I. ………13, 35, 36

B
Barney, J. B. …………11, 242
Bettis, R. A. ………39, 40, 242
Burgers, W. P. ……………40

C
Capon, N. ………………40
Chandler, A. D., Jr. ……13, 20, 37, 46, 50, 51, 55, 138, 141, 177, 236, 241, 246
Channon, D. F. …………14, 144
Christensen, H. K. …………39
Clegg, S. ………………143

F
Fligstein, N. ……………143

G
Goold, M. ……75, 175, 178, 183
Gort, M. ………………32
Gouldner, A. W. ……………240

H
Hall, W. K. ………………39
Hamel, G. ………………242
Hill, C. W. L. ……14, 45, 52, 53, 54, 55, 72, 136, 144, 146
Hwang, P. ………………40

K
Kakabadse, A. ………………66
Kim, W. C. ………………40
Kono, T. ………………143

M
Mahajan, V. ………………40
Markides, C. C. ……14, 45, 48, 52, 53, 54, 55, 57, 102, 136, 146, 147
McGahan, A. M. ……………106
Merton, R. K. ……………240
Montgomery, C. A. …………14, 39

P
Penrose, E. T. …13, 14, 17, 28, 34, 238, 241
Porter, M. E. …………106, 126, 132, 178
Prahalad, C. K. ……………242

R
Rumelt, R. P. ……14, 37, 38, 39, 40, 41, 45, 46, 47, 48, 51, 53, 58, 59, 61, 62, 82, 83, 102, 106, 124, 143, 153, 238, 246

T
Teece, D. J. ………………30

W
Wernerfelt, B. ……………242
Williamson, O. E. …45, 52, 53, 55, 136, 140, 146, 241
Wrigley, L. ………………38, 62

Y
Yin, R. K. ………………63

あ行
浅田孝幸 ………………138
伊丹敬之 …………36, 89, 90
出井伸之 …………………5, 10
伊藤秀史 ……33, 58, 84, 85, 107
稲垣健一 …………90, 91, 107
上野恭裕 ……14, 31, 51, 62, 89, 92, 93, 107
大坪文雄 ………………125

か行
加護野忠男 ……36, 134, 138, 148, 169, 239, 243
菊谷達弥 ………33, 58, 84, 85, 86, 107, 155
岸田民樹 ………………134
玄場公規 ………………33
河野豊弘 ………………177
児玉文雄 ………………33
小林一三 …………………3

さ行
齋藤隆志 ……58, 85, 86, 107, 155
榊原清則 ………………240
篠原光伸 ………………31
清水雅彦 ………………32, 83

た行
田畑紀年 ………………58
都留康 …………………92, 107
豊田喜一郎 ………………1, 2
豊田佐吉 …………………1, 2
豊田利三郎 ………………1, 2

な行
中村邦夫 …………………5
沼上幹 …………………65
野中郁次郎 ………………138

は行
箱田昌平 ………………32, 41
馬場大治 ………………103
林田修 ………33, 58, 84, 85, 107
ハワード・ストリンガー ………5
ブーン・ピケンズ ……………232
本田宗一郎 ………………2, 3

ま行
宮川幸三 ………………32, 83
宮島英昭 …………90, 91, 107
森川正之 ……33, 58, 84, 91, 107

や行
吉原英樹 ……14, 45, 47, 48, 50, 55, 58, 62, 83, 89, 107, 124, 138, 239, 243, 246

事項索引

欧文

3C ……………………………… 1
M&A ……………………… 36, 125
M-Form ………………… 52, 240
M型仮説 ………………… 45, 52, 53
M型組織 ………………… 52, 240, 241
NEC ………………………… 112
OJT ……………………… 200, 201
PPM ………………………… 20
RBV ……………………… 28, 239, 242
SCP（市場構造・行動・成果）
　パラダイム ………………… 28
T型車 ……………………… 14, 31

あ行

アイワ ……………………… 176, 229
アウトソーシング ……………… 225
アスクル ……………………… 106
アセア・ブラウン・ボベリ社
　………………………… 9, 175
委員会設置会社 ………………… 12
一体型 ……………… 181, 195, 208
インフルエンスコスト ………… 34
失われた10年 …………………… 3, 4
エージェンシー問題 ……… 34, 35
エントロピー指数 ……………… 82

か行

外部化 ……………… 228, 229, 230
核となる技術 …………………… 40
核となる要素 …………………… 41
ガバナンス機能 …… 177, 204, 236
完全子会社 …………………… 230
カンパニー制 ……… 17, 53, 112, 143, 179
管理的機能 …………………… 177
官僚制の逆機能 ……………… 240
関連比率 ……………………… 61
企業活動基本調査 …… 8, 33, 57, 58, 84, 85, 94
企業家的機能 ………………… 177
忌避宣言権 …………………… 145
規模の経済 ………… 29, 30, 33, 102
キヤノン ………………………… 11
競争均衡 ……………………… 11

競争優位 ……………………… 11
競争劣位 ……………………… 11
グループ再編型 M&A ……… 229
経営資源アプローチ ………… 238
経営理念 ……………………… 2
計画統制因子 ………………… 202
コア・コンピタンス … 111, 238
コア事業 ……… 157, 169, 243, 244
小糸製作所 …………………… 232
コストリーダーシップ戦略
　……………………………… 126
個別事業 ……………………… 38
混成組織 ……………………… 143

さ行

財務統制因子 ………………… 202
財務統制型 ………… 181, 195, 208
サービス機能 …… 177, 203, 237
差別化戦略 …………………… 126
産業のライフサイクル … 11, 102
三種の神器 ……………………… 1
参入障壁 ……………………… 39
三洋電機 ………………… 106, 125
シアーズ・ローバック社 ……… 37
事業運営シナジー …………… 243
事業開始シナジー …………… 243
事業兼営持株会社 …………… 228
事業集中 ……………………… 102
事業部制 ……… 5, 17, 37, 50, 51, 53
事業部制組織 …… 52, 54, 133, 140, 141, 143, 144, 148, 236, 241
事業部制組織構造 …… 46, 47, 48, 51
事業ミクス ……………………… 36
自己成就的予言 ……………… 104
視点シナジー ……………… 31, 32
シナジー …… 9, 17, 20, 30, 31, 32, 36, 42, 124, 238, 243, 244
社外取締役 …………………… 12
社内振替価格制度 …………… 145
シャープ …………………… 106
集権的多数事業部型（CM型）
　……………………… 54, 75, 140
終身雇用制 ……………………… 6

集中戦略 ……………………… 126
純粋持株会社 …… 11, 12, 69, 133, 136, 174, 244
情報の非対称性 ………………… 35
職能別事業部制 ……………… 134
職能別組織 …… 133, 141, 148, 236
職能別組織構造 …… 46, 48, 50, 54
新制度学派 ……………… 33, 242
垂直比率 ……………………… 61
スタック・イン・ザ・ミドル
　……………………………… 126
成長ベクトル …………………… 35
制度的外部化 ………………… 246
制度的独立性 …… 176, 228, 229, 230, 232, 237
製品別事業部制 ……………… 46
製品ミクス ……………………… 36
積極戦略因子 …… 202, 204, 208
ゼネラル・エレクトリック社
　……………………………… 10
ゼネラル・モーターズ社
　………………… 14, 31, 37, 50
全社戦略と事業戦略の融合
　……………………………… 169
選択と集中 …… 7, 8, 12, 14, 27, 28, 41, 81, 82, 92, 102, 108, 111, 115, 117, 121, 122, 124, 141, 153, 154, 235
戦略管理型 ………… 181, 195, 208
戦略計画型 ………… 181, 195, 208
戦略策定機能の強化 ………… 225
戦略調整機能 …… 177, 204, 231, 237, 241, 244, 245, 246
戦略調整機能の重要性 … 236, 237
戦略調整機能の麻痺 ………… 233
戦略的本社 …………………… 244
早期退職優遇制度 ……………… 6
相乗効果 ……………………… 36
相補効果 ……………………… 36
組織は戦略に従う … 37, 50, 51, 55, 141, 236, 246
ソニー …… 1, 4, 5, 10, 17, 112, 143, 169, 176, 229
ソニー・コンピュータエンタテインメント ……………… 112

ソニーショック ………4, 5, 10
ソニー・ミュージックエンタテ
　イメント ……………176, 229

た 行

ダイキン工業 ………………106
ダイバーシティー・ディスカウ
　ント …………………………245
ダイハツ工業 ………………229
多角化企業 …………………1, 3, 9
多角化指数 ……………………91
多角化度指数 …………………38
多数事業部型（M型）…54, 55,
　　　　　　　　　　　75, 140
多様性の経済 ………………245
地域別事業部制 ………………46
小さな本社 ………9, 10, 12, 17,
　　　　　173, 174, 175, 179, 228
デュポン社 ………………37, 50
東芝 ……………………………9
特定産業振興法案 ……………2
特化率 …………………………61
トップの関与 ………………169
ドミナント・ロジック ……239
ドメイン・コンセンサス …240
トヨタ自動車 ……1, 2, 229, 232

な 行

内部化 ………………………229

は 行

パナソニック …………1, 5, 125
パナソニックグループ ……233
ハーフィンダル指数……38, 82,
　　　　　　　　　　　　　91
バブル崩壊 …………3, 4, 7, 10,
　　　　　　　　　　　12, 124
範囲の経済………14, 29, 30, 31,
　　　　　　33, 34, 35, 36,
　　　　　　42, 168, 238
阪神急行電鉄（阪急電鉄）……3
評価主体の多元化 …………230
評価の多元化 ………………230
標準産業分類 …………38, 82, 83
フォード社 ………………14, 31
フォロワー戦略因子 ………203
不確実性（不安定性）……138,
　　　　　　　　　　　　140
複合的ガバナンス……231, 232,
　　　　　　　　　　233, 237
複雑性（異質性）……138, 140
プリンシパル・エージェント理
　論 ……………………………242
プロダクティビティ・ジレンマ
　………………………………31
プロダクト・ポートフォリオ・
　マネジメント ………………20
分社化 ………………………225
ペアレンティング ……178, 179
本業回帰 ………………………7

本社部門 ……………………173
本田技研工業 ……………1, 2, 3

ま 行

松下通信工業 ………………176
松下電器産業 …………1, 5, 112,
　　　　　　　　　　125, 176
松下電工 ………………6, 112, 176
マトリックス制 …133, 134, 191
マネジメント …………………20
見せかけの範囲の経済………35
ミッドソーシング …………225
命令の一元性の原則 ………135
持株会社 …………46, 50, 51, 53
持株会社型（H型）……54, 75

や 行

要素市場 ……………………229

ら 行

リストラクチャリング（事業の
　再構築）………7, 81, 111, 112
リソース・ベースド・ビュー
　…………………28, 39, 239, 242
リーダー戦略因子 ……203, 204,
　　　　　　　　　　　　208
リーマンショック …………3, 8

わ 行

ワールド ……………………106

【著者紹介】

上野　恭裕（うえの　やすひろ）
　1989年　神戸大学経営学部卒業
　1991年　神戸大学大学院経営学研究科博士前期課程修了
　1992年　神戸大学大学院経営学研究科博士後期課程退学
　1992年　大阪府立大学経済学部助手
　1994年　大阪府立大学経済学部講師
　1997年　大阪府立大学経済学部助教授
　2000年〜2001年　英国Cranfield大学客員研究員
　2003年〜現在　大阪府立大学経済学部教授

主な著書・論文

『多角化企業の競争優位性の研究』大阪府立大学経済研究叢書第86冊，大阪府立大学経済学部，1997年。
『在阪企業の活性化に関する多角的研究』（共著）大阪府立大学経済研究叢書第94冊，大阪府立大学経済学部，2002年。
『日本企業の戦略インフラの変貌』（分担執筆）白桃書房，2004年。
『取引制度から読みとく現代企業』（共著）有斐閣，2008年。
"Corporate Strategy and Structure: An Empirical Research in UK and Japan," *Journal of Economics, Business and Law*, Vol.5, 2003.
「日本企業の多角化経営と組織構造」『組織科学』第37巻第3号，2004年。
「本社の付加価値」（共著）『組織科学』第40巻第2号，2006年。

戦略本社のマネジメント
　—多角化戦略と組織構造の再検討　　　　　〈検印省略〉

　■　発行日——2011年3月26日　初版発行
　　　　　　　2013年6月16日　第4刷発行
　■　著　者——上野　恭裕
　■　発行所——株式会社　白桃書房
　　　　〒101-0021　東京都千代田区外神田5-1-15
　　　　☎03-3836-4781　📠03-3836-9370　振替00100-4-20192
　　　　http://www.hakutou.co.jp/

　■　印刷・製本——亜細亜印刷

Ⓒ Yasuhiro Ueno 2011　Printed in Japan　ISBN 978-4-561-26548-1 C3034

本書のコピー，スキャン，デジタル化等の無断複製は著作権法上での例外を除き禁じられています。本書を代行業者等の第三者に依頼してスキャンやデジタル化することは，たとえ個人や家庭内の利用であっても著作権法上認められておりません。

JCOPY　〈(社)出版者著作権管理機構　委託出版物〉
本書の無断複写は著作権法上での例外を除き禁じられています。複写される場合は，そのつど事前に，(社)出版者著作権管理機構（電話 03-3513-6969, FAX 03-3513-6979, e-mail : info@jcopy.or.jp）の許諾を得てください。

落丁本・乱丁本はおとりかえいたします。

好評書

加護野忠男・坂下昭宣・井上達彦【編著】
日本企業の戦略インフラの変貌 　　　　　　　　　本体 2600 円

伊丹敬之【著】
経営と国境 　　　　　　　　　　　　　　　　　　本体 1426 円

榊原清則・大滝精一・沼上　幹【著】
事業創造のダイナミクス 　　　　　　　　　　　　本体 3500 円

沼上　幹【著】
液晶ディスプレイの技術革新史 　　　　　　　　　本体 7400 円
　　──行為連鎖システムとしての技術

沼上　幹【著】
行為の経営学 　　　　　　　　　　　　　　　　　本体 3300 円
　　──経営学における意図せざる結果の探究

大薗恵美・児玉　充・谷地弘安・野中郁次郎【著】
イノベーションの実践理論 　　　　　　　　　　　本体 3500 円
　　──Embedded Innovation

妹尾　大・阿久津聡・野中郁次郎【編著】
知識経営実践論 　　　　　　　　　　　　　　　　本体 5800 円

W.H.ビーバー【著】伊藤邦雄【訳】
財務報告革命【第3版】 　　　　　　　　　　　　本体 3300 円

D.A.アーカー・G.S.デイ【著】石井淳蔵・野中郁次郎【訳】
マーケティング・リサーチ 　　　　　　　　　　　本体 4960 円
　　──企業と公組織の意思決定

J.R.ガルブレイス・D.A.ネサンソン【著】岸田民樹【訳】
経営戦略と組織デザイン 　　　　　　　　　　　　本体 2440 円

──────── 東京　**白桃書房**　神田 ────────

本広告の価格は本体価格です。別途消費税が加算されます。